हिमालय के सिद्ध योगी श्री स्वामी राम

शिक्षा और साधना

हिमालय के सिद्ध योगी
श्री स्वामी राम

शिक्षा और साधना

Himalaya ke Siddha Yogi
Sri Swami Rama

Shiksha aur Sadhana

पं० राजमणि तिगुनाइत,

पी-एच०डी०

Pt. Rajmani Tigunait, Ph.D.

HIMALAYAN INSTITUTE®
INDIA

www.HimalayanInstitute.in

हिमालयन इंस्टीट्यूट इण्डिया

छतनाग, झूँसी, इलाहाबाद

उत्तर प्रदेश—२११०१९

दूरभाष : ०७४०८४३४१४०

ई-मेल : info@HimalayanInstitute.in

Website : www.himalayaninstitute.in

प्रथम संस्करण : २०१२

द्वितीय संस्करण : २०१४

भारत में मुद्रित

ISBN-13: 978-0-89389-313-2

श्री स्वामी राम

विषयसूची

प्रस्तावना

पं. राजमणि तिगुनाइत

बचपन से ही मैं पूज्य श्री स्वामी राम के बारे में कहानियाँ सुना करता था। उन कहानियों में प्रायः पूज्य स्वामी जी की घोर तपस्या, उनकी योग सिद्धियों तथा भवाल संन्यासी (जो मृत्यु के बाद फिर से जीवित हो उठे थे) से सम्बन्धित आदि जैसी आश्चर्य भरी चर्चा हुआ करती थी। कहानियों से ऐसा लगता था कि मानो स्वामी राम कोई सचमुच का आदमी नहीं, बल्कि वे किसी कल्पना जगत में निवास करने वाले कोई प्राणी हों, या तो फिर कोई अवतारी देवी-देवता हों। वाराणसी संस्कृत विश्वविद्यालय के योग तंत्र विभाग में एक धुरन्धर विद्वान थे, जिन्हें लोग आगमाचारी जी कहते थे। एक दिन आगमाचारी जी ने मुझे बताया कि स्वामी राम बनारस के उस पार रामनगर की ओर गंगा जी के किनारे रहकर घोर तपस्या किया करते थे। उस समय उनकी उम्र बहुत छोटी थी और वे ब्रह्मचारी वेश में रहा करते थे। उन दिनों बनारस के एक जाने माने विद्वान जिनकी मृत्यु ९० वर्ष पहले ही हो चुकी थी—हर रात स्वामी जी के लिए दूध और जलेबी लाया करते थे। आगमाचारी जी की इस बात से कौतूहल तो बहुत हुआ किन्तु इस कहानी में सच्चाई होगी यह मानने को मेरा मन तैयार न हुआ। आगमाचारी ने यह भी कहा कि उन दिनों स्वामी राम का नाम भोले बाबा हुआ करता था।

जब आगमाचारी जी की बतायी हुई इस कहानी को मैंने अपने पिताजी को सुनाया तो वे हँस पड़े और बोले कि भोले बाबा महात्मा थे और १९५८ के आसपास में विंध्यवासिनी के आसपास गेरुआ तालाब नामक स्थान पर अपना शरीर त्याग चुके थे। पिताजी ने यह भी बताया कि बाबा धर्मदास की

तरह भोले बाबा भी एक महान योगी थे। वे मरे नहीं थे बल्कि योग मार्ग से अपना शरीर त्यागा था। जब शरीर छोड़ने का विचार उनके मन में आया तो अपने गुरुदेव की कुटिया के सामने ही एक गड्ढा खोदकर बैठ गये और अपने साथी महात्माओं से कहा कि उस गड्ढे को मिट्टी से भर दें। उन महात्माओं ने उस गड्ढे को भोले बाबा की गर्दन तक मिट्टी से भर दिया। भोले बाबा ने अपने प्राण को सिर में खींच लिया और योग शक्ति के द्वारा अपना ब्रह्म रन्ध्र फोड़ कर शरीर से बाहर निकल आये। इस प्रकार जब उन्होंने अपना शरीर त्याग दिया तो महात्माओं ने उस गड्ढे को मिट्टी से पूरा भरकर उसके ऊपर उनकी समाधि बना दी। गेरुआ तालाब में अभी भी भोले बाबा की समाधि बनी है। पिताजी की इस कहानी का मेरे ऊपर कोई खास प्रभाव नहीं पड़ा लेकिन मुझे इस बात का गर्व अवश्य हुआ कि मेरे पिताजी को ऐसी विचित्र, रोचक और रहस्यमयी कहानियाँ आती हैं।

१९७२ का समय था। मैं जीवन के एक अज्ञात मोड़ पर खड़ा हुआ था। संस्कृत पाठशाला से उत्तर मध्यमा की परीक्षा पास करके इलाहाबाद विश्वविद्यालय में प्रविष्ट हुआ था। उन्हीं दिनों भाग्यवश एक महान सन्त के दर्शन हुए। उनका नाम था स्वामी सदानन्द। मैं प्रायः ही विश्वविद्यालय की कक्षाएँ समाप्त होने पर स्वामी सदानन्द महाराज के पास चला जाया करता था। ये महापुरुष कृपा करके मुझे योग की रहस्यमयी विद्याओं का उपदेश दिया करते थे। मैंने बार-बार उनसे प्रार्थना की कि वे मुझे श्री विद्या नामक योग विद्या का उपदेश दें और मुझे अपने शिष्य के रूप में स्वीकार करें। कई महीनों तक उन्होंने मेरी प्रार्थना पर कोई ध्यान नहीं दिया और एक दिन बोले कि अगर श्री विद्या का ज्ञान प्राप्त करना हो तो योगेश्वर श्री भोले बाबा की शरण में जाओ। पूज्य स्वामी सदानन्द जी महाराज के मुख से भोले बाबा के विषय में सुनकर मेरे मन में इन महापुरुष को जानने की बड़ी उत्सुकता हुई। जब मैंने सदानन्द जी महाराज से बहुत प्रार्थना की तो वे बोले कि भोले बाबा एक दिव्य पुरुष हैं वे योगियों के भी योगी हैं। साक्षात् योगेश्वर हैं; भूमण्डल पर मनुष्य रूप में विचरण करने वाले ब्रह्म-ऋषि हैं। उन्हें एकान्त बहुत प्रिय है किसी भी स्थान पर ज्यादा दिन तक टिकते नहीं हैं। इसलिए उन्हे खोज पाना कठिन है सबसे बड़ी बात तो यह है कि वे बहुत ही रहस्यमय जीवन बिताते हैं। इसलिए मिलने के बाद भी उन्हें पहचानना कठिन हो जाता है। यह सुनकर मेरा दिल उत्सुकता और उल्लास से भर गया। और तीव्र इच्छा जगी

कि मैं इन महापुरुष से कितनी जल्दी मिलूँ। किन्तु मेरे पिताजी के अनुसार भोले बाबा तो बहुत पहले ही मर चुके थे। मैं किसकी बात का विश्वास करूँ- पिताजी की बात का या स्वामी सदानन्द जी की बात का।

कई वर्ष बीत गये। जब-जब स्वामी सदानन्द जी महाराज से बात होती तो ऐसा लगता कि भोले बाबा अभी भी जीवित हैं किन्तु मेरे पिताजी कहते कि वे तो महा समाधि ले चुके हैं। चार साल में मैं एम.ए. की परीक्षा उत्तीर्ण करके इलाहाबाद विश्वविद्यालय के संस्कृत विभाग में शोध कार्य करने लगा। मेरे शोध प्रबन्ध के निदेशक डॉ. महावीर प्रसाद लखेड़ा थे। एक दिन बातचीत के प्रसंग में डॉ. लखेड़ा ने बताया कि स्वामी राम अब अमेरिका में रहते हैं और उन्होंने वहां पर हिमालयन इंस्टीट्यूट नामक संस्था की स्थापना की है। लखेड़ा जी की बात को सुन कर मेरे मन में भाव आया कि ये स्वामी राम और कोई महात्मा होंगे। भला कोई सच्चा महात्मा विदेश क्यों जायेगा। सच्चाई तो ये थी कि इतने दिनों में मैंने स्वामी राम के विषय में इतनी सारी कहानियाँ सुन ली थीं कि मेरे मन में भ्रान्ति और संशय के अतिरिक्त स्वामी राम के प्रति किसी भी श्रद्धा और विश्वास के लिए जगह ही नहीं रह गयी थी। स्वामी राम के जन्म मृत्यु, तपस्या और योग शक्ति के विषय में जो कुछ भी सुना उसके बारे में सोच-सोच कर कभी-कभी ऐसा लगता कि स्वामी राम कोई महात्मा के वेश में लोगों को भ्रमित करने वाले मायावी हैं। फिर कभी ऐसा लगता था कि पुराणों में वर्णित कोई सनातन ऋषि हैं। दोनों ही परिस्थितियों में भला मुझे क्या मिलेगा। एक दिन तो स्वामी सदानन्द जी के आश्रम में लगे पीपल के पेड़ के नीचे बैठे-बैठे श्रद्धा और अविश्वास के अन्तर्द्वन्द्व में ऐसा उलझ गया कि मैं यह निश्चित ही नहीं कर पा रहा था कि जिन्हें लोग भोले बाबा भी कहते हैं-खोजूँ या भूल जाऊँ। किन्तु मेरे इस सोचने से क्या होता। होता वही है जो ईश्वर चाहता है। ईश्वर की इच्छा के आगे मेरे संशय, और अविश्वास की क्या कीमत। दैवी शक्ति ने अनायास ही मुझे खींच कर पूज्य स्वामी राम के चरणों में लाकर पटक ही दिया। यह था १९७६ का वर्ष और स्थान भी क्या! दिल्ली का फाइव स्टार होटल अकबर-जहाँ पर किसी महान सन्त से मिलने की कोई कल्पना भी नहीं कर सकता। यह मिलन भी ऐसा वैसा नहीं बल्कि इसी मिलन से उस रहस्यमय यात्रा की शुरुआत होती है जिस की समाप्ति अनन्त और अज्ञात में। ईश्वर की कैसी लीला कि जब मिला भी तो घण्टे लग गये यह

जानने में कि ये महापुरुष हैं कौन। मैं दो घण्टे तक इन महापुरुष से बातें करता रहा और ये महापुरुष मुझसे बातचीत करके वैसे ही आनन्द लेते रहे जैसे प्रेम, कारुण्य, ज्ञान और वात्सल्य से भरे हुए माता-पिता अपने बच्चों के साथ बातचीत करके खुश हुआ करते हैं। जिनके विषय में इतने दिनों से विरोधाभास से भरी आध्यात्मिक कहानियाँ सुना करता था आज मेरे सामने मूर्तिमान होकर बैठे थे किन्तु मैं उन्हें उस रूप में जान न सका। आप कल्पना कर सकते हैं कि एकाएक उनको पहचानने पर मेरी क्या हालत हुई होगी। वह एक वर्णनातीत स्थिति थी। मेरा हृदय उन कुछ क्षणों के लिए आनन्द और लज्जा के समुद्र में डूब-सा गया। अभी कुछ क्षण पहले खूब चैन से उनके साथ गप्पे लगा रहा था और अब मेरी बोलती बन्द हो गयी। मैं किंकर्त्तव्यविमूढ़-सा हो गया। समझ नहीं पा रहा था कि करूँ तो क्या करूँ, कहूँ तो क्या कहूँ। उनके पैरों को देखूँ कि मुख को, पूरे शरीर को देखूँ या अपनी आँखें बन्द कर लूँ। फिर ऐसा लगा जैसे मेरा पूरा शरीर एक नेत्र के रूप में बदल गया हो और क्षण भर में ही मैंने उन्हें ऊपर से नीचे भीतर-बाहर, हर जगह और हर तरफ से देखा। उनकी बड़ी-बड़ी आँखों से मानो करुणा का समुद्र उमड़ रहा था। मिलन के उस प्रथम क्षण में जो प्यार मिला उसका अभी तक कभी अनुभव भी न हुआ था। निश्चित ही पूज्य स्वामी जी यह समझ गये कि मेरे पैरों तले की धरती खिसक गयी है। और मैं आनन्द और आश्चर्य के अपार बोझ से अपनी ही चित्त की भूमि में धँसा जा रहा हूँ। उस समय न तो मेरे अन्दर शक्ति थी और न ही इच्छा कि मैं उनसे कुछ बातचीत करूँ। मैं मन वाणी और शरीर से परे किसी महान शून्य की तरह शून्य-सा लटक रहा था। इसी समय स्वामी जी बोल पड़े-"मैं तुम्हारी बहुत दिनों से प्रतीक्षा कर रहा हूँ। अमेरिका कब आ रहे हो। तुम्हें बहुत काम करना है।" फिर ऐसा लगा जैसे स्वयं स्वामी जी भी एक-दो मिनट के लिए किसी शून्य में जाकर लीन हो गये हों। वहाँ से लौटे तो सांसारिक विषयों पर बात करने लगे। थोड़ी देर बाद बोले-अच्छा अब जाओ, कल फिर आना।

उसके बाद पूरे दिन और रात भर मैं, स्वामी जी के विषय में सोचता रहा। पुरानी बातें याद आने लगीं। याद आया कि कैसे अनेक सन्तों, योगियों, महात्माओं और यहाँ तक कि मेरे पिता श्री ने स्वामी जी के विषय में क्या-क्या बातें बतायीं थीं। इस प्रथम मिलन के बाद वाले बीस घण्टों में मेरे मन में लाखों विचार आये। मैं सोचता कि आज से मैं उस महान सन्त के साथ

जीवन बिताऊँगा जिसके प्रेम, करुणा और ज्ञान की कोई सीमा नहीं है। इन श्री चरणों के दर्शन हो गये अब मेरी सब समस्यायें समाप्त हो गयीं। स्वामी जी हमको अमेरिका ले चलेंगे। वहाँ पर मुझे भारत माता की–गला घोंट देने वाले भ्रष्टाचार का सामना नहीं करना पड़ेगा। मन–ही–मन मैं उन सबको धन्यवाद देता रहा जिन्होंने मुझे पूज्य स्वामी जी को खोजने की प्रेरणा दी। विशेष करके मेरा हृदय श्री आनन्द प्रताप सिंह के प्रति कृतज्ञता से बार–बार भरता था। क्योंकि विधाता ने अत्यन्त रहस्यमय श्री आनन्द प्रताप सिंह को ही मुझे स्वामी जी के पास लाने में कारण बनाया था। उत्सुकता और उद्विग्नता के नाते रात को मैं एक मिनट भी सो न सका।

दूसरे दिन मैं फिर होटल पहुँचा। आज दो घण्टे होटल की लॉबी में बैठ कर प्रतीक्षा करता रहा कि स्वामी जी अब बुलायेंगे तब बुलायेंगे। अन्त में स्वामी जी ने मुझे बुला ही लिया। उनके कमरे का दरवाजा खुला था इसलिए उनके कमरे में चला गया। वहा जाकर देखता हूँ कि स्वामी जी अपना सूट–बूट पहने खड़े हैं। मैं चरण स्पर्श करने जा ही रहा था कि स्वामी जी ऊँचे और कड़े शब्दों में बोल पड़े–चल मेरे साथ कुछ शापिंग करनी है। आज स्वामी जी की वाणी में कल जैसी मिठास नहीं थी। मैं दंग रह गया कि कल इनके अन्दर जो सन्त था वो कहाँ चला गया और आज यह हुकूमत चलाने वाले मिलिटरी का कमाण्डर कहाँ से आ गया। फिर भी मैंने हिम्मत करके उनका पैर छुआ। स्वामी जी गरज पड़े–ये क्या पैर–वैर छूता है। चलो जल्दी चलना है। यह कह कर स्वामी जी अपना हैण्ड बैग मुझे देकर कमरे से बाहर निकल गये।

हम दोनों कार के पास गये। स्वामी जी ड्राइवर के बगल वाली अगली सीट पर बैठ गये और मुझे पिछली सीट पर बैठा दिया। मुझे पिछली वाली सीट पर बैठ कर बहुत संकोच लग रहा था क्योंकि पीछे की सीट साहब लोगों के लिए हुआ करती है खासकरके उन दिनों में। थोड़ी ही देर में दिल्ली के प्रसिद्ध कनाट प्लेस नामक जगह पर पहुँच गये। कार खड़ी हुई। स्वामी जी फटाफट कार से उतर कर दुकानों की तरफ बढ़े। मैंने अपने ढंग से धीरे–धीरे दरवाजा खोला और धीरे–धीरे सब देखभाल कर लिया कि कार में कोई चीज छूट न गई हो। इस प्रकार जब तक कार से उतर कर स्वामी जी की तरफ चलना शुरू किया तब तक स्वामी जी लगभग पचास गज आगे जाकर

खड़े होकर मेरी प्रतीक्षा कर रहे थे। जब मैं नजदीक पहुँचा तो मेरी दृष्टि स्वामी जी के चेहरे पर गई। उनका मुखड़ा लाल पड़ गया था। ऐसा लग रहा था कि मानो अभी उनकी आँखों से आग की लपट निकल कर मुझको भस्म कर देगी। अभी मैं उनके पास पहुँच ही रहा था कि कौंधती हुई बिजली से देदीप्यमान बादलों की तरह गरज कर बोले–धीमा चलने वाला आदमी खुद लेट होता है और दूसरों को भी लेट करता है। अगर तुम्हें मेरे साथ रहना है तो तेजी से चलना सीखो। इसी एक वाक्य से मुझे पूरे जीवन भर की शिक्षा मिल गयी और पूज्य स्वामी जी का वह रूप भी देख लिया जिसके विषय में मैंने अभी तक न सुना था और न सुनने और देखने के लिए तैयार ही था।

आने वाला पूरा सप्ताह तनाव, कठोरता, सरलता, कोमलता, करुणा और अनुशासन से भरा हुआ था। थोड़ी देर तक स्वामी जी ऐसे लगते मानो उनका सम्पूर्ण व्यक्तित्व प्रेम और करुणा से भरा हुआ है। ये औढ़र दानी है। वरदान और आशीर्वाद देने के लिए आतुर रहा करते हैं। उनके व्यक्तित्व के इस वातावरण में मेरी आशाएँ और आकांक्षाएँ आकाश चूमने लगीं। मैं यह सोचने लगा कि मैं ही उनका सबसे प्यारा शिष्य हूँ। उनके समस्त सांसारिक, और आध्यात्मिक सम्पत्ति का उत्तराधिकारी हूँ। मैं अपने कल्पना जगत में कभी डूबता तो कभी उतराता। मैं यह बार–बार सोचता कि शीघ्र ही स्वामी जी मुझे दीक्षा देंगे और शक्तिपात के माध्यम से अपनी समस्त योग शक्तियों को मेरे अन्दर प्रवेश करा देंगे। उनकी कृपा से बिना कुछ किये धरे ही यह सिद्धियाँ मुझे अध्यात्म और परमार्थ के रास्ते से भटका नहीं पायेंगी। स्वामी जी मेरी इन उच्च आकांक्षाओं को बढ़ावा भी देते रहे।

तीन–चार दिन बाद एक दिन युनिवर्सिटी ग्राण्ट कमीशन ऑफ इण्डिया (यू.जी.सी.) के चेयरमैन स्वामी जी के पास आये। उनके आते ही मेरे प्रति स्वामी जी का रुख बदल–सा गया। मुझे यह नहीं पता था कि स्वामी जी ने यू.जी.सी. के चेयरमैन के साथ कुछ साठ–गाँठ की हुई थी। स्वामी जी मुझसे कहने लगे कि यह कितना अच्छा होगा कि मैं किसी विश्वविद्यालय में प्रवक्ता पद पर आसीन हो जाऊँ। इतनी छोटी आयु में मैं प्रवक्ता हो गया तो थोड़े ही समय में प्रोफेसर हो जाऊँगा। सबसे अच्छी बात तो यह होगी कि मैं अपने माता–पिता और परिवार के अन्य सदस्यों के नजदीक रहूँगा।

स्वामी जी मुस्काते हुए बोले–बेटा! सोच समझ से काम लो। एक स्वामी के साथ तुम्हें क्या मिलेगा। साधू का कभी विश्वास नहीं करना चाहिए। साधू सब कुछ त्याग दिये होता है। संसार में उसका किसी से कोई सम्बन्ध नहीं होता वह आज यहाँ है कल कहीं दूसरी जगह।

मैं भौंचक्का रह गया–मैंने कहा स्वामी जी आप तो कह रहे थे कि आप मुझे अपने साथ रखेंगे।

स्वामी जी बोले–भावुक मत बनो। मूर्ख लोग ही दरवाजे पर आये भाग्य लक्ष्मी को ठुकराया करते हैं। स्वामी जी की बात को सुनकर मैं बिल्कुल चुपचाप रहा। स्वामी जी बोलते ही रहे किन्तु मैंने कुछ भी उत्तर नहीं दिया। तब स्वामी जी डाँट कर बोले तुम कुछ बोल नहीं रहे हो। मैं बिजी आदमी हूँ। या तो मेरी बात सुनो या चले जाओ। मैंने कभी भी यह नहीं सोचा था कि तुम इतने जिद्दी और घमण्डी होगे। अब जाओ, कल हम लोग फिर बात करेंगे।

दूसरे दिन मैं स्वामी जी के पास पुनः गया। आज स्वामी जी का रूप कुछ और ही था। चेहरे पर परम शान्ति और आँखों में अगाध करुणा। मुझे देखकर प्यार से बोले– "तुमने विश्वविद्यालय में पढ़ाने का काम स्वीकार क्यों नहीं किया?"

मैंने कहा–"स्वामी जी! इसलिए कि मैं आपके साथ रहना चाहता हूँ।"

मेरा उत्तर सुनकर स्वामी जी गम्भीर हो गये। थोड़ी देर के लिए आँखें बन्द कर लीं और फिर लम्बी साँस लेते हुए बोले–"साधू का जीवन एक सतत् प्रताड़ना है। तुम यदि दुख में सुखी रहने के लिए तैयार हो तो मेरे साथ रहने का संकल्प करो।"

स्वामी जी के इस कथन का क्या अर्थ है–मैं यह बिल्कुल न समझ सका। हाँ, मन में यह भाव अवश्य आया कि शायद स्वामी जी मुझे अपने से दूर करना चाह रहे हैं।

मैंने स्वामी जी के चरणों में सिर रख कर प्रार्थना की–"मेरी एक ही इच्छा है और वह यह है कि मैं आपके ही पास रहूँ। मुझे इच्छाओं और महत्वाकांक्षाओं के इतने ऊँचे शिखर पर लाकर यों ही नीचे न धकेल दीजिये।"

"क्या तुम सचमुच यही चाहते हो," स्वामी जी ने धीरे स्वर में पूछा।

मैंनें कहा—"हाँ।"

तब स्वामी जी बोले— "तो सभी इच्छाओं का त्याग करो। तुम्हारे योग-क्षेम, तुम्हारे सांसारिक और आध्यात्मिक अभ्युदय की जिम्मेदारी मैं लेता हूँ।"

यह सुनते ही मैं प्रसन्नता से फूला न समाया। मेरा सिर अपने आप ही उनके चरणों में झुक गया। फिर मेरे सिर पर हाथ रखकर स्वामी जी बोले—"उठो और वचन दो कि आज से तुम ज्योतिष, राजनीति और साम्प्रदायिक धर्मों के प्रपञ्च में नहीं पड़ोगे।" उस समय मैं यह तो नहीं समझ सका कि स्वामी जी ने ऐसा क्यों कहा। फिर भी मैंने स्वामी जी को वचन दे दिया।

उस दिन के बाद जब कभी भी मौका लगता स्वामी जी के दर्शन के लिए दिल्ली पहुँच जाता। कभी-कभी तो घण्टों प्रतीक्षा करने के बाद भी एक-दो मिनट के लिए मिल पाना कठिन होता। और कभी-कभी तो पहुँचते ही अपने कमरे में बुला लेते और घण्टों बात-चीत करते। इस दुलर्भ सत्संग का अवसर तब मिलता था जब कोई भी उनके आसपास नहीं होता था। उन दिनों स्वामी जी प्रायः मेरे शोध-प्रबन्ध के विषय में चर्चा किया करते थे। मेरा शोध-प्रबन्ध श्री विद्या पर था। और स्वामी जी श्री विद्या के मर्मज्ञ थे। किन्तु मेरे लिए तो स्वामी जी ही समस्त आश्चर्यों के केन्द्र बिन्दु थे। अपने बचपन के नाते कई बार मैंने स्वामी जी से उनके जीवन के विषय में पूछा किन्तु हर बार स्वामी जी के इस व्यवहार को देखकर ऐसा प्रतीत होता कि जैसे स्वामी जी के जीवन में भूतकाल नाम की कोई चीज ही नहीं थी।

संयोग से श्री आनन्द प्रताप सिंह स्वामी जी को बहुत समय से जानते थे। श्री आनन्द प्रताप सिंह श्रीमान् राजा दिनेश सिंह के मित्र तथा व्यक्तिगत सचिव थे। श्रीमान दिनेश सिंह जी टिहरी गढ़वाल राज्य के दामाद थे और इसी राज्य में स्वामी जी का जन्म हुआ था और यहीं पर अपने गुरुदेव परम पूज्य बंगाली बाबा के साथ स्वामी जी ने अपने जीवन का अधिकांश समय बिताया था। गढ़वाल का राज परिवार परम पूज्य बंगाली बाबा और स्वामी जी को अच्छी तरह जानते थे। एक दो महीनों में श्री आनन्द प्रताप सिंह जी ने मुझे स्वामी जी के बारे में इतनी सारी कहानियाँ बतायीं कि मुझे ऐसा लगने लगा कि अब मैं स्वामी जी के विषय में पूरी तरह से जान गया हूँ। मुझसे

रहा न गया। मैं स्वामी जी के पास गया और प्रार्थना की कि वे मुझे अपना जीवन-चरित्र लिखने की आज्ञा दें।

स्वामी जी मुस्करा कर बोले, "हाँ! आज के २१वें वर्ष के बाद तुम मेरा जीवन-चरित्र लिखोगे।" यह सुनकर एक ओर मुझे अपने बचकाने पर लज्जा आयी किन्तु दूसरी ओर इस बात पर प्रसन्नता हुई कि मुझे स्वामी जी का जीवन-चरित्र लिखने का सौभाग्य प्राप्त होगा। इसके तुरन्त बाद स्वामी जी ने बातचीत का प्रसंग बदल दिया और मेरी छुट्टी कर दी। उसके बाद मुझे १० महीने तक स्वामी जी के दर्शन न हुए।

श्री आनन्द प्रताप सिंह के अलावा मेरे जीवन में दो और ऐसे व्यक्ति आये जिनके द्वारा मुझे स्वामी जी के बारे में ज्ञान मिल सका। इनमें पहली थीं आनन्द प्रताप की माता जी। आनन्द प्रताप की माता एक सन्त स्वभाव की भद्र महिला थीं। इनको हम लोग सम्मान और प्रेम वश "बड़की अम्मा" कहा करते थे। १९६२ और १९६४ ई. के बीच बड़की अम्मा को स्वामी जी के साथ सत्संग करने का खूब सौभाग्य प्राप्त हुआ था। उन दिनों स्वामी जी इलाहाबाद में ही रहा करते थे। बड़की अम्मा को सत्संग में अति रुचि थी। स्वामी जी के अलावा बड़की अम्मा सैकड़ों महात्माओं को जानती थीं और उनके सत्संग का लाभ प्राप्त करती थीं। उन्हें ज्यों ही पता चला कि मैं अब स्वामी जी के पास निवास और स्वामी जी की संस्था में काम करने जा रहा हूँ-अति प्रसन्न हुईं। उन्होंने बड़े प्यार से मुझे समझाया-"पूज्य स्वामी राम की बाहरी वेश-भूषा और रहन-सहन को देखकर कभी भ्रमित न होना। इस संसार में उनके पूज्य गुरुदेव के अलावा उनका कोई भी अपना नहीं है। वे संसार में रहते तो हैं किन्तु उनका इस संसार से कुछ लेना-देना नहीं है। वे देखने में भले ही ठण्डे लगते हैं किन्तु वे साक्षात् अग्नि पुञ्ज हैं। उनके साथ रहने का मतलब है-हवन कुण्ड में बैठना। वे वायु की भाँति हैं उन्हें कभी भी बाँधने की चेष्टा न करना। यदि ऐसा करने की कोशिश करोगे तो तुम्हारा वह प्रयास व्यर्थ चला जायेगा।"

एक दिन यह भद्र महिला-आनन्द प्रताप की माता जी मुझे शिव कुटी नामक स्थान पर ले गयीं। गंगा जी के तट पर बना हुआ यह आश्रम बड़ा ही रमणीक है। यहाँ पर श्री स्वामी जी ने बहुत दिनों तक निवास किया था। यहाँ पर माता जी ने श्री स्वामी जी के विषय में बहुत सारी बातें बतायीं

जिससे मुझे स्वामी जी के जीवन के उस पक्ष का ज्ञान मिला जो अत्यन्त रहस्यपूर्ण है। इन्हीं माता जी के द्वारा मुझे पता चला कि स्वामी राम और भोले बाबा एक ही हैं। इन्हीं भद्र महिला ने एक-एक कर क्रमशः बताया कि भोले बाबा का नाम स्वामी राम कब और कैसे पड़ा। इन माता जी ने विस्तार से मुझे बताया कि बंगाली बाबा स्वामी जी के गुरुदेव हैं। बंगाली बाबा ही बंगाल के प्रसिद्ध सन्त बाबा धरम दास हैं। माता जी ने यह भी बताया कि स्वामी राम को शरीर त्यागने की विद्या आती है। अनेक बार दर्जनों वैज्ञानिकों, प्रोफेसरों और डाक्टरों के सामने शरीर त्याग चुके हैं। घण्टों भर शरीर से बाहर निकल गये और पुनः मृत शरीर में प्रवेश करके उसे जीवित कर दिया। स्वामी जी पर-काया-प्रवेश के पूर्ण ज्ञाता और सिद्ध योगी हैं। जन्म-मृत्यु से परे हैं।

इन माता जी के अलावा एक और महापुरुष थे जिन्होंने पूज्य स्वामी जी के विषय में मुझे बहुत सारी बातें बतायीं। उनका नाम था डॉ. महावीर प्रसाद लखेड़ा। डॉ. लखेड़ा इलाहाबाद विश्वविद्यालय के संस्कृत विभाग में प्रवक्ता थे और मेरे शोध प्रबन्ध के निदेशक थे। डॉ. लखेड़ा जी का जन्म हिमालय स्थित गढ़वाल क्षेत्र में हुआ था। वहीं पर स्वामी जी भी पैदा हुए थे। स्वामी जी के प्रति लखेड़ा जी की धारणाएँ, आनन्द प्रताप की माता जी की धारणाओं से बिल्कुल अलग थीं। लखेड़ा जी के अनुसार स्वामी जी गढ़वाल के एक प्रकाण्ड पण्डित के पुत्र थे। स्वामी जी को अपने चाचा से बहुत धन प्राप्त हुआ था और स्वामी जी गोरे चिटट्रे, अत्यन्त सुन्दर पुरुष थे। स्वामी जी परम मेधावी विद्यार्थी थे और इलाहाबाद विश्वविद्यालय में सभी प्रोफेसर लोग उनका बहुत मान-सम्मान करते थे। एक दिन लखेड़ा जी बड़े दुख के साथ बोले कि इतना सब होते हुए भी स्वामी राम ने साधु होकर अपना जीवन नष्ट कर दिया। अगर किसी विश्वविद्यालय में प्रोफेसर पद पर स्थित होकर काम करते तो विद्वत समाज में कितनी प्रतिष्ठा हुई होती और वे भारतीय दर्शनशास्त्र या साहित्य के अन्य क्षेत्र में कितना महान योगदान दिये होते। लखेड़ा जी ने बताया कि स्वामी राम, प्रोफेसर आर.डी. रानाडे के परम प्रिय शिष्यों में थे। जब स्वामी राम इलाहाबाद विश्वविद्यालय में पढ़ा करते थे तो उनके ऊपर प्रोफेसर रानाडे की असीम कृपा थी। रानाडे जी स्वामी राम को व्यक्तिगत रूप से समय दिया करते थे। किन्तु कितने आश्चर्य की बात है कि स्वामी राम प्रतिष्ठित विद्वत समाज को त्याग कर अपना

जीवन यों ही घूमने–टहलने में बिता दिया। बौद्धिक विकास की तरफ ध्यान न देकर उन्होंने हठयोग की साधना की और योग विद्या के द्वारा केवल सिद्धियों को प्राप्त करने में अपना जीवन बिताया। फिर भी लखेड़ा जी बोले– स्वामी राम एक अद्वितीय योगी हैं।

१९७६ ई. में स्वामी जी से मिलन के प्रथम सालों से लेकर १९७९ के बीच मुझे जब–जब मौका मिला घूम फिर कर मैं स्वामी जी के दर्शनों हेतु दिल्ली में ही बना रहता था। उन दिनों स्वामी जी की आज्ञानुसार बनारस और कामाख्या जैसे तीर्थों का भ्रमण किया करता था। फिर १९७९ के अक्टूबर में मैं अमेरिका गया, वहाँ पर लोगों ने स्वामी जी के विषय में ऐसी–ऐसी बातें बतायीं जिसका ज्ञान भारत में शायद किसी को न होगा। अमेरिका प्रवास के मेरे प्रथम सात महीने मिनियापोलिस नामक शहर में बीते। वहाँ पर मैं ऐसे लोगों से मिला जिनकी स्वामी जी के विषय में बहुत ही पुष्ट और विचित्र धारणाएँ थीं। वहाँ कुछ लोगों के मतानुसार स्वामी जी हिमालय के सिद्ध योगी थे और दूसरों के जीवन में आश्चर्यजनक परिवर्तन लाने की क्षमता रखते थे। अन्य लोगों के मतानुसार स्वामी जी एक रहस्यमय वैज्ञानिक थे, जो अपने हृदय, मस्तिष्क और स्नायु मण्डल पर पूर्ण अधिकार प्रदर्शित करके वैज्ञानिक समाज को स्तम्भित कर देते थे। उसी मिनियापोलिस में मैं ऐसे लोगों से भी मिला जो स्वामी जी को एक चमत्कारी महात्मा के रूप में जानते थे और चमत्कार देखने के लिए स्वामी जी के आसपास में घूमा करते थे। ये सभी धारणाएँ मुझे अनोखी–सी लगीं क्योंकि भारत में मैंने करुणा, दया, प्रेम, ज्ञान और भक्ति से लबालब भरे हुए सन्त के रूप में देखा था। मेरी दृष्टि में उनकी हर साँस अपने गुरुदेव और जगत जननी पराम्बा राज राजेश्वरी के प्रेम में डूबी रहा करती थी। भारत में मैंने जो कहानियाँ सुनी थीं उसके अनुसार स्वामी जी सन्तों महापुरुषों के चरण–कमलों में बैठकर अध्ययन किया करते थे और अपने गुरुदेव श्री बंगाली बाबा की आज्ञा और आशीर्वाद का सहारा लिये जंगलों और पहाड़ों में छिपे एकान्त स्थानों में रहकर तपस्या किया करते थे। साधना काल में कभी–कभी कुछ गलतियाँ भी कीं और ऐसी परिस्थिति में उनके पूज्य गुरुदेव और अन्य सन्तों ने स्वामी जी की सहायता की, उनकी गलतियों का निराकरण किया और आध्यात्मिक जगत में सहायता की। भारत में मैंने जो कहानियाँ सुनी थीं उसके अनुसार ही स्वामी जी के आस–पास कभी–कभार अलौकिक चमत्कार हुआ करते थे किन्तु मिनियापोलिस के

लोगों की भाँति स्वामी जी को भारत में कोई जादूगर के रूप में नहीं देखा करता था।

१९८० की गर्मियों में स्वामी जी ने मुझे हिमालयन इंस्टीट्यूट के मुख्य कार्यालय पर बुलाया। हिमालयन इंस्टीट्यूट का मुख्य कार्यालय अमेरिका के पेन्सलवेनिया नामक प्रान्त में है। यहीं पर स्वामी जी अधिकतर रहा करते थे। यहां पर पहुंचते ही स्वामी जी ने मुझे हिमालयन इंस्टीट्यूट के आध्यात्मिक डॉयरेक्टर के रूप में नियुक्त कर दिया। इस प्रकार से १९८० की गर्मियों में मैं इंस्टीट्यूट में एक प्रवक्ता और ऑफिसर की हैसियत से काम करने लगा। इंस्टीट्यूट के इस नये वातावरण में मुझे स्वामी जी के एक नये रूप को देखने का अवसर मिला। यहाँ पर स्वामी जी ऐसे लगते थे जैसे बहुत बड़ी संस्था या कम्पनी के सीईओ हों। यहाँ पर स्वामी जी का जीवन अत्यन्त व्यस्त था—मुख्यालय और अमेरिका के अन्य शहरों में लेक्चर देने के लिए आये दिन यात्रा किया करते थे। प्रशासनिक कार्यों में मिलिट्री के कमाण्डरों की तरह थे; मजाल क्या कि कोई लेट-लतीफ हो जाय। जब इंस्टीट्यूट पर रहते तो प्रायः या तो मीटिंग किया करते या प्रवचन देते, पुस्तक लिखते या भवन निर्माण का काम देखा करते। उन दिनों चारों तरफ साफ-सफाई और बाग-बगीचे का काम हुआ करता था। इन सब कामों के दौरान स्वामी जी समय निकाल कर अपना भोजन खासकरके दोपहर का स्वयं ही बनाते थे और मैं इतना भाग्यशाली कि खाना बनाने में मैं उनकी सहायता किया करता था।

इंस्टीट्यूट पर रहने वाले आश्रमवासियों को ऐसी अच्छी ट्रेनिंग दे रखी थी कि आश्रमवासी स्वामी जी को व्यर्थ में परेशान नहीं करते थे। कोई भी असमय में स्वामी जी से आध्यात्मिक या सांसारिक बातें नहीं करता था। भारत में तो जब कभी भी लोगों को मौका मिलता तो अपने घर-परिवार बाल-बच्चों अपने नौकरी और व्यापार सम्बन्धी बातचीत करने में जरा भी संकोच नहीं करते थे। किन्तु यहाँ लोग अपने-अपने काम में व्यस्त रहते थे और स्वामी जी बिना परेशानी के सैर करते, बगीचे में काम करते, अपना खाना बनाते, खाते और बच्चों के साथ खुल कर खेलते। भारत में तो स्वामी जी पाँच स्टार होटल में रहा करते थे और बड़े-बड़े वी.आई.पी. लोगों को भी कभी-कभी हफ्तों तक स्वामी जी से मिलने के लिए प्रतीक्षा करनी पड़ती

थी और यहाँ अमेरिका के मुख्य कार्यालय पर स्वामी जी सहज रूप से सुलभ थे। पब्लिक में तो भारत की ही भाँति चमक-दमक और प्रभुता सम्पन्न दिखायी देते किन्तु पब्लिक से दूर व्यक्तिगत जीवन में स्वामी जी अत्यन्त सरल और सहज थे।

यह आश्चर्य की बात थी कि स्वामी जी कितना कठिन परिश्रम करते थे और कितना कम सोते थे। प्राय: स्वामी जी का दिन सुबह ७ बजे से शुरू होता और रात २ बजे तक काम चला करता था। २ बजे रात को काम करने वाले लोगों को विदा करके स्वामी जी स्नान करते और उसके बाद अपने सच्चे काम-ध्यान भजन में लग जाते। दिन-रात चाहे कोई भी समय हो उठते-बैठते, खेलते-कूदते, पढ़ते-पढ़ाते, काम करते या करवाते समय-सदा ही स्वामी जी अपने में मस्त रहते। उनके लिए खाना बनाना, संगीत का अभ्यास करना, चित्रकारी करना, बगीचे में काम करना, प्रवचन देना, यात्रा करना, व्यवसायिक योजनायें बनाना, आध्यात्मिक विषयों पर चिन्तन करना- ये सब ईश्वर की आराधना के ही अलग-अलग रूप थे। यहाँ पर मैंने देखा कि स्वामी जी और सभी लोगों के साथ बहुत प्यार से व्यवहार किया करते थे किन्तु जो लोग उनके नजदीकी थे उनके साथ कठोरता और अनुशासन का बर्ताव किया करते थे। अपने प्रिय जनों के साथ व्यक्तिगत स्तर पर तो बहुत सरल और कोमल किन्तु पब्लिक में अत्यन्त कठोर और यहाँ तक कि निर्दयी-सा प्रतीत होते थे। और यही कारण था कि आये दिन उनके नजदीकी विद्यार्थी स्वामी जी को छोड़कर भाग खड़े हुआ करते थे।

१९८३ की बात है स्वामी जी ने मुझे अपनी पुस्तक "लिविंग विथ द हिमालयन मास्टर्स" का हिन्दी में अनुवाद करने को कहा। यह ग्रन्थ अब हिन्दी भाषा में "हिमालय के सन्तों के संग निवास" के नाम से जाना जाता है। दिन में मैं इस ग्रन्थ का हिन्दी अनुवाद करता और रात में उसे स्वामी जी को सुनाया करता। अनुवाद को सुनकर स्वामी जी को अपनी पुरानी स्मृतियाँ याद आ जातीं और प्राय: मुझे बीच में ही रोककर अपने उन अनुभवों के बारे में बताने लगते जिसका उल्लेख वे अपने मूल ग्रन्थ में नहीं कर पाये थे। स्वामी जी के ये अनुभव उस समय मेरे पास अत्यन्त अद्‌भुत और विस्मयकारी थे। उन अनुभवों को लिखने के लिए समय नहीं हुआ करता था अत: उन्हें अपने हृदय में ही संजो कर रख लिया करता था। इन्हीं वार्तालापों

के प्रंसग में स्वामीजी ने मुझे अपने गुरुदेव के विषय में बताया। स्वामी जी ने बताया की पहाड़ों में कौन-से ऐसे छिपे हुए दिव्य स्थान हैं जहाँ स्वामी जी के गुरुदेव-बंगाली बाबा तपस्या किया करते थे। इन्हीं दिनों स्वामी जी के मुख से मुझे स्वामी जी के अन्य गुरुभाइयों और विशेष करके प्रसिद्ध भवाल संन्यासी के विषय में सुनने को मिला। स्वामी जी ने अपने परम गुरुदेव, जो अधिकतर तिब्बत में रहा करते थे-उनके विषय में बताया। स्वामीजी ने बताया कि अपनी परम्परा का सबसे प्राचीन मठ तिब्बत में है। इस मठ का नाम तिब्बती भाषा में चोकू गुम्पा है। हम लोग इसे चोकूमठ कहते हैं। चोकूमठ लाचू घाटी में स्थित है। यह घाटी कैलास पर्वत के पश्चिमी भाग में है और इसी घाटी के बीच से होकर लाचू नाम की नदी बह रही है। किन्तु इतना होने पर भी स्वामी जी कभी भी अपने जीवन के विषय पर कभी कुछ नहीं बताते थे। स्वामी जी अपने गुरुदेव के साथ में कैसे रहा करते थे- इस बात का प्रसंग उठते ही मानो वे किसी शून्य जगत में खो जाया करते थे। परन्तु १९८५ में एक ऐसा अवसर आया कि धीरे-धीरे करके मुझे स्वामी जी और उनके पूज्य गुरुदेव के साथ में कैसे जीवन बीता-यह सुनने और जानने को मिला। पूज्य स्वामीजी १९८५ में मुझे टीकमगढ़, खजुराहो और मध्य-प्रदेश के अन्य स्थानों पर अपने साथ ले गये। इस यात्रा के दौरान स्वामी जी उन स्थानों पर गये जहाँ बहुत दिनों पहले अपने गुरुदेव के साथ रहा करते थे। वहाँ पहुँच कर स्वामी जी ने अपने बीते दिनों की कहानी बतायी-मेरे गुरुदेव ने मुझे कैसे दीक्षा दी, साधना में कैसे लगाया, मुझे किन कठिनाइयों का सामना करना पड़ा और किन विशिष्ट साधनाओं को किया। उन अनुभवों को सुनकर मैं थोड़ा-थोड़ा समझ सका कि सन्तों, महापुरुषों के पदचिह्नों पर चलने के लिए सबसे बड़ा साधन है-सन्तों का आशीर्वाद और ईश्वर की कृपा।

इस यात्रा में स्वामी जी ने मुझे अपने पूर्वाश्रम के परिवारवालों से मिलाया। मैं ऐसे लोगों से भी मिला जो स्वामी जी के मित्र थे और स्वामी जी को उन दिनों से जानते थे जब स्वामी जी का नाम स्वामी राम नहीं हुआ करता था। मैं यह देख कर आश्चर्य में पड़ जाता था कि स्वामी जी इन विविध प्रकार के लोगों से कैसे मिलते-जुलते और बात-चीत करते थे। इन सैकड़ों लोगों की भीड़ में कुछ स्वामी जी के शिष्य थे, कुछ इनके प्रसंशक और अनुसरण करने वाले थे और कुछ तो स्वामी जी को अपने सम्बन्धी और

पुराने मित्र की तरह देखा करते थे। मैं साक्षी भाव से देखा करता था कि स्वामी जी उन सबके साथ किस प्रकार से अलग-अलग ढंग से, अलग-अलग स्तर पर व्यवहार कर रहे थे। टू पीस सूट और सिल्क की शर्ट पहने अपने मित्रों और सम्बन्धियों के साथ स्वामी जी एक कुशल गृहस्थ की भाँति लग रहे थे। उनके साथ परिवार की बातें, नौकरी और काम धन्धे की बातें ऐसे किया करते थे मानो उनका अध्यात्म से कुछ लेना-देना ही न हो। इन सांसारिक धन्धे के बीच अपने विद्यार्थियों और शिष्यों के साथ आध्यात्मिक चर्चा किया करते थे। यहाँ तक कि परिवार के सदस्यों और सम्बन्धियों से ये कुशलतापूर्वक छुटकारा लेकर कार में बैठ जाते और सहसा कुछ देर के लिए गायब हो जाते। इन्हीं परिस्थितियों में पूज्य स्वामी जी मुझे टीकमगढ़ के बाहर ऐसे स्थानों पर ले गये जहाँ पर स्वामी जी के गुरु भाई ने तपस्या की थी और जहाँ पर श्री बंगाली बाबा प्रायः आया करते थे।

इस यात्रा के दौरान पहली बार स्वामी जी ने यह बताया कि इन जंगलों और पहाड़ों में वे कैसे अपने गुरुदेव के साथ टहलते थे। गुरुदेव ने कैसे स्वामी जी को साँप के भय से मुक्त होने में सहायता की। खजुराहो के पुराने टूटे-फूटे मन्दिरों में पूज्य गुरुदेव कैसे शान्तिपूर्वक रहा करते थे। एक बार ओबेराय होटल के बाहर खड़े होकर सुदूर स्थित चौसठ योगिनियों के मन्दिर की ओर स्वामी जी देखने लगे। उस समय ऐसा लगा कि मानो वे समाधि में पहुँच गये हों। थोड़ी देर के लिए उनकी वाणी बिल्कुल अवरुद्ध-सी हो गयी। मेरे हृदय में आवाज आयी कि चौसठ योगिनियों के मन्दिर में स्वामी जी को कोई-न-कोई अनुभूति अवश्य हुई होगी और वह अनुभूति परम रहस्यमय और आनन्ददायक रही होगी और यही कारण था कि स्वामी जी चौसठ यौगनियों का स्मरण करते ही इतने आत्मविभोर हो उठे थे। मेरा अनुमान बिल्कुल सही निकला। एक हफ्ते बाद स्वामी जी ने एक ऐसे वर्णनातीत अनुभव की चर्चा की जिसे सुनकर मेरा सिर चकरा-सा गया। यहीं पर पूज्य बंगाली बाबा ने स्वामी जी को जगत्‌जननी राजराजेश्वरी का दर्शन कराया था।

जब स्वामी जी से मैं पहली बार मिला तभी से मेरे मन में यह जानने की उत्सुकता रहती थी कि स्वामी जी इस कोलाहलपूर्ण जगत में अपने शान्त और आनन्दमय गुफा को कैसे लिये फिरा करते हैं। मैं हमेशा जागरूक रहता और जानने की कोशिश करता था कि स्वामी जी हमको और दूसरों को कैसे

पढ़ाते हैं, कैसे अनुशासित करते हैं और कैसे सांसारिक और आध्यात्मिक जगत को एक साथ जोड़कर जीवन यात्रा में आगे बढ़ा करते हैं। स्वामी जी के व्यवहार और क्रिया-कलाप को देखकर मेरा हृदय श्रद्धा और भक्ति से उमड़ पड़ता था। और १९७६ की भाँति अब फिर मुझसे नहीं रहा गया। स्वामी जी का जीवन चरित्र लिखने के लिए मैं आतुर हो गया। मुझे दृढ़ विश्वास हो गया था कि मैं स्वामी जी के विषय में बहुत कुछ जान गया हूँ। मैं अपनी भावुकता को सँभाल न सका। और स्वामी जी से पूछ बैठा "स्वामी जी! आप की आज्ञा हो तो मैं आपकी जीवनी लिखूँ।" स्वामी जी बोले-"क्या कोई अपने जीवन काल में ही अपने विषय में लिखने की आज्ञा देता है?" यह सुनकर मैंने उनकी जीवनी लिखने का विचार कुछ दिनों के लिए स्थगित कर दिया लेकिन भीतर-ही-भीतर स्वामी जी की जीवनी लिखने की इच्छा बलवती ही होती गयी। दिन-पर-दिन बीतते गये। और सौभाग्य वश मेरा अधिकांश समय स्वामी जी के चरणों में बीतता रहा।

१९८७ में धीरे-धीरे स्वामी जी अपना अधिकांश समय और शक्ति देहरादून के पास अस्पताल बनवाने में लगाने लगे। सबसे पहले स्वामी जी ने एक छोटे-से अस्पताल के रूप में यह काम शुरू किया। संसार भर में फैले हुए स्वामी जी के भक्तों और शिष्यों ने इस काम में हाथ लगाया। १९९० आते-आते यह छोटा-सा अस्पताल एक मेडिकल सिटी के रूप में उभरने लगा। अस्पताल के आस-पास के गाँव में अशिक्षा, बेरोजगारी और गरीबी छायी हुई थी। अस्पताल निर्माण के कारण एकाएक बहुत सारा पैसा और नौकरी के आसार दिखायी पड़ने लगे। अस्पताल का विज्ञापन भी व्यापक स्तर पर होने लगा। परिणाम यह हुआ कि भारत और अमेरिका दोनों ही देशों में अवसरवादियों की भीड़ इकट्ठी हो गयी। इन दिनों स्वामी जी के विषय में भाँति-भाँति की कहानियाँ सुनायी पड़ने लगीं। इनमें से कुछ कहानियाँ तो सुन्दर और कुछ गन्दी हुआ करती थीं। इन सभी कहानियों के केन्द्र बिन्दु स्वामी जी हुआ करते थे। इन प्रवादों में कहीं-कहीं तो स्वामी जी की पूजा और प्रशंसा हुआ करती थी और कहीं-कहीं निन्दाजनक बातें हुआ करती थीं। सैकड़ों सरकारी अफसर और भारत के विशिष्ट नागरिक और सामान्य जनता स्वामी जी को अवतारी पुरुष कहते थे और उनकी प्रशंसा करते नहीं थकते थे। दूसरी तरफ एक ऐसा भी समुदाय था जो ये अफवाहें उड़ाया करता था कि स्वामी जी सी.आई.ए. के ऐजेन्ट हैं। इसी प्रकार पश्चिमी देशों में हजारों

लोग स्वामी जी के आध्यात्मिक ज्ञान और समाज सेवा सम्बन्धित कार्यों के कारण उनकी पूजा और प्रशंसा करते थे किन्तु उन्हीं पश्चिमी देशों में ऐसे भी लोग प्रकट हो गये जो इसी ताक में लगे रहते थे कि स्वामी जी को कैसे बदनाम किया जाय और स्वामी जी को बदनामी का भय दिखाकर पैसा ऐंठा जाय। इन सभी प्रवादों, अफवाहों, निन्दा और प्रशंसा के बीच में स्वामी जी वैसे ही शान्त भाव से विराजमान होकर भगवत भजन और जन सेवा में निमग्न रहते जैसे कोई गजराज तपते हुए गर्मी के दिन किसी शीतल जल वाली झील में बैठे-बैठे आनन्द ले रहा हो।

१३ नवम्बर १९९६ के सायंकाल पूज्य स्वामी जी अपने भौतिक शरीर को त्याग कर ब्रह्मलीन हो गये। अपने अन्तिम दिनों में स्वामी जी ने अपना अधिकांश समय अस्पताल के निर्माणकार्य में बिताया। उस समय संसार के हर कोनों से व्यापक स्तर पर पैसा इकट्ठा करने और भारत में प्रशासनिक कार्य करने में अपना समय बिताते थे। किन्तु जैसे-जैसे इस संसार से विदा लेने का समय नजदीक आता गया उनके अन्दर छिपी हुई दिव्य आत्मा दिनों-दिन और भी प्रकाशित होने लगी। उनके अन्दर छिपा हुआ ब्रह्म-ऋषि मानो अपने पूर्व ज्ञान, वैराग्य और प्रेम का दान देने के लिए आतुर हो उठा। उन दिनों जो कोई भी स्वामी जी का दर्शन करने आया खाली हाथ न गया। संसार के किसी भी कोने से जो स्वामी जी के पास आया, उनको पत्र लिखा अथवा टेलीफोन किया उन सभी को एक विशेष अनुभव हुआ। उस अनुभव ने सभी की आत्माओं को झंकृत कर दिया। लोग उनका दर्शन कर सके या नहीं, उनसे बात कर सके या नहीं, अपने पत्रों का उत्तर पाये या नहीं, लेकिन जिस किसी इच्छा से लोग स्वामी जी से सम्पर्क करना चाहते थे उनकी समस्त इच्छाएँ पूरी हो गयीं। उस समय जीवन के अन्तिम दिनों में स्वामी जी औढर दानी भोले बाबा की भाँति सब कुछ लुटाये चले जा रहे थे। जिसके पास सुनने के लिए कान थे वे साफ-साफ स्वामी जी की आत्मा की पुकार सुन सकते थे। मूक भाषा में स्वामी जी पुकार-पुकार कर कह रहे हों मेरे बच्चो मेरे पास जो कुछ भी है, सब तुम्हारे लिए है ले जाओ सब कुछ। मेरे बच्चो तुम लोग सुखी रहो। मैं ऐसे अनेक लोगों को व्यक्तिगत रूप से जानता हूँ जो कैंसर के रोग से पीड़ित थे और ज्यों ही उन लोगों ने अपनी पीड़ा स्वामी जी को बतायी वे कैंसर रोग से मुक्त हो गये। मैं ऐसे परिवार को जानता हूँ जिसमें पति-पत्नी एक दूसरे को तलाक देने के लिए अदालत जाने की तैयारी

कर रहे थे किन्तु स्वामी जी का दर्शन करते ही उनके जीवन में अभूतपूर्व परिवर्तन हुआ। प्रेम की धारा फूट पड़ी और पति-पत्नी का जीवन सुख-शान्ति और प्यार से भर गया। ऐसे ही कुछ परिवारों में दुख और विद्रोह के बादल छाये रहते थे क्योंकि उनके बच्चे शराब और नशीली वस्तुओं के सेवन में अपना जीवन नष्ट कर रहे थे किन्तु स्वामी जी के दर्शन करते ही वे बच्चे इन व्यसनों से मुक्त हो गये। उनके जीवन में एक अद्‌भुत परिवर्तन आया। पूज्य स्वामी जी ने मुझे कभी भी स्पष्ट रूप में नहीं बताया कि वे अपना शरीर कब छोड़ेंगे किन्तु सूक्ष्म रूप से इशारा दे दिया था कि शीघ्र ही इस नश्वर संसार को छोड़कर अपने गुरुदेव के नित्य और शाश्वत धाम को चले जायेंगे।

१९९६ के मई तक स्वामी जी का शरीर केवल एक हड्डियों का ढाँचा-सा रह गया था । किन्तु उनके चेहरे पर एक अलौकिक आभा थी। आँखों में एक दिव्य ज्योति थी। कभी-कभी तो ऐसा लगता कि शरीर तो यहाँ है किन्तु स्वयं स्वामी जी स्थान और काल की सीमा को पार कर किसी अन्य लोक में निवास कर रहे हों। और उनकी आँखों से उसी अलौकिक जगत का प्रकाश इस जगत में फूट पड़ रहा हो। उनके सानिध्य में होने वाले अनुभवों से ऐसा प्रतीत होता कि भूत, भविष्य और वर्तमान सब आपस में सिमट कर एक हो गये हों। उनके शरीर में समाहित योग शक्ति और आध्यात्मिक आनन्द मानो सभी सीमाओं और मर्यादाओं को तोड़ कर हम सबको अपने में विलीन कर लेंगे। किन्तु इस स्थिति में भी स्वामी जी मीटिंग किया करते थे। बड़े-बड़े कामों और प्रोजेक्ट के विषय में निर्णय लेने और लोगों को अपना निर्देश दिया करते थे। शरीर त्यागने के कई महीनों पहले से ही स्वामी जी ने अन्न त्याग दिया था। केवल फलों के रस और जल पर प्राण धारण किये थे। जीवन के इन अन्तिम क्षणों में इस ब्रह्म ऋषि की दिव्य लीला को किसने देखा और देखकर कितनों ने उसे समझा और हृदयंगम् किया-यह तो मैं नहीं कह सकता लेकिन एक परम आनन्द की छटा जो सदा ही उनके आसपास छायी रहती थी उसे देखकर कोई भी अनुभवी साधक अनुभव कर सकता था कि पूज्य स्वामी जी उन दिनों राजराजेश्वरी जगत जननी पराम्बा की गोद में निवास कर रहे थे। यहाँ तक कि शरीर त्यागने के कुछ घण्टों पहले तक हँसी-मजाक कर रहे थे। अपने प्रिय शिष्य रोशन लाल कनोडिया को स्वामी जी बोले "हरिद्वार ले चलो"। रोशन लाल उठकर खड़े हो गये

और कुछ क्षणों के लिए सोच में पड़ गये। फिर बोले स्वामी जी टाटा सूमो लाऊँ या टाटा स्टेट। स्वामी जी को उन दिनों बोलने में तकलीफ होती थी। फिर भी मधुर मुस्कान के साथ बोले–"बेवकूफ क्या कोई मुर्दे को टाटा स्टेट में ले जाता है?" उसी दिन ग्यारह बजे रात्रि को स्वामी जी ने शरीर छोड़ दिया।

उस वर्ष सितम्बर के महीने से ही मैं स्वामी जी के आसपास था। सितम्बर और नवम्बर के बीच होने वाले अनुभवों से मेरा विश्वास दृढ़ हो गया कि स्वामी जी जन्म मृत्यु से परे एक, सिद्ध योगी हैं। दिव्य आत्मा हैं। हम जैसे भूले–भटकों को मार्ग दिखाने के लिए और सुख–शान्ति लाने के लिए आते हैं और ईश्वर द्वारा निर्धारित संसार लीला को कर के यहाँ से चले जाते हैं। मुझे इसका स्पष्ट ज्ञान हो गया कि स्वामी जी ने अपने "हिमालय के सन्तों के संग निवास" ग्रन्थ में जिन योग साधनाओं का वर्णन किया है उन सभी योग साधनाओं और पद्धतियों के पूर्ण ज्ञाता हैं। स्वामी जी बार–बार कहा करते थे "तुम्हारे पास शरीर है किन्तु तुम शरीर नहीं हो। तुम शरीर में हो किन्तु तुम शरीर से परे भी हो। जीवन रूपी कविता में जन्म और मृत्यु केवल अर्ध विराम की भाँति हैं। योगी के लिए मृत्यु जैसी कोई चीज नहीं होती। जिस प्रकार लोग अपने फटे–पुराने कपड़े उतार कर नये कपड़े पहन लिया करते हैं। उसी तरह योगी लोग अपने जीर्ण–शीर्ण वृद्धावस्था और रोग से ग्रसित शरीर का त्याग करके नया शरीर धारण कर लिया करते हैं। मैंने अपनी आँखों से देखा कि पूज्य स्वामी जी ने योग मार्ग का आश्रय लेकर अपना शरीर त्यागा। शरीर रूपी वस्त्र त्याग कर अभी नया वस्त्र धारण किया कि नहीं यह तो वही जाने।

संसार के हर कोने में स्वामी जी के भक्तों और शिष्यों का विश्वास है कि पूज्य स्वामी जी महान योगी थे। दिव्य आत्मा थे। भगवत प्रेम से लबालब भरे हुए एक महान सन्त थे। इन धारणाओं और विश्वास के पीछे सबका अपना–अपना व्यक्तिगत अनुभव है। अधिकांश लोग स्वामी जी को महान इसलिए मानते हैं कि उन्होंने स्वामी जी को चमत्कार करते हुए देखा। उनकी दृष्टि में स्वामी जी एक चमत्कारी पुरुष थे। उदाहरण के लिए स्वामी जी ने किसी का फोड़ा अपने लिये ले लिया अथवा केवल जल छिड़क कर किसी का बुखार खत्म कर दिया। कुछ लोग स्वामी जी को महान सन्त के

रूप में जानते हैं कि स्वामी जी के आशीर्वाद से किसी का कारोबार और धन्धा आगे बढ़ गया अथवा भयंकर कार दुर्घटना में भी स्वामी जी के आशीर्वाद से किसी को खरोंच तक नहीं आयी। कुछ लोग स्वामी जी को महान इसलिए मानते हैं कि उनके स्पर्श मात्र से अथवा देखने मात्र से शक्तिपात हो गया और घण्टों तक समाधि की स्थिति में चला गया। कुछ लोग स्वामी जी से इसलिए मन्त्रमुग्ध हुए क्योंकि उनके सामने ही देखते-देखते स्वामी जी ने अपनी जाँघ में एक फोड़ा प्रगट किया और थोड़ी ही देर में अपनी इच्छा मात्र से उस फोड़े को खत्म कर दिया।

मेरी दृष्टि से किसी सन्त महापुरुष को किसी कारण से महान समझना अज्ञान नहीं तो बचपने की बात अवश्य है। जो इन छोटी-छोटी बातों के नाते इन सन्त महापुरुषों के प्रति श्रद्धा और विश्वास की भावना संजोने की कोशिश करते हैं उन लोगों को एक सन्त और एक जादूगर में अन्तर का ज्ञान नहीं है। सन्त और जादूगर में महान अन्तर है। सिद्धियों से भरपूर व्यक्ति भी साधुता से रहित हो सकता है। सिद्धियों से विभूषित व्यक्ति भी परमात्मा से हजारों कोस दूर हो सकता है। पूज्य स्वामी जी से मिलने के पहले मैं ऐसे योगियों से मिला था जो जल पर चल सकते थे। अपनी दो नाकों से एक ही साथ दो-दो बाँसुरी बजा सकते थे। नींबू काटकर अभिचार कर्म के द्वारा मुर्गा मार सकते थे। ऐसे भी लोगों से मिला जो शून्य आकाश से शिवलिंग प्रगट कर सकते थे और भविष्य की बातें बता सकते थे। किन्तु मैंने यह भी देखा कि बहुतेरे ऐसे यथाकथित सिद्ध लोगों का अध्यात्म और परमात्मा से कुछ भी लेना-देना न था। और मैंने उन्हें उनके व्यक्तिगत जीवन में उतना ही अशान्त और दुखी पाया जितना कि अन्य संसारी लोग हुआ करते हैं।

पूज्य स्वामी जी में मैंने पूर्ण सन्त को देखा। जिसका हृदय प्रेम और करुणा से लबालब भरा हुआ था और साथ ही उस अनुशासित शिक्षक और गुरु को देखा जो अनुशासन और मर्यादा का उल्लंघन करने वालों को क्षण भर में बाहर फेंक दिया करता था। स्वामी जी एक अद्वितीय दानी थे। जब देते तो उनमें साक्षात औढरदानी भोले बाबा का रूप दिखायी पड़ता। लुटाते समय वे ये भी नहीं देखते थे कि लेने वाला इसे सँभाल भी पायेगा कि नहीं। किन्तु एक संस्था के प्रमुख की हैसियत से जब व्यापार और संस्था के कार्य में कार्यरत होते थे तो एक-एक पैसे तक पर अपनी पकड़ रखते थे मजाल

क्या था कि उन्हें कोई ठग ले। अनेक बार मैंने देखा कि स्वेच्छा से ही अपने आसपास हाहाकार और तूफान की स्थिति खड़ा कर देते और ऐसा लगता मानो सृजन और संहार की शक्तियाँ अपना उद्दाम् नृत्य करने लगी हैं। संस्थाओं का बनना और बिगड़ना, भक्तों द्वारा निन्दा और प्रशंसा का कोलाहल शुरू हो जाता। ऐसी परिस्थिति में पूज्य स्वामी जी दूर बैठे साक्षी भाव से सब कुछ देखा करते। मैं भी २० वर्ष तक चुपचाप शान्त भाव से देखता रहा कि कैसे लोग हजारों की संख्या में फूल माला और भाँति-भाँति के उपहार लेकर आते हैं और स्वामी जी की पूजा किया करते हैं। किस प्रकार लोग स्वामी जी के प्रति व्यर्थ की बातें किया करते हैं तथा क्रोध और ईर्ष्या की बातें संजोये स्वामी जी को त्यागकर चले जाया करते हैं। इन सभी परिस्थितियों में मैंने देखा कि पूज्य स्वामी जी समभाव से मान और अपमान, लाभ और हानि का स्वागत करते और सदा ही शान्त चित्त से सब कुछ देखा करते। कभी-कभी मैंने उनके श्रीमुख से सुना "खड़ा हूँ बाजार मैं पर खरीददार नहीं हूँ, रहता हूँ इस दुनिया में पर दुनियादार नहीं हूँ।" स्वामीजी के जीवन का हर पहलू अतियों, विविधताओं और विरोधाभासों से भरा हुआ था किन्तु जो लोग उनको नजदीक से जानते हैं उनको पता है कि स्वामी जी एक अत्यन्त सरल व्यक्ति थे।

मैं स्वामी जी को एक महान सन्त और गुरु के रूप में जानता हूँ। वह इसलिए नहीं कि उनके शिष्यों और भक्तों की संख्या लाखों और करोड़ों में है। बल्कि वे एक ऐसे महापुरुष थे जिन्हें अपने ऊपर पूर्ण अधिकार प्राप्त था। पूज्य स्वामी जी अपने मन, शरीर और इन्द्रियों के स्वामी थे। उनके आसपास का स्थान और समय भी उनके आधीन हुआ करता था। जीवन के अन्तिम चालीस वर्षों में स्वामी जी दो घण्टों से अधिक सोये नहीं। फिर भी इतने सक्रिय कि कोई भी उनके साथ उनकी गति से एक दो दिन भी काम नहीं कर सकता था। निद्रा और थकावट उनके पास नहीं फटकती थी। उनके साथ काम करने वाले लोग अलग-अलग शिफ्ट में काम किया करते थे। इतनी अबाध गति से काम करने के बावजूद भी उनके चारों तरफ एक शान्ति का वातावरण हुआ करता था। जहाँ रहते वहाँ आलस्य का प्रवेश नहीं रहता। अपने ही हृदय की गुफा में बैठे-बैठे एक साथ दस-दस काम किया करते थे और उनके सभी कामों में पूर्णता थी। एक तरफ अपने आसन पर बैठे बोले जा रहे हैं-हम में से एक कोई उसे ग्रन्थ रूप में लिखता जा रहा है। इसी

ग्रन्थ लेखन के दौरान स्वामी जी टेलीफोन के माध्यम से ठेकेदार को डाँट लगा रहे हैं और बीच-बीच में आनन्द भरी मुस्कान के साथ चाय की चुस्की भी लिये जा रहे हैं। चेहरे पर जरा भी अशान्ति की रेखा नहीं।

पूज्य स्वामी जी का अपनी सभी वृत्तियों पर पूर्ण अधिकार प्राप्त था। अतः वे स्वयं के स्वामी, अपने मन और शरीर के स्वामी थे। वे उन विद्याओं के भी स्वामी थे जिसे हम शिष्यों को सिखाया करते थे। क्योंकि अपने विद्यार्थियों को कभी भी ऐसी विद्या का उपदेश नहीं देते थे जिसका स्वयं अभ्यास न किया हो और साक्षात अनुभव न किया हो। इसलिए भी वे हम सबके स्वामी हैं, मार्गदर्शक हैं, लक्ष्य तक पहुँचाने में समर्थ पुरुष हैं। समस्त विविधताओं और विरोधी तत्वों को अपने में समेटे समरसता के स्वामी हैं। कितनी ही बार मैंने देखा कि वे एक साथ ही चन्द्रमा के समान शीतल और अग्नि के समान गरम थे। जो लोग उनसे आकर अध्ययन करते और थोड़ी दूरी रखकर सामान्य जीवन बिताते हुए साधना करते उनके प्रति तो स्वामी जी बड़े दयालु थे। ऐसे लोगों के साथ स्वामी जी का बर्ताव बड़ा कोमल हुआ करता था। किन्तु जो लोग उनके समीप रहना चाहते और ऋषियों की आध्यात्मिक सम्पत्ति का भागीदार होना चाहते उनके प्रति स्वामी जी का रुख बहुत ही कठोर हुआ करता था। ऐसे साधकों को अनुशासन की अग्नि में ऐसा तपाते कि या तो तप कर सोना बन जायें या घबराकर भाग खड़े हों। आध्यात्मिक और सांसारिक दोनों ही जगत में स्वामी जी एक बवण्डर की भाँति थे। जब उठ खड़े होते तो उनके चारों तरफ एक तूफान-सा खड़ा हो जाता। और स्वयं उस तूफान के मध्य बैठे-बैठे शान्त भाव से देखा करते कि किस प्रकार से चारों तरफ उथल-पुथल मची है। वहीं पर बैठे-बैठे यह देखा करते कि अन्तःशक्ति, श्रद्धा, विश्वास और ईश्वर की कृपा से भरपूर कौन ऐसा है जो उस उथल-पुथल में भी अडिग हो। जीवन की विषम परिस्थितियों में अडिग रहने वाले उन्हें बहुत प्रिय थे। निन्दा और प्रशंसा, मान और अपमान, हानि और लाभ रूपी विष को पी जाने वाले शिष्यों को अपने हृदय कमल में बिठाये रहते थे।

स्वामी जी अपने को छिपाकर रखने में बड़े ही कुशल थे। अनेक लोग खासकरके उनके जीवन के अन्तिम दिनों में स्वामी जी को पैसे वाला स्वामी समझा करते थे। ऐसे लोगों की धारणा थी कि स्वामी जी एक चमत्कारी पुरुष

हैं। लोगों के ऊपर प्रभाव डालने में सक्षम हैं और अपने इसी प्रभावशाली व्यक्तित्व के नाते भारत से विदेश में गये। वहाँ पर अनुयाइयों की विशाल भीड़ खड़ी की। विदेशों में खासकरके अमेरिका में हिमालयन इंस्टीट्यूट नामक संस्था स्थापित की। बहुत सारा पैसा कमाया और उस पैसे को अपनी जन्म भूमि भारत लाये। यहाँ भारत में ९ वर्ष के भीतर ही भीतर विशाल अस्पताल और मेडिकल कालेज का निर्माण किया जिसे आज लोग हिमालयन इंस्टीट्यूट हास्पिटल ट्रस्ट के नाम से जानते हैं। किन्तु स्वामी जी के इन अन्तिम दिनों में स्वामी जी के पास पहुँचने वाले अनेक भारतीय यह नहीं जानते कि स्वामी जी का जीवन कितना तपोमय था। स्वामी जी ने कितनी कठिन साधनाएँ की थीं। और संसार में व्यस्त रहते हुए भी स्वामी जी की रातें कैसे भगवत भजन में बीतती थीं।

जब स्वामी जी हिमालय के पर्वत शिखरों और जंगलों में रहा करते थे–प्रायः ही कोई उनके पास पहुँच पाता था। उस समय स्वामी जी एक फकीर थे। रातें हिमालय की गुफाओं में ध्यान भजन करते बीतती थीं। उन गुफाओं में न तो दरवाजे थे और न ही खिड़कियाँ। जंगलों के आसपास में रहने वाले गाँव के लोग स्वामी जी के लिए दूध और भोजन लाया करते थे। ये भोले–भाले ग्रामीण बदले में स्वामी जी से कुछ भी नहीं लिया करते थे। स्वामी जी के आसपास में अपने–आप से गुंजरित होने वाले भगवत् नाम और भगवत प्रेम को पाकर ये ग्रामीण लोग धन्य–धन्य हो जाया करते थे। किन्तु एक ऐसा समय आया जब स्वामी जी संसार में सक्रिय होकर जन सेवा, समाज सेवा और प्रकृति सेवा के माध्यम से परमात्मा की उपासना में लग गये। उन दिनों स्वामी जी ने अपने ऊपर माया का ऐसा पर्दा डाला कि कुछ इने–गिने भाग्यवान साधकों के अलावा स्वामी जी को कोई पहचान ही नहीं सकता था। बहुतेरे लोग तो यही सोचते हैं कि स्वामी जी ने एकाएक दिल्ली, टोकियो और न्यूयार्क जैसे जगहों में रहने का निर्णय लिया और धड़ाम से वहाँ पहुँचते ही राजनीतिज्ञों और धनवानों से घिर गये। अब ग्रामीण लोग स्वामी जी तक पहुँच नहीं सकते थे। कुछ लोग ये सोचते हैं कि ऐसा करके स्वामी जी ने शहरों में रहने वालों के ऊपर कृपा की। अब वे स्वामी जी तक आसानी से पहुँच गये। किन्तु यह बात ध्यान देने योग्य है कि अपने परमप्रिय और शान्त हिमालय को छोड़ने और संसार के भीड़–भड़ाके में रहने जैसे निर्णय के पीछे स्वामी जी की अपनी कुछ भी इच्छा और आकांक्षा नहीं

थी। इस निर्णय के पीछे तो केवल परमात्मा की इच्छा और उनके गुरुदेव की आज्ञा ही सर्वोपर थी। यह बात तो लोग तभी जान सकते हैं जब इस फाइव स्टार होटल में रहने वाले महात्मा की दिनचर्या को नजदीक से देख सकें। मैं तो इस फाइव स्टार महात्मा को सदा ही हृदय में निवास करने वाले परमात्मा की आराधना करके पाया। दिन भर पढ़ने-पढ़ाने, पुस्तक लिखने, प्रवचन देने, मीटिंग करने, संसार के निर्माण कार्य करने, निर्देशन और निरीक्षण करने के उपरान्त रात्रि के साथ स्वामी जी अपने सांसारिक चोगे को उतार दिया करते थे। अर्ध रात्रि के समय, अपना वही पुराना आध्यात्मिक रूप धारण करते बीत रागी, निद्राजयी; जगदम्बा का प्यारा पुत्र, देशों और विदेशों में व्यस्त जीवन बिताने वाला, यह महापुरुष अपने भीतरी जगत में तो पूज्य बंगाली बाबा का एक भोला-भाला बच्चा था। जिसका जीवन सांसारिक साधनों के द्वारा नहीं अपितु बाबा जी के स्नेह और अनुग्रह शक्ति से ही चला करता था।

बीते समय में अनेक महापुरुष पैदा हुए हैं और वे सबके सब महान हैं क्योंकि उनके ज्ञान के प्रकाश से हम साधकों का जीवन प्रकाशित हो सकता है और ये हो भी रहा है। किन्तु स्वामी राम का स्थान उन महापुरुषों के बीच में अनुपम है। मैं यह इसलिए नहीं कह रहा हूँ कि स्वामी जी का ज्ञान और आध्यात्मिक शक्ति अन्य महापुरुषों के ज्ञान व आध्यात्मिक शक्ति से अधिक थी बल्कि मैं यह इसलिए कह रहा हूँ कि स्वामी जी की जीवन गाथा अपनी जीवन गाथा से बहुत मिलती-जुलती है। स्वामी जी का जन्म एक मध्यम वर्गीय सामान्य परिवार में हुआ था। इनका बचपना बहुत कुछ अन्य बच्चों की भाँति बीता। वे भी सभी बच्चों की भाँति कभी-कभार जिद करते और लड़-झगड़ जाया करते और कभी-कभी अपने लिये समस्या भी खड़ी कर लिया करते थे। जिज्ञासु साधक के रूप में अपने गुरुदेव से वाद-विवाद कर लिया करते थे। उनके निर्देशों की अवहेलना भी करते और यहाँ तक कि एक बार तो अपने गुरुदेव को छोड़कर भाग जाने की योजना भी बना ली थी। जीवन में ऐसे भी क्षण आये जब स्वामी जी संसार में बिल्कुल उलझ गये थे। इस समय बाबा जी के अलावा स्वामी जी की कोई रक्षा नहीं कर सका। भव सागर में डूबते हुए स्वामी जी को बाबा जी ने ही पार लगाया। हम सबकी भाँति स्वामी जी के जीवन में भी उथल-पुथल हुईं। उन्हें भी विषमताओं और अवांछनीय समस्याओं का सामना करना पड़ा। बाल्यकाल

में ही स्वामी जी अनाथ हो गये। उनके अपने भाई ने ही उनका बहिष्कार किया। बाबा जी जैसे फकीर जो सांसारिक दृष्टि से भिक्षुक थे–ने पालन-पोषण किया। इस परिस्थिति में भी स्वामी जी संघर्षशील रहे। किसी-न-किसी प्रकार से स्कूल गये। समय निकाल कर आध्यात्मिक साधनाएँ कीं। हर परिस्थिति में आत्मसम्मान की भावना को जागृत ही नहीं अपितु सुदृढ़ बनाये रखा। ईश्वर की कृपा बाबाजी के आशीर्वाद और अपनी संकल्प शक्ति के द्वारा परिस्थितियों का केवल सामना ही नहीं किया अपितु परिस्थितियों को पराजित भी किया। हम लोगों के लिए यह उदाहरण प्रस्तुत किया कि अनवरत साधना के द्वारा जीवन की किसी भी परिस्थिति से गुजरता हुआ मनुष्य पूर्णत्व प्राप्त कर सकता है। जीवन के लक्ष्य तक पहुँच सकता है।

स्वामी जी की जीवन गाथा हमें बताती है कि यदि एक बार आपने सही अर्थों में अपने को परमात्मा के चरणों में सौंप दिया तो पूरा संसार आपके चरणों में लोटने लगता है। आप ने अपने मन को जीत लिया तो पूरे संसार पर विजय प्राप्त हो गयी। एक बार आपने उस भीतरी आनन्द और सौन्दर्य को प्राप्त कर लिया तो पूरा संसार आनन्द और सौन्दर्य से भरपूर हो जाता है। यदि आप आन्तरिक जगत में सफल हो गये तो बाहरी सफलता आपके चरणों में है। एक बार आपने अपनी इच्छाओं को परमात्मा के चरणों में समर्पित कर दिया तो आप इच्छाओं के बन्धन से मुक्त हो गये। आप आप्तकाम और पूर्णकाम हो गये। फिर ईश्वर की इच्छा ही आपकी इच्छा हो जाती है। स्वामी जी की जीवन गाथा हमें बताती है कि आत्मा और परमात्मा का सम्बन्ध क्या है और इसका ज्ञान हमें कैसे मिल सकता है। हम अपनी छोटी-छोटी इच्छाओं को भगवत इच्छा से कैसे जोड़ सकते हैं।

हम अपनी शक्ति का पूर्ण विकास कैसे कर सकते हैं। स्वामी जी की जीवन गाथा को पढ़ने और सुनने से हमें यह ज्ञान होता है अथवा हमें वह शक्ति और साहस मिलता है जिसके माध्यम से हम संसार में सुख और सफलतापूर्वक जीवन बिताते हुए जीवन के परम लक्ष्य को प्राप्त कर सकते हैं।

स्वामी जी का जीवन ही अपने-आप में उनका संदेश है "हे मानव! तुम दैवी शक्ति परमात्मा की सन्तान हो। तुम्हारे अन्दर परमात्मा की अनन्त शक्तियाँ छिपी हुई हैं। उन शक्तियों को जानो। उन्हें जागृत करो। यह ऋषियों,

महर्षियों और साक्षात परमात्मा का वचन है कि तुम जो चाहो वह बन सकते हो और जो चाहो वो प्राप्त कर सकते हो।" जीवन के टेढ़े-मेढ़े, ऊबड़-खाबड़ पगडण्डियों और राजमार्गों से चलकर पूज्य स्वामी जी ने इस सत्य का अनुभव किया और उसी सत्य को हम सबके सामने सरल और सहज रूप से प्रस्तुत किया। ऐसे सन्तों की जीवन गाथा कहने और सुनने से हम निश्चित ही एक दिन इस सत्य का दर्शन कर सकते हैं और इस सत्य लाभ से धन्य-धान्य होकर जीवन यात्रा पूरी करने के पश्चात सहज रूप से इसी सत्य में लीन हो सकते हैं।

श्री चरण सेवक

प. राजमणि तिगुनाइत

अध्याय

१

बाल्यकाल

अन्य सभी लोगों की भाँति स्वामी राम के भी माता-पिता थे। परिवार था और सगे सम्बन्धी थे। किन्तु माता-पिता और सगे सम्बन्धियों की तुलना में स्वामी जी उस स्थान से ज्यादा प्यार करते थे जहाँ पर कि उनका जन्म हुआ था। आध्यात्मिक भाषा में हिमालय ही स्वामी जी के माता-पिता हैं। हिमालय के "सन्तों के संग निवास" नामक ग्रन्थ में स्वामी जी स्वयं लिखते हैं-"हिमालय में निवास करते समय मुझे ऐसा प्रतीत होता है जैसे मैं माता की गोद में निवास कर रहा हूँ। हिमालय ने अपने प्राकृतिक वातावरण में मेरा पालन-पोषण किया और हिमालय ने ही मुझे जीने की जीवन शैली दी। ये पहाड़ मेरी क्रीडा स्थली है। यहाँ की चौड़ी घाटियों, उत्तुंग शिखर और वहाँ पर उगे हुए पेड़-पौधों को मानो माता प्रकृति ने अपने हाथों से सँवारा हो। ताकि यहाँ निवास करने वाले उसके बच्चे सुखपूर्वक रह सकें और जीवन के लक्ष्य को प्राप्त कर सकें। यहाँ पर रहकर साधक को यह अनुभव होता है कि घास के पत्ते से लेकर ऊँचे-ऊँचे शिखरों तक जीवन में कहीं भी दुखः और अशान्ति के लिए जरा-सा भी स्थान नहीं है।"

संन्यास लेने के बाद महात्मा लोग अपने परिवार और जन्मस्थान से कोई सम्बन्ध नहीं रखते और अपने बीते हुए जीवन काल से भी अपना मुख मोड़ लेते हैं। संन्यासी का किसी से कोई सम्बन्ध नहीं होता। वह भावुकता के प्रवाह में बहता नहीं है। किन्तु स्वामी जी ने संन्यास लेने के बाद भी अपने सच्चे परिवार को नहीं त्यागा। वह सच्चा परिवार है नगराज हिमालय। हिमालय से जुड़ी हुई यादों का भी उन्होंने त्याग नहीं किया। बल्कि भावना के स्तर

पर अपने प्रिय हिमालय और वहाँ पर हुए अनुभवों को अपने हृदय में सदा ही संजो कर रखे रहे। "सन्तों के संग निवास" नामक ग्रन्थ में पूज्य स्वामी जी दो तीन पृष्ठों में अपने माता-पिता के सम्बन्ध में लिखकर आगे बढ़ गये। किन्तु हिमालय का वर्णन करते वे थकते नहीं। स्वामी जी प्रायः कहा करते थे कि उन्हें इन पहाड़ों, जल स्त्रोतों, और फूलों से लदी घाटियों से जो कुछ मिला वह शरीर से सम्बन्ध रखने वाले माता-पिता और भाई बन्धुओं से नहीं मिल सकता। सांसारिक प्रेम तो आसक्ति और आशाओं से दूषित हुआ करता है। लेकिन हिमालय के तीर्थों में जब आप भ्रमण करें तो आपको अनुभव होगा कि विशुद्ध प्यार क्या होता है। इसी प्यार की शक्ति से ओतप्रोत होकर स्वामी जी इन पहाड़ों में बिना किसी भय और आंशका के घूमा करते थे। इन्हीं पहाड़ों ने स्वामी जी को प्रकृति प्रेम का पाठ पढ़ाया। हिमालय की इन्हीं घाटियों में निवास करते हुए स्वामी जी ने अनुभव किया कि प्रकृति अपने हर रूप में सुन्दर है, जीवनी शक्ति से भरपूर है। खिली हुई लिली से लेकर नागफनी के काँटों में, घास के एक छोटे से पत्ते से लेकर ऊँचे देवदार के वृक्षों में तथा नन्हें कंकड़ से लेकर गगन चुम्बी शिखरों तक में स्वामी जी ने माता प्रकृति की जीवनी शक्ति का मधुर संगीत सुना। स्वामी जी का मन इन्हीं यादगारों से इतना भरा हुआ रहता था कि अपने शरीर के माता-पिता के प्रति कुछ जगह ही नहीं बची थी।

स्वामीजी के माता-पिता भी बड़े भाग्यवान थे। प्रकृति के प्रति उनका भी अनुराग अगाध था। हिमालय के जिस भाग में वे लोग रहा करते थे उसे देवभूमि कहते हैं। इस देवभूमि का अधिकांश क्षेत्र इस समय गढ़वाल में आता है। बद्रीनाथ, केदारनाथ, गंगोत्री, जमुनोत्री, नन्दा देवी, चौखम्बा और नीलकण्ठ जैसे तीर्थ स्थान और दिव्य पर्वत इसी क्षेत्र में आते हैं। ये दिव्य स्थान ऐसे हैं जहाँ पहुँचने के लिए हर एक भारतीय लालायित रहता है।

यहाँ निवास करने वाले ग्रामीण अपनी प्राचीन परम्परा का प्रेम और श्रद्धापूर्वक निर्वाह किया करते हैं। सन्तों और तीर्थयात्रियों की सेवा करना इनकी परम्परा का अंग है। ऊँचे-ऊँचे पहाड़, गहरी घाटियों, और वहाँ बहने वाली शक्तिशाली नदियों के नाते यहाँ के मूल निवासी संसार के अन्य भागों से सदा अलग-थलग रहे। ये लोग सरल जीवन बिताते हैं। प्रकृति ने इन्हें सीमित भौतिक साधनों का उपहार दिया है। जिसके नाते ये लोग शहरी जीवन

की व्यस्तता, विक्षिप्तता और व्यग्रता से मुक्त हैं। यहाँ वर्तमान की गोदी में भूतकाल पला करता है। अभी भी आप वहाँ पर पन्द्रहवीं शताब्दी के भारतवर्ष का दर्शन कर सकते हैं। कहीं-कहीं तो अभी भी प्राइमरी स्कूल के आगे वहाँ स्कूल भी नहीं हैं। किन्तु फिर भी ये लोग परम्परा से प्राप्त ज्ञान और विज्ञान को सुरक्षित रखे हुए हैं। यहाँ का ज्योतिष और ओषधियों का ज्ञान आधुनिक समाज को आश्चर्य में डाल देता है। अगर अवसर मिले तो गढ़वाल के निवासी शिक्षा के क्षेत्र में सब को मात कर देते हैं, ये प्रतिभाशाली लोग हैं। और जहाँ-जहाँ सुविधाएँ मिल चुकी हैं वहाँ के निवासी भारत में ही क्या संसार के कोने-कोने में अपने बुद्धिबल से हिमालय का नाम रोशन कर रहे हैं।

अंग्रेजों के जमाने में भी बहुत दिनों तक गढ़वाल एक स्वतन्त्र राज्य था फिर उन्नीसवीं शताब्दी के अन्त में गुरखा लोगों ने गढ़वाल पर आक्रमण करना शुरू किया। गढ़वाल के राजा ने अनुभव किया कि बिना किसी शक्तिशाली नरेश की सहायता के गुरुखा लोगों को पराजित करना सरल नहीं था। इसलिये गढ़वाल के राजा ने अंग्रेजों से सहायता ली। गुरखों को पराजित करने के पश्चात् गढ़वाल क्षेत्र में शान्ति और व्यवस्था स्थापित हो सकी। समझौते के अनुसार गढ़वाल का विभाजन हुआ। अब गढ़वाल का एक भाग ब्रिटिश गढ़वाल और दूसरा शाही गढ़वाल कहलाया। इसी ब्रिटिश गढ़वाल में स्वामी जी के माता-पिता रहा करते थे। अंग्रेजों के नाते ब्रिटिश गढ़वाल में शिक्षा का प्रचार अधिक था और फलस्वरूप गढ़वाल का यह भाग प्रगतिशील और सम्पन्न था। इस क्षेत्र के ब्राह्मण जो अपने ज्योतिष और आध्यात्मिक ज्ञान के कारण पहले से ही सम्पन्न और प्रतिष्ठित थे उनको अब अंग्रेजी भी पढ़ने का अवसर मिला। उनमें से अनेक ने अंग्रेजी हुकूमत में अच्छी पद प्रतिष्ठा हासिल की। स्वामी जी के पिताजी का नाम बुद्धिवल्लभ धसमाना था। बुद्धिवल्लभ जी संस्कृत के विद्वान और मानेजाने ज्योतिषी थे। परिवार के अन्य सदस्य अंग्रेजों के प्रभाव क्षेत्र में आकर आधुनिकता की दौड़ में शामिल हो गये थे। बुद्धिवल्लभ जी को लोग पण्डित जी कहा करते थे। क्योंकि उस क्षेत्र में इनका संस्कृत और वेदों का ज्ञान अप्रतिम था। इनकी आध्यात्मिक साधना में भी रुचि थी। ये अच्छे खासे जमींदार भी थे किन्तु उस जमाने के रीतिरिवाज के अनुसार ब्राह्मण होने के नाते खुद खेत नहीं जोतते थे। गाँव के अन्य जाति के लोग खेतों में काम किया करते थे। जिसके नाते पण्डित बुद्धिवल्लभ जी

को अपने स्वाध्याय और साधना के लिए पर्याप्त समय मिलता था। पं० बुद्धिवल्लभ के कई बच्चे थे और स्वामी जी के जन्म के पूर्व ही सब विवाहित और अच्छे-अच्छे सरकारी कामों में लग चुके थे।

गढ़वाल की देव भूमि में प्राचीन काल से ही साधु सन्त लोग निवास करते रहे हैं। पं. बुद्धिवल्लभ के गाँव के आस-पास अनेक तीर्थ स्थान थे जिसके कारण वहाँ हमेशा ही साधु-सन्तों का आना-जाना लगा रहता था। बुद्धिवल्लभ भी अपने ज्ञान के कारण गाँव में प्रसिद्ध थे। साथ ही उदार भी थे। परिणामस्वरूप इनके घर पर महात्मा लोग प्रायः ही पधारा करते थे। एक दिन पं. बुद्धिवल्लभ के घर अमरकंटक के एक महात्मा पधारे। पं. बुद्धिवल्लभ और उनकी पत्नी ने महात्मा जी का स्वागत किया। महात्माजी जब भोजन करके निवृत्त हुए तो परिवार के साथ सत्संग और आध्यात्मिक वार्ता शुरू हुई। एकाएक महात्मा जी ने पूछा–पण्डित जी यह बताइये कि आप लोगों के परिवार का नाम धसमाना क्यों है? पण्डित जी को कोई उत्तर न सूझा तब महात्मा ने बताया "वस्तुतः आपके परिवार का सच्चा नाम भस्माना हुआ करता था। भस्माना का अर्थ है जिसका जन्म भस्म से हुआ हो। धीरे-धीरे भस्माना शब्द विकृत होकर धस्माना हो गया।"

महात्मा जी ने एक आश्चर्य भरी कहानी सुनायी। उन्होंने बताया कि बहुत पहले इस गाँव में रमता जोगी आये थे। भिक्षा माँगते हुए वे दरवाजे पर खड़े हो गये। एक स्त्री ने घर से निकलकर दरवाजे पर खड़े महात्मा के भिक्षा पात्र में एक मुट्ठी आटा डाला। महात्मा ने देखा वह स्त्री दुःख के सागर में डूब रही थी। महात्मा ने उसकी भिक्षा स्वीकार की। उसके घर से थोड़ी दूर जाकर एक पेड़ के नीचे उन्होंने अपनी धूनी रमाई। धूनी में योगियों के स्वामी भगवान सदाशिव का आह्वान किया। आटे से बाटी बनायी। भगवान को अर्पित करके प्रसाद पाया और जल पिया। उनके मन में उस स्त्री की सहायता करने का भाव प्रगट हुआ अतः उन्होंने उस धूनी के पास अपना आसन जमा लिया। कई दिन बीत गये। धीरे-धीरे गाँव के निवासी उनसे परिचित हो गये। दिन के समय जब आदमी लोग खेतों में काम करने चले जाते तो घर की स्त्रियाँ महात्मा जी के पास आतीं। दुख की मारी जिसने बाबा जी को पहले दिन भिक्षा दी थी वह भी आने लगी। एक दिन महात्मा जी ने उसके दुख का कारण पूछा। वह रोने लगी। बोली कि वह बन्ध्या है उसके

कोई बच्चा नहीं होता इसलिए उसके परिवार के लोग उसका मुँह भी नहीं देखना चाहते हैं। बच्चा न होने के नाते उसका पति भी उसका तिरस्कार करता है। उसने कहा–बाबा जी! बार-बार सोचती हूँ कि मैं फाँसी लगाकर मर जाऊँ। यह सुनकर महात्मा जी खड़े हो गये और "अलख निरंजन" कहकर अलख जगाने लगे और बोले–"माता! इस धूनी से थोड़ी भस्म लेकर अपने शरीर में लगा लो और थोड़ा-सा अपने मुँह में भी रख लो, तुझे बच्चा अवश्य होगा। वह बच्चा भी क्या–एक दिव्य बालक होगा। वह बालक तेरे जीवन में सुख और शान्ति तो लायेगा ही पूरे संसार को प्रकाशित करेगा"। यह कहकर महात्मा जी चले गये।

वह स्त्री अपनी उत्सुकता को न पचा सकी और महात्मा जी की बात को अपनी पड़ोसन स्त्रियों को बताया। उन स्त्रियों ने उसका मजाक उड़ाते हुए कहा–"राख से बच्चा! हा हा। अगर राख शरीर में लगाने से बच्चा होने लगता तो लोग शादी-विवाह ही क्यों करते। अगर तेरे पति को यह पता चल गया कि तू पागल हो गयी है तो तुझे घर से लात मारकर निकाल देगा।" यह सुनकर वह स्त्री बहुत शर्मिंदा हुई और धूनी से सब राख निकालकर घूर में फेंक आयी।

बारह साल बीत गये। महात्मा जी उस बच्चे को देखने के लिए गाँव में फिर से पधारे। जब उन्हें पता चला कि उस स्त्री को अभी भी कोई सन्तान नहीं है तो वे दंग रह गये। स्त्री के पास जाकर पूछा–"तुमने उस भस्म का क्या किया।" तो उस स्त्री ने बताया कि उसने तो उस राख को घूर में फेंक दिया था।

महात्मा जी घूर के पास जाकर ऊँचे स्वरों में बोले–"अलख निरंजन"। उनके मुँह से यह आवाज निकली ही थी कि उस घूर से एक बारह वर्ष का सुन्दर और देदीप्यमान बालक प्रकट हुआ। चूँकि उस बालक का जन्म गाय के गोबर वाली राख से हुआ इसलिए उसका नाम गोरखनाथ हुआ। ये धूनी रमाने वाले महात्मा साक्षात भगवान विष्णु के अवतार मत्स्येन्द्रनाथ थे। और गाय की राख से पैदा होने वाले में दिव्य पुरुष साक्षात् शिव थे। भस्म से उत्पन्न होने के नाते इस बालक को गाँव के लोगों ने भस्माना कहना शुरू कर दिया। गोरखनाथ की सन्तान व शिष्यों का भी नाम भस्माना हुआ। आगे चलकर यही लोग धस्माना कहलाने लगे। लैन्सडाउन के पास जहाँ यह

घटना घटी थी वहाँ अभी भी भैरव और गुरु गोरखनाथ का छोटा-सा मन्दिर है।

कहानी समाप्त होने के बाद अमरकण्टक के इस महात्मा ने पं. बुद्धिवल्लभ को यह याद दिलाया कि इस परिवार में हमेशा ही एक-न-एक योगी होते रहे हैं। फिर कड़े शब्दों में पूछा-आप कब साधना करने जा रहे हो?

दूसरे दिन अमरकण्टक के ये महात्मा चले गये। किन्तु बुद्धिवल्लभ के ऊपर एक अमिट प्रभाव डाल गये। बुद्धिवल्लभ सोच में पड़ गये। अभी तक मैंने क्या किया? अब मैं क्या कर रहा हूँ? इस प्रकार के कर्मों के द्वारा मैं कहाँ पहुँचूँगा। मेरी क्या गति होगी? क्या मैंने पेट भरने, सोने और परिवार के भरण-पोषण करने के अतिरिक्त और कुछ भी किया? अगर मैं इसी क्षण मर जाऊँ तो मैं कहाँ जाऊँगा? मेरे साथ क्या जायेगा? हानि-लाभ, यश-अपयश क्या कुछ भी साथ जाता है?

बुद्धिवल्लभ अपने ज्ञान, भक्ति और कर्म का विश्लेषण करने लगे। उन्हें ऐसा लगा कि ये सब पूजा-पाठ, जप-तप तो पण्डित होने के नाते करते आ रहे हैं, किन्तु शास्त्रों का कथन है कि बिना गुरुमुख हुए इस जप-तप का कोई विशेष प्रभाव नहीं होता। पिछले तीस-चालीस साल से वे दुर्गा सप्तशती का पाठ करते चले आ रहे थे। किन्तु अभी भी माता का साक्षात्कार नहीं हुआ। कल रात्रि में अमरकंटक के उस महात्मा ने जो भीतरी अग्नि जलायी वह नित्य बढ़ती ही चली जा रही थी। बुद्धिवल्लभ अपने आप से बाहर होते चले जा रहे थे। उनके मन में बार-बार यह भाव आता कि वे घर छोड़कर कहीं बाहर चले जायें ताकि वहाँ एकाग्र मन से तपस्या कर सकें। उनका दृढ़ विश्वास था कि अगर तपस्या और स्वाध्याय के द्वारा उनकी इच्छा खूब तीव्र हो गयी तो उनके जीवन में सदगुरु का आगमन अवश्य होगा। और गुरु के बताए हुए रास्ते से चलकर वे अपने जीवन के परम लक्ष्य तक अवश्य पहुँच जायेंगे। उन्हें ये भी पता था कि परिवार के लोग घर छोड़ वन जाने की आज्ञा नहीं देंगे। किन्तु घर में रहकर साधना भी ठीक से नहीं हो पायेगी। क्योंकि घर में रहते हुए लोगों का पूजा-पाठ, पुरोहित और ज्योतिष का काम नहीं छोड़े जा पायेंगे। लेकिन मन में दृढ़ संकल्प आ चुका था। अब मैं व्यवसायी पण्डित न होकर एक सच्चे साधक का जीवन बिताऊँगा। उन्होंने अपना मन

पक्का कर लिया कि घर छोड़कर ऐसी जगह रहना है जहाँ उन्हें कोई पहचान न सके। एक रात अपना दिल पक्का करके परिवार के सब नाते तोड़ घर से निकल पड़े।

पं. बुद्धिवल्लभ शक्ति के उपासक थे अतः किसी शक्ति पीठ के पास साधना करना उनकी रुचि के अनुकूल था। गढ़वाल में अनेक शक्ति पीठ हैं। किन्तु वे सब शक्ति पीठ उनके गाँव के नजदीक ही थे। वे गाँव के इतने नजदीक रहना उचित न समझते थे। इसलिये वहाँ से चलकर हरिद्वार के पास मनसा देवी पर आ गये। मनसा देवी पर रहकर ध्यान भजन करते हुए माता से प्रार्थना करते कि हे माँ! किसी सदगुरु को भेज कर मेरा कल्याण करो। मार्ग दर्शन करो।

मनसा देवी परम करुणामयी देवी हैं। भक्त की इच्छाओं को पूरा करती हैं। जीवन में सुख और शान्ति लाती हैं। मन को निर्मल करती हैं। इसीलिये इन्हें मनसा देवी कहते हैं। आजकल मनसा देवी हरिद्वार के मुख्य मन्दिरों और तीर्थ स्थानों में से एक है। यहाँ तक उड़नखटोले के द्वारा आसानी से पहुँचा जा सकता है। किन्तु ७२ साल पहले यहाँ एक छोटा-सा मन्दिर था और आसपास में घना जंगल। लोगों को पैदल ही जाना पड़ता था। यहाँ शेर और हाथी घूमा करते थे। आवश्यकता की वस्तुओं की इतनी कमी थी कि विरले साधक और सन्त महात्मा ही यहाँ रह कर तपस्या करने की सोचा करते थे।

बुद्धिवल्लभ के एकाएक गायब हो जाने से पूरा परिवार शोक में डूब गया था। गाँव में लोग अपने-अपने ढंग से सोचा करते थे। कुछ लोगों ने निष्कर्ष निकाला कि बुद्धिवल्लभ साधु हो गये होंगे। कुछ लोग कहते कि हो सकता है कहीं मर-मरा गये हों। कुछ लोग जो बहुत हितैषी हुआ करते थे आसपास के मन्दिरों, ताड़केश्वर और धारा देवी तक खोजने भी गये। किन्तु किसी के पास और दूर तक न तो खोजने के साधन थे; न ही सम्भवतः कोई इच्छा। बुद्धिवल्लभ की पत्नी के दुखों की कोई बात ही नहीं। उनके पास रोने और भगवान से प्रार्थना करने के अलावा कुछ भी नहीं था। कुछ महीने प्रतीक्षा करने के बाद उन्होंने अपने पति के लौटने की आशा त्याग दी और अपना मन भगवान के भजन-पूजन में लगा दिया। आये दिन व्रत करना और देवी-देवताओं की पूजा करना यही उनकी दिनचर्या हो गयी।

छः महीने बीत गये। इधर पं. बुद्धिवल्लभ मनसा देवी पर साधना में लगे रहे। यहाँ पर रहकर उन्होंने शतचण्डी का अनुष्ठान किया। इस अनुष्ठान के नियमानुसार पं. बुद्धिवल्लभ नित्य गंगा जी स्नान करते। एक बार खाना खाते। माता के मन्दिर पर दुर्गा सप्तशती का पाठ करते। और बाकी बचे समय में नवार्ण मन्त्र का जप करते। जिस दिन शतचण्डी का अनुष्ठान पूरा करके अभी नवार्ण मन्त्र का जप कर रहे थे कि एकाएक हिमालय के महायोगी बंगाली बाबा का पदार्पण हुआ। पं. बुद्धिवल्लभ बंगाली बाबा को पहले से जानते थे क्योंकि गुदड़ी बाबा, सोमवारी बाबा, बूढ़े बाबा और अघोरी बाबा के साथ कभी-कभी बंगाली बाबा लैंसडाउन के क्षेत्र में घूमा करते थे। बंगाली बाबा के इस अप्रत्याशित दर्शन से पं. बुद्धिवल्लभ का हृदय गद्गद् हो गया। उनकी आत्मा से आवाज आयी कि तुम्हारा अनुष्ठान सफल हुआ। माता ने तुम्हारी प्रार्थना सुन ली। बंगाली बाबा ही तुम्हारे गुरु हैं। यही तुम्हारा मार्गदर्शन करेंगे। आत्मा की इस आवाज ने पं. बुद्धिवल्लभ के पूरे व्यक्तित्व को झकझोर दिया। माला को हाथ में लिये बाबा जी के चरणों में सिर रख दिया। बाबा जी आशीर्वाद देते हुए बोले–"मनसा देवी के दरबार में रहकर की जाने वाली तुम्हारी साधना पूरी हुई। चलो अब चण्डी देवी चलते हैं।"

गंगा जी के उस पार पहाड़ी पर चण्डी देवी का स्थान है। रास्ते में गुरु और शिष्य ने गंगा स्नान किया कमण्डल में जल लिये पर्वत पर चढ़ गये। वहाँ पहुँच कर चण्डी देवी के मन्दिर के सामने एक छोटे से मन्दिर में स्थित भैरव जी की पूजा की। तत्पश्चात बाबाजी ने पं. बुद्धिवल्लभ को नर्वाण मन्त्र की दीक्षा दी। बाबा जी ने नर्वाण मन्त्र की तांत्रिक विधि से साधना करने की पद्धति का उपदेश दिया। और बताया कि नर्वाण मन्त्र का ध्यान मणिपूर चक्र पर कैसे किया जाता है। पं. बुद्धिवल्लभ पिछले चालीस साल से इस मन्त्र का जप करते आ रहे थे। किन्तु आज उन्हें पता चला कि गुरुमुख से प्राप्त जागृत मन्त्र और पुस्तकों से सीखे हुए मन्त्र में क्या अन्तर होता है।

१९८३ में जब मैंने स्वामी जी के् थन्हुैगूूप पर्स्र्ष्ट्टि शृैडङ का हिन्दी अनुवाद "हिमालय के सन्तों के संग निवास" करके दिखाया तो स्वामी जी अपने गुरुदेव और पिताजी के विषय में चर्चा करने लगे। उस समय मुझे लगा कि स्वामी जी आज कुछ रहस्यों का उद्घाटन करना चाहते हैं। उस समय मैंने नम्रता से पूछा–"स्वामी जी! बाबा जी ने पूज्य पिताजी को कौन-सी

साधना बतायी थी? क्या उनके द्वारा दिया गया नर्वाण मन्त्र पुस्तकों में लिखे हुए नर्वाण मन्त्र से अलग है? क्या गुरुदेव ने कुछ और बीज मन्त्र उसमें जोड़े थे?''

स्वामी जी ने उत्तर दिया, ''नर्वाण मन्त्र के पहले भगवान गणपति की उपासना की जाती है। समय आने पर तुम्हें गणपति उपासना की दीक्षा दूँगा।'' इस प्रकार उस दिन स्वामी जी ने वह विषय वहीं पर स्थगित कर दिया। ''हिमालय के सन्तों के संग निवास'' ग्रन्थ का अनुवाद करने में मुझे लगभग छः महीने लग गये थे। उन दिनों बीच-बीच में स्वामी जी इन साधना पद्धतियों का प्रसंगवश उपदेश दिया करते थे। इसी प्रसंग में स्वामी जी ने अपने पूज्य गुरुदेव और पिताश्री के विषय में मुझे अनेक बातें बतायीं।

बाबाजी और पं. बुद्धिवल्लभ चण्डी देवी पर लगभग एक हफ्ते रहे। एक-एक करके बाबाजी ने पं. बुद्धिवल्लभ के सभी प्रश्नों का समाधान किया। बाबाजी ने बताया कि जीवन का लक्ष्य केवल पैदा होना, वृद्धावस्था को प्राप्त होना और एक दिन मर जाना ही नहीं है। बाबा जी ने कहा, ''तुमने अपने परिवार और समाज के प्रति सभी कर्तव्यों को पूरा कर लिया है। अब ऋषियों की इच्छा को पूरा करो।''

बाबाजी ने पं. बुद्धिवल्लभ को घर लौट जाने की आज्ञा दी। और कहा कि उन्हें एक बच्चा और होगा। वह बालक उनके अध्यात्म साधना में बाधक नहीं होगा। बाबाजी ने कहा कि ध्यान रहे कि वह बालक तुम्हारा नहीं है तुम उसको इस जगत में लाने के निमित्त मात्र हो। उस बच्चे को इस जगत में लाना ही तुम्हारी गुरुदक्षिणा होगी। पं. बुद्धिवल्लभ अवाक रह गये। वे बाबा जी की आज्ञा सिर माथे रख घर लौट पड़े।

चण्डी देवी से शुरू होने वाली यह यात्रा रहस्यों से भरी हुई थी। जब वे घर पहुँचे तो उनकी पत्नी प्रसन्नता से उछल पड़ी।। जबकि अन्य लोगों में से कुछ आश्चर्यचकित हुए और कुछ मन-ही-मन या तो शर्मिंदा या दुखी हुए। छः महीने पहले जब पं. बुद्धिवल्लभ गायब हुए थे तो लोगों में अलग-अलग प्रतिक्रियाएँ हुई थीं। कुछ लोगों ने उनकी थोड़ी बहुत खोज की, प्रतीक्षा की और इस निष्कर्ष पर पहुँचे कि वे अब मर चुके हैं। परिवार के लोगों ने उनकी अनुपस्थिति में उनका क्रिया कर्म और तेरही भी कर डाली थी। किन्तु उनकी पत्नी ने कभी भी यह स्वीकार नहीं किया था कि वे मर चुके हैं और

कभी भी विधवा वस्त्र धारण नहीं किया था। चूँकि उन्होंने विधवा स्त्री जैसे रीति-रिवाज का पालन नहीं किया इससे समाज में उनकी बड़ी निन्दा हुई और परिवार को भी गाँव वालों के ताने सहने पड़े थे। लेकिन सच्चाई तो कुछ और ही थी।

अपने पिताजी की बात करते-करते स्वामी जी कहने लगे-अगर गाँववालों को पता होता कि मेरे पिताजी अभी जीवित हैं और कठोर तपस्या में संलग्न हैं तो कितने ही लोग पिताजी की वाहवाही करते और उन्हें महान कहते। किन्तु कितने ही लोग उन्हें भगोड़ा और अपने कर्तव्यों से मुकर जाने वाला हीन पुरुष कहते। आज जब वे आशातीत परिस्थिति में घर लौटे हैं तो लोगों के मन में भिन्न-भिन्न प्रकार की प्रतिक्रियाएँ जगी हैं। कुछ लोगों ने कहा कि यदि उन्होंने संन्यास ले लिया था तो इनको फिर से गृहस्थी में लौटने का कोई अधिकार नहीं। संन्यासी घर बसाये इससे बड़ा और कोई पाप हो ही नहीं सकता है। गाँव के कुछ लोग यह पता लगाने में व्यस्त हो गये कि पिताश्री ने किसी से संन्यास लिया था कि नहीं। इतने दिनों तक जैसा कि स्वामी जी बोले-मेरे पिताजी कहाँ रहे? क्या किया? किस सन्त ने इनको दीक्षा दी? इसी बात को लेकर गाँव में कई दिनों तक कोलाहल होता रहा। गाँव वाले यह नहीं चाहते थे कि मेरे पिताजी के पाप कर्म के नाते गाँव पर किसी दैवी प्रकोप या विपत्ति के बादल छा जायें।

स्वामी जी के पिताजी ने लोगों को बताया कि किस मानसिक स्थिति में उन्होंने घर छोड़ा था। कैसे वे मनसा देवी पहुँचे। किस प्रकार से बाबा जी ने आकर दीक्षा दी और आज बाबा जी की आज्ञा से वे घर लौटे हैं। पं. बुद्धिवल्लभ ने गाँव वालों को यह विश्वास दिलाया कि बाबा जी ने उन्हें संन्यास की दीक्षा नहीं दी थी अतः वे वही पुराने पं. बुद्धिवल्लभ हैं। यह भी बताया कि बाबाजी ने उन्हें गृहस्थी में रहने को कहा है और एक पुत्र देने का आशीर्वाद भी दिया है। इस प्रकार से कोलाहल तो शान्त हो गया किन्तु लोगों के मन में थोड़ी बहुत शंका तो फिर भी रह गयी थी।

इस समय पं. बुद्धिवल्लभ और उनकी पत्नी लगभग साठ साल के हो गये थे। इन पहाड़ी क्षेत्रों में इतनी उम्र तक पहुँचते-पहुँचते लोग बूढ़े हो जाते हैं। लोगों को आश्चर्य तो अवश्य हुआ किन्तु थोड़े ही दिनों में पं. बुद्धिवल्लभ के यहाँ पुत्र का जन्म हुआ। उसी दिन बाबा जी पं. बुद्धिवल्लभ

के घर आये और बच्चे को उनके हाथों में सौंपने को कहा। परम्परानुसार माँ और बच्चा बारह दिन बाहर नहीं निकल सकते थे। इसलिए माँ और परिवार वालों ने बच्चे को प्रसूति गृह से बाहर निकाल कर बाबा जी की गोदी में रखने से इंकार कर दिया। पं. बुद्धिवल्लभ ने अपनी पत्नी को याद दिलाया कि इस बालक का जन्म बाबाजी के आशीर्वाद से ही हुआ है। इसलिए यह बाबा जी का ही बच्चा है। इसे बाबाजी के हाथों में रख देना चाहिए। माता मान गई। और बच्चे को बाबा जी की गोद में दे दिया। बच्चे को गोदी में लेकर बाबाजी थोड़ी देर तक बच्चे को देखते रहे फिर बुद्धिवल्लभ के हाथों में सौंपते हुए बोले, "ध्यान रहे! यह मेरा बच्चा है। इसे प्यार से पालो-पोसो। समय आने पर मैं इसे अपने साथ ले जाऊँगा।" जब बाबाजी चलने लगे तो पं. बुद्धिवल्लभ ने बाबाजी से भोजन करने की प्रार्थना की। बाबा जी ने कहा कि वे बच्चे को देखने और यह बताने के लिए आये थे कि इस बच्चे का परमात्मा के अलावा इस संसार में किसी और से कोई सम्बन्ध नहीं है। एक बार फिर स्पष्ट शब्दों में कहा, "इस बच्चे में आसक्त मत होना।" और वहाँ से चले गये।

नामकरण संस्कार के दिन बच्चे को वृज किशोर नाम दिया गया। गाँव वाले बच्चे को प्यार से किशोरी कहते थे और माता-पिता पुत्तू कहते थे। बचपन से ही यह बालक असाधारण था। बालक के कानों में जन्मजात छेद थे। इस छेद को देखकर अशिक्षित ग्रामीण बहुत भयभीत रहते थे। वे सोचते थे कि कानों में छेद होना अपशकुन है। गाँव वाले कानाफूसी करते कि देखो पं. बुद्धिवल्लभ साधू होने के बाद फिर से गृहस्थी में लौटे हैं इसलिए ऐसा बच्चा पैदा हुआ। वे लोग मन-ही-मन भगवान से प्रार्थना करते कि हे भगवान कहीं इस बच्चे के नाते गाँव पर कोई विपत्ति न आ जाये। दूसरी तरफ इन जन्मजात छेदों को देखकर पं. बुद्धिवल्लभ का विश्वास और पक्का हो गया कि यह बालक पूज्य गुरुदेव बंगाली बाबा और चण्डीमाता का जीता जागता उपहार है। पं. बुद्धिवल्लभ को बहुत पहले अमरकंटक से आये हुए महात्मा की बात याद आयी कि इस परिवार का नाम धस्माना क्यों पड़ा। इस परिवार का गुरु गोरखनाथ से क्या सम्बन्ध है। बच्चे के कान में छेद देखकर यह पक्का हो गया कि यह बालक गुरु गोरखनाथ की परम्परा का कोई सन्त है क्योंकि इस सम्प्रदाय के महात्माओं का दीक्षा के समय कान छेद दिया जाता है।

पं. बुद्धिवल्लभ ने यह सब बातें अपनी पत्नी को बतायीं। और पति-पत्नी इस बच्चे का प्यार पूर्वक लालन-पालन करने लगे।

बच्चे के जन्म के समय माता की आयु बहुत हो चुकी थी इसलिए उनके दूध नहीं उतरा। सौभाग्य से उस बच्चे के बड़े भाई थे जो आयु में अट्ठाइस साल के हो चुके थे। उनके अभी हाल में ही पुत्र हुआ था। उनकी पत्नी अर्थात् बच्चे की बड़ी भाभी ने बच्चे को अपना दूध पिलाकर पुत्रवत पालन किया। जैसा कि भारतीय परिवारों में पाया जाता है बच्चे के लालन-पालन में पिता का कोई विशेष योगदान नहीं होता। पं. बुद्धिवल्लभ ने बच्चे के पालन-पोषण की जिम्मेदारी अपनी पत्नी और पुत्रवधू पर छोड़ खुद तीव्र आध्यात्मिक साधना में लग गये। उनका यह विचार था कि वे जितना ही ध्यान भजन करेंगे उतना ही बच्चे का कल्याण होगा।

पं. बुद्धिवल्लभ के और बच्चे बड़े हो चुके थे और पढ़-लिखकर सरकारी कामों में लग गये थे। आर्थिक दृष्टि से ये लोग एक मध्यवर्गीय परिवार के थे। किन्तु अंग्रेजी सत्ता से जुड़े होने के नाते समाज में रोबदाब था। और इधर पं. बुद्धिवल्लभ सामाजिक मान-सम्मान को दूर फेंक भगवत भजन में लगे रहते थे। उनका इस प्रकार से रहना अंग्रेजी शिक्षा में पले बड़े परिवार के सदस्यों को अच्छा नहीं लगता था। साथ ही पं. बुद्धिवल्लभ का किशोरी के प्रति विशेष प्यार और स्नेह हुआ करता था। जिसके नाते वे अपने नाती-पोतों पर विशेष ध्यान नहीं दे पाते थे। स्वामी जी ने एक दिन मुझसे कहा-"निश्चित ही परिवार में कुछ न कुछ तनाव की स्थिति थी। खासकरके मेरे उस भाई के हृदय में जिसके बच्चे मेरी उम्र के थे।" फिर भी बड़ी भाभी उन्हें माँ के ही समान प्यार करती थीं। उनका हृदय बहुत उदार और करुणा से भरा था।

किशोरी बहुत ही सुन्दर बालक था। उसकी सुन्दरता को देख लोग ठगे से रह जाते थे। यह बालक बहुत ही चंचल और भावुक था। इसकी भावनाओं को और क्रियाओं का पता पाना बड़ा कठिन था। कभी-कभी तो १६ से २० घण्टे तक सोता रहता और कभी-कभी हर एक घण्टे पर उठता और रोने लगता और ऐसी-ऐसी बातें करता जिसका कोई भी अर्थ नहीं हुआ करता था। बच्चा शारीरिक रूप से तो स्वस्थ था किन्तु मानसिक रूप से थोड़ा झक्की दिखायी पड़ता। फिर भी लोग अकारण ही इस बच्चे के प्रति

आकृष्ट रहते। किशोरी के जन्म के बाद ही इस गाँव में साधुओं का आना-जाना और बढ़ गया। गाँव वाले इन साधुओं से किशोरी के विषय में बातचीत करते। कुछ लोग इन साधुओं से कहते कि यह बालक बहुत होनहार है और दूसरे लोग कहते कि बालक के ऊपर कोई भूत-प्रेत सवार है और इस प्रकार सभी ग्रामीण इन महात्माओं से प्रार्थना करते कि वे लोग बच्चे को अपना आशीर्वाद दें।

इधर पं. बुद्धिवल्लभ ने अपना जीवन और भी अनुशासित कर लिया। साधना में रम गये-सुबह बहुत जल्दी उठते, स्नान करके अपनी साधना में लग जाते। बाबा जी के बताये रास्ते पर चलकर सर्वप्रथम भगवान गणपति और माता चण्डी की पूजा करते। यह पूजा बाह्य उपचार विधि से हुआ करती थी-जल, चन्दन, पुष्प, दूध, दही, घी, शहद, अक्षत, सिन्दूर, अगरबत्ती, फल और नैवेद्य के द्वारा गौरी गणेश का पूजन करते। इसके बाद दुर्गा सप्तशती का पाठ करने के बाद अपने प्यारे पुत्तू को प्रसाद के रूप में मिठाई देते।

एक दिन की बात है कि जब किशोरी तीन साल के हो चुके थे, किशोरी के बड़े भाई ने कुछ लोगों को खाने पर बुलाया। उन लोगों के सम्मान में बड़े भाई ने कुछ विशेष मिठाइयाँ भी मँगवायीं। दोपहर का समय था। अतिथि लोग अभी तक पहुँचे नहीं थे। पं. बुद्धिवल्लभ अभी हालताज में ही अपनी पूजा समाप्त करके पुत्तू को प्रसाद में मिठाई दिये थे। पिता अभी अपने पूजा के कमरे में ही थे। बालक हाथ में मिठाई लिये उछलता-कूदता बाहर आ गया। बच्चे के हाथ में मिठाई देखकर बड़े भाई ने सोचा कि हो-न-हो इस बच्चे ने अतिथियों के लिए रखी गयी मिठाई में से यह मिठाई का टुकड़ा चुरा लिया है। बड़े भाई ने डाँटकर पूछा कि उसे यह मिठाई कहाँ से मिली। बालक ने अपनी बालसुलभ चपलता के साथ भाई की तरफ देखा और पूरी मिठाई को एक साथ अपने मुँह मे ठूसकर भागा। भाई ने दौड़कर बच्चे को पकड़ लिया और जोरों से डाँटकर पूछने लगा कि उसे मिठाई कहाँ से मिली। किशोरी का मुँह मिठाई से ऐसा ठसाठस भरा था कि वह बोल नहीं पा रहा था। वह मिठाई को निगलने की कोशिश कर रहा था किन्तु मुँह इतना भरा था कि जीभ को हिलने-डुलने की जगह तक न थी। क्रोध में आकर बड़े भाई ने किशोरी को एक चाँटा मारा। चाँटे के दर्द के बावजूद भी किशोरी रो नही पा रहा था। किशोरी किसी प्रकार से सिसकते हुए मिठाई को निगलने

की कोशिश कर रहा था। फिर क्या था बड़े भाई ने जोर-जोर से डाँटते हुए पिटाई शुरू कर दी। "तुम बदमाश बच्चे! यही चोरी सीख रहे हो।"

किशोरी ने कुछ मिठाई बाहर उगल दी और कुछ निगल लिया। अब किशोरी के मुँह में जोर-जोर से रोने के लिए जगह हो गयी। बड़े भाई पीटते ही रहे और बार-बार दबाव डालते रहे कि बालक यह स्वीकार कर ले कि यह मिठाई चुरायी हुई थी। बच्चे और उसके बड़े भाई की चिल्लाहट को सुनकर बुद्धिवल्लभ अपने कमरे से बाहर आ गये। बच्चा अपने भाई से जैसे-तैसे खुद को छुड़ा कर अपने पिता की तरफ भागा। पिता के दिल पर मानो वज्रपात हो गया। बच्चे को गोदी में उठा कर बुद्धिवल्लभ ने अपने बड़े लड़के से पूछा कि उसने इतनी क्रूरता के साथ बच्चे पर हाथ क्यों उठाया। क्रोधित पुत्र ने पिता को भी डाँट लगायी। "आपने इसे बिगाड़ दिया है। इसे कुछ तमीज़ नहीं है। यह चोरी करता है और इतना ढीट है कि रंगे हाथ पकड़े जाने पर भी हाँ नहीं करता।"

दबे दिल से बुद्धिवल्लभ ने बताया कि उन्होंने ही प्रसाद रूप में मिठाई दी थी और दुखभरी वाणी से बोले, "तुम लोग कितने अभागे हो। तेरे जीवन में शान्ति और सुख नहीं लिखा हैं।" यही कहकर पुत्तू को अपने पूजागृह में ले गये और गले लगाकर बहुत रोये। उस दिन के बाद बुद्धिवल्लभ ने किसी से भी बातचीत करना बन्द कर दिया और कुछ ही दिनों बाद शरीर त्याग दिया।

पति की मृत्यु से पत्नी तो दुःख के सागर में डूब-सी गयी। वह पहले से ही कमजोर थी और बच्चे के जन्म और देखभाल से और भी कमजोरी आ गयी थी। फिर पति की मृत्यु से ऐसा झटका लगा कि दिन-रात रोते-रोते उनकी आँखें बह गयीं। और वे अँधी हो गयीं। हफ्ते दो हफ्ते के भीतर ही वे बिल्कुल बूढ़ी हो गयीं और अब किशोरी की देखभाल करने की ताकत नहीं रह गयी। किन्तु साक्षात् देवी सरीखी बड़ी भाभी का प्यार इस बच्चे के लिए वैसे ही बना रहा। भाभी वह सब कुछ करती जो केवल करुणामयी माँ ही कर सकती थी। इधर गाँववासियों में दूसरी ही चिन्ता सवार हो गयी। पिता की मृत्यु, माता का अँधी हो जाना इन सब बातों से गाँव वालों का पुराना अँधविश्वास फिर से जागृत हो गया। वे इस बात से डरने लगे कि कहीं किशोरी जैसे अशगुनी बच्चे के नाते पूरे गाँव भर में दुःख और विपत्ति के

बादल न छा जायें। गाँव वालों की तरह घर के भी कुछ सदस्य इस अँधविश्वास से प्रभावित होने लगे। जबकि बाबाजी ने आकर खुले शब्दों में बताया था– "यह एक असाधारण बालक है और सबके जीवन में सुख और शान्ति लायेगा।"

पिता की मृत्यु के पश्चात् किशोरी की मानसिक स्थिति असन्तुलित–सी हो गयी। किशोरी रोते–रोते जग जाता। कभी तो बहुत प्रसन्न और कभी बहुत भयभीत। वह अपने सपनों की बात करता। कभी कहता कि उसको कुछ डरावने लोग भंयकर जंगल में ले गये और ऐसी गुफाओं में ले गये जहाँ पर लोगों की आँखें लाल–लाल और उनके सिर पर बड़ी–बड़ी जटाएँ थीं। कभी–कभी यह बालक बताता कि बाबाजी आये थे और उसे पिताजी के पास ले गये और पिताजी ने मिठाइयाँ दीं। कभी–कभी यह बालक बताता कि वह ऐसे लोगों के पास पहुँच गया था जो आदमी जैसे नहीं लगते थे।

कभी–कभी तो किशोरी जागृत अवस्था में भी किसी शून्य जगत में खो जाया करता था। आँखें एकटक खुली किन्तु इसे इस संसार का कुछ आभास ही न हो। वैसे इस प्रकार की मानसिक स्थिति पिता के जीवन काल में भी हुआ करती थी किन्तु पिता की मृत्यु के बाद नित्य प्रति यह स्थिति बिगड़ती जा रही थी। परिवार वालों ने डॉक्टरों और ज्योतिषियों से सलाह ली। पण्डितों और तान्त्रिकों ने विशेष पूजा पाठ भी किये किन्तु विशेष फर्क नहीं पड़ा। एक दिन किशोरी ने चुपके से देखा कि कुछ ज्योतिषी लोग उनके जन्मकुण्डली पर बातचीत कर रहे हैं। दीवाल के उस पार से सुना कि वे लोग कह रहे हैं कि बालक को मारकेश दशा है और अट्ठाइस साल की उम्र में इसकी मृत्यु हो जायेगी। कमरे के भीतर ज्योतिषी लोग यह बातचीत कर ही रहे थे कि बालक के आश्चर्य की सीमा ही न रही। एकाएक बाबा जी आ गये। बालक का हाथ पकड़ा और कमरे में घुस गये और ज्योतिषी पण्डितों को डाँटा–"तुम सब लोग मर जाओगे किन्तु मेरे बच्चे को कुछ भी नहीं होगा। यह भोला–भाला बच्चा है। और तुम लोग व्यर्थ में ही इसे डराने की कोशिश करते हो। मैं तुम्हें दिखाऊँगा कि तुम्हारे ये ग्रह और नक्षत्र बेकार हैं।" फिर प्यार से किशोरी के सिर को थपथपाते हुए बोले कि "मैं तुम्हें बहुत प्यार करता हूँ। तुम मेरे बेटे हो। मैं जल्दी ही तुम्हें अपने साथ ले चलूँगा।" इतना कह कर बाबाजी चले गये।

१९८३ में बातचीत के प्रंसग में स्वामी जी ने कई बार अपने गुरुदेव के विषय में चर्चा की। किन्तु हर बार उनके विषय में एक दो वाक्य कहते-कहते ही स्वामी जी भाव विभोर हो जाते। उनकी वाणी रुक जाती और ऐसा लगता जैसे किसी अज्ञात जगत में चले गये हों। ऐसे अवसरों पर उनकी दृष्टि किसी सुदूर बिन्दू पर केन्द्रित हो जाती और बिना आँखें झपकाये कहीं खो से जाते। कुछ क्षणों बाद ऐसा लगता कि उस अपने व्यक्तिगत जगत से ऊब धीरे-धीरे लौट रहे हों। फिर धीरे से बोलते, "अब जाओ।" उनकी न झपकने वाली दृष्टि और गम्भीर मुख मुद्रा को देखने मात्र से मानो मेरे कान के पर्दे खुल जाते। और उनके न कहे हुए शब्द भी मुझे सुनायी पड़ने लगते। मैं मन्त्रमुग्ध होकर सोचने लगता कि वह कितनी बहुमूल्य गम्भीर और रहस्यमय बात होगी जो स्वामी जी के मुँह से नहीं निकल पा रही है। उनकी वाणी से ही नहीं बल्कि उनके हाव-भाव से यह ज्ञान होने लगा कि इस प्रकार के प्रेम सम्बन्ध और आध्यात्मिक अनुभव इतने गोपनीय क्यों हुआ करते हैं। अपने प्रियतम गुरुदेव और इष्टदेव के विषय में सोचते ही गला क्यों रुक जाता है, वाणी क्यों अवरुद्ध हो जाती है।

पिता जी के मृत्यु के उपरान्त किशोरी एक प्रकार से अनाथ ही हो गया। अँधी माता कुछ कर नहीं सकती थीं किन्तु संयुक्त परिवार होने के नाते किशोरी का जीवन अपने भाई-भतीजों के साथ बीतता रहा। समय आने पर किशोरी गाँव के प्राइमरी स्कूल में प्रविष्ट हुआ। किशोरी का पढ़ने-लिखने में विशेष मन नहीं लगता था। वह तो चुपचाप-सा बैठता और अपनी ही दुनिया में खोया रहता था। लोग सोचते कि पिता की मृत्यु से जो झटका लगा है उसी से किशोरी की यह हालत हो गयी है। बाल्यकाल में जो सपने देखना, सोते-सोते उठकर बैठ जाना-वे सब बातें अब थोड़ी कम हो गयीं लेकिन सब से अलग-थलग रहना, एकान्त में बैठ कर चुपचाप कुछ सोचते रहना ये सब बातें अब ज्यादा होने लगीं। आधुनिक मनोविज्ञान के अनुसार किशोरी के अन्दर विशाद् (डिप्रेशन) के सब लक्षण थे। किशोरी स्कूल तो जाता था केवल इसीलिये कि उसके उम्र के सभी बच्चे वहाँ जाते थे, स्कूल भी वहीं नजदीक था, और अध्यापक भी उसे प्यार करते थे। किन्तु किशोरी का मन तो अपने मौलिक प्रश्नों में खोया रहता था-मेरा जन्म क्यों हुआ? इस परिवार में मेरा जन्म क्यों हुआ? जो लोग मेरा पालन-पोषण कर रहे हैं उनसे मेरा सम्बन्ध क्या है? मेरे सपनों में आने वाले ये लोग कौन हैं? मेरे सचमुच के

माता-पिता तो बाबाजी हैं। बाबाजी मुझे अपने साथ कब ले जायेंगे। जब मुझे इस दुनिया में रहना ही नहीं है तो पढ़ने-लिखने से फायदा ही क्या?

"हिमालय के सन्तों के संग निवास" नामक ग्रन्थ में स्वामी जी लिखते हैं कि बाल्यकाल में उन्हें अपने पिछले जन्म का स्पष्ट ज्ञान था और इस नये परिवार के साथ जीवन बिताने में उन्हें बहुत अटपटा-सा लगता था। धीरे-धीरे ये स्मृतियाँ धूमिल होती गयीं। चिन्तन के माध्यम से स्वामी जी उन स्मृतियों को ताजी रखने की कोशिश करते किन्तु जैसे-जैसे पढ़ाई-लिखाई और दोस्तों-मित्रों में रमते गये वैसे-वैसे पूर्व जन्म की बातें विस्मृत होती गयीं। इस विस्मृति से स्वामी जी दुखी और उद्विग्न रहा करते थे। जब छुटपन में ये सब बातें किसी से कहते तो लोग इसे भोलेपन की बात कहकर यो हीं प्यार से टाल देता। अब बड़ा होने पर इतना ज्ञान हो गया कि इस प्रकार की बातें यों ही सबसे नहीं बतायी जाती हैं।

फिर भी किशोरी बिल्कुल अकेले नहीं थे। गाँव में दो वृद्ध महिलाएँ थीं। स्वामी जी के अपने ही शब्दों में वे बहुत पवित्र आत्माएँ थीं। उनके साथ बैठकर यह भोला-भाला बालक हर प्रकार की बातें किया करता था। वे वृद्ध महिलाएँ इस बालक को समझाया करती थीं। वे दोनों साधु-महात्माओं, देवी और देवताओं की चमत्कारिक कहानियाँ सुनाया करती थीं। उनके द्वारा बतायी गयी पुनर्जन्म की गाथाओं से किशोरी को अपने सपनों को समझने में सुविधा मिली। ये महिलाएँ पढ़ी-लिखी नहीं थीं किन्तु वे शिक्षा की कीमत जानती थीं। उन्होंने किशोरी को स्कूल जाने के लिए उत्साहित किया। उन दोनों ने इस बालक को खूब समझाया कि वह खूब परिश्रम से पढ़े और बड़ा होकर एक दिन अपने पिता के समान महान बने।

किशोरी ने पाँचवी कक्षा की पढ़ाई पूरी कर ली। अब घर के बड़े-बूढ़ों के अलावा उसे कोई भी किशोरी नहीं कहते थे। अब उन्हें लोग बृजकिशोर कुमार कहने लगे। बृजकिशोर ने जूनियर हाईस्कूल में पढ़ाई शुरू की। इस बीच बंगाली बाबा और अन्य सन्तों का आना-जाना बहुत बढ़ गया। परिणाम यह हुआ कि बृजकिशोर का बाबा जी के साथ लगाव इतना गहरा हो गया कि परिवार से ही नहीं अपितु संसार से भी उनका सम्बन्ध बिल्कुल खत्म हो गया। बाबाजी गर्मियों में गढ़वाल में ही रहा करते थे। इसलिये बृजकिशोर अपनी गर्मियों की छुट्टियाँ बाबाजी के साथ बिताने लगा। गर्मियों के आगे पीछे

भी वह बाबाजी के साथ रहता। जिसके नाते उसकी स्कूल में उपस्थिति बहुत कम हो गयी। फिर भी परीक्षाफल में उसे बहुत अच्छे अंक मिलते।

बाबाजी बहुत ही सुशिक्षित महात्मा थे। वे अपने इस प्यारे बच्चे की शिक्षा का बहुत ध्यान रखते थे। बाबाजी की प्रेरणा से अनेक साधु–महात्मा बृजकिशोर के गाँव में आते रहते और बृजकिशोर के सांसारिक और आध्यात्मिक विकास में हर प्रकार से योगदान देते रहते। ये महात्मा लोग बृजकिशोर को "भोले" कहकर पुकारते। इन्हीं महात्माओं ने वस्तुतः भोले को पढ़ाया लिखाया। भोले को समझाया कि स्कूल की शिक्षा से भागना नहीं चाहिए। यह भी समझाया कि स्कूल की शिक्षा पूरी होने के बाद बाबा जी भोले को अपना पूरा ज्ञान दे देंगे। अब गाँव वालों को भी यह अनुभव होने लगा कि उनका बृजकिशोर कुमार वस्तुतः इन्हीं महात्माओं का भोले है और एक दिन यह भोले गाँव की इस छोटी–सी सीमा को पार करके बहुत दूर चला जायेगा।

बंगाली बाबा कभी भी भीड़ इकट्ठा नहीं करते थे फिर भी सन्तों की मण्डली में उनका बहुत मान सम्मान था। समाज के प्रतिष्ठित वर्ग के लोग, उच्च स्तर वाले सरकारी अफसर और राजा महाराजा लोग बाबा जी को जानते थे और बहुत सम्मान किया करते थे। बाबा जी एक परिव्राजक थे। उन्होंने अपने लिये कोई स्थायी आश्रम या कुटिया नहीं बनायी। फिर भी वे जब चाहते तो अपार धन सम्पत्ति उनके पास प्रस्तुत हो जाती। उदाहरण के तौर पर उत्तर प्रदेश के अमरगढ़ रियासत के राजा ने उन्हें सैकड़ों एकड़ जमीन दान में दी थी। और वहाँ पर बाबाजी और उनके शिष्यों के लिए एक विशाल आश्रम बनवाया था। उस आश्रम के संचालन के लिए बहुत सारा धन और खेती करने योग्य जमीन भी दी थी। यह रहस्यमयी योगी–बंगाली बाबा जिसके पास कुछ न होते हुए भी सब कुछ था। भोले की शिक्षा–दीक्षा की जिम्मेदारी अपने हाथों में ली।

आठवीं कक्षा की शिक्षा पूरी करने के बाद भोले का जीवन कहाँ और कैसे बीता यह जान पाना कठिन ही नहीं बल्कि असम्भव–सा है। पिछले तैंतीस वर्षों से मैं यह प्रयत्न करता आ रहा हूँ कि स्वामी जी के इस जीवन अंश को जान सकूँ। कि इन दिनों स्वामी जी किसके पास रहे, कहाँ रहे, क्या किया, किन्तु मेरे हाथ केवल असफलता ही आयी। मैं गढ़वाल के अनेक लोगों से मिला। स्वामी जी के परिवार वालों से भी मिला। किन्तु उनमें से

कोई भी ऐसा न मिला जो स्वामी जी के विषय में कुछ भी बता सके। जो कुछ थोड़ा बहुत लोगों ने बताया भी वह विरोधाभासों से भरा हुआ मिला। गढ़वाल प्रान्त के प्रतिष्ठित परिवार, जैसे पुरोहित, धसमाना, सकलानी, खण्डूरी लोगों से जो थोड़ी बहुत बातें ज्ञात हुईं उसका सारांश यह निकलता है कि स्वामी जी का जन्म और लालन-पालन गढ़वाल में हुआ था। जूनियर हाईस्कूल के बाद ही रहस्यमय ढंग से स्वामी जी एकाएक लोगों की स्मृति से गायब से हो गये। और फिर १९५० के आसपास एकाएक प्रगट हुए। स्वामी जी के सोलह वर्ष (चौदह से तीस वर्ष के बीच की आयु वाला समय) का कुछ भी ब्यौरा नहीं मिलता। पहले तो मैं इस बात से बहुत आश्चर्यचकित रहा करता था। किन्तु बार-बार सोचने, अनेक महात्माओं से बातचीत करने और स्वामी जी के रहस्य भरे मौन से ये निष्कर्ष निकाला कि इन सोलह वर्षों में स्वामी जी ने उग्र तपस्या की, एकान्तवास किया, सत्संग का लाभ उठाया, अपने गुरुदेव और परम गुरुदेव के चरणों में बैठकर अखिल ब्रह्माण्ड नायिका भगवती राज राजेश्वरी का कृपा प्रसाद प्राप्त किया। जब मेरा यह विश्वास दृढ़ हो गया तब मैंने स्वामी जी के परिवार और मित्रों की परिधि से बाहर निकलकर सन्तों, महात्माओं के चरणों में बैठकर स्वामी जी के विषय में कुछ सूचना एकत्र करने का मन में संकल्प लिया। मैंने यह भी देखा कि मेरे इस संकल्प से स्वामी जी खुश हो रहे हैं। किन्तु इस खुशी के बावजूद भी प्रत्यक्ष रूप से मेरी सहायता नहीं कर रहे हैं।

अगर ध्यान से देखा जाय तो यह स्पष्ट पता लगता है कि अन्तिम कुछ पृष्ठों को छोड़कर "हिमालय के सन्तों के संग निवास" नामक ग्रन्थ में स्वामी जी जो कुछ अपने अनुभवों का वर्णन करते हैं-उसका सम्बन्ध इन्हीं सोलह वर्षों से है। १९८१ ई. में एक बार एक विचित्र विचार मेरे मन में आया। अगर मैं इस ग्रन्थ को एक हज़ार बार पढ़ूँ तो निश्चित ही मुझे उन सभी सन्तों, महात्माओं और तीर्थों की कृपा प्राप्त होगी जिनका वर्णन इस ग्रन्थ में है। मैंने उस ग्रन्थ का स्वाध्याय शुरू कर दिया। जितनी ही बार मैंने पढ़ा उतना ही कहानियों के वे भाग जो नहीं लिखे हैं वे सुनाई पड़ने लगे। जब मैं लगभग हज़ार बार का स्वाध्याय पूर्ण ही करने वाला था तो स्वामी जी ने मुझे बुलाया और इस ग्रन्थ का हिन्दी अनुवाद करने की आज्ञा दी। हिन्दी अनुवाद करके सायंकाल मैं उन्हें सुनाया करता। अनुवाद को सुनते-सुनते स्वामी जी भाव-विभोर हो जाते और सहज भाव से मेरे से पूछते और

अनपूछे प्रश्नों का उत्तर देने लगते।

मेरे मन में अनेक प्रश्न थे किन्तु उनमें से एक प्रश्न हमेशा ही मेरे सिर पर मडराया करता था। वह प्रश्न यह था कि जब इतनी छोटी-सी आयु में ही स्वामी जी अपने गुरुदेव के साथ हिमालय की गुफाओं में रहने लगे तो भला वे कालेज और विश्वविद्यालय कब गये। "हिमालय के सन्तों के संग निवास" नामक ग्रन्थ को पढ़ने वाला हर व्यक्ति इस निष्कर्ष पर पहुँचता है कि स्वामी जी बाल्यकाल से ही अपने गुरुदेव के पास रहे और साथ ही हाईस्कूल आदि पूरा करके इलाहाबाद विश्वविद्यालय से स्नातकोत्तर परीक्षा उतीर्ण की। एक दिन सायंकालीन बैठक में मैंने स्वामी जी से पूछा कि ये दोनों बातें एक साथ कैसे सम्भव हैं। मेरे प्रश्न के उत्तर में उन्होंने केवल इतना ही कहा, "मेरे जीवन के वे दिन अत्यन्त सुखदायी और मेरे गुरुदेव की कृपा से भरपूर थे।"

एक दिन मैंने स्वामी जी से साफ-साफ पूछ लिया-"स्वामी जी! आप के पिताजी की मृत्यु के पश्चात जब बाबा जी आपको ले जाने लगे तो आपके परिवार वालों ने क्या कुछ भी नहीं कहा? उन लोगों ने क्या आपको यों ही चले जाने दिया?"

स्वामी जी बोले, "मेरी माताजी बाबाजी पर पूर्ण विश्वास करती थीं। मेरी माँ जानती थीं कि बाबाजी सब कुछ देने में समर्थ हैं। उनसे बड़ा हितैषी कोई नहीं है। और जिस प्रकार की देखभाल वे कर सकते हैं वैसा कोई नहीं कर सकता है।"

तो मैंने फिर पूछा, "तो क्या उसके बाद आप हमेशा बाबाजी के ही साथ रहे? आप कभी लौटकर घर नहीं आये? और यदि ऐसा है तो आप फिर स्कूल कैसे गये?"

स्वामीजी बोले, "उसके बाद मैं अपने महाराज के साथ कभी हफ्तों, कभी महीनों रहता। उनके साथ रहने का मतलब यह नहीं कि गुफाओं में ही रहना। प्राय: मेरे श्री महाराज जी एक स्थान पर ज्यादा दिन तक रहते ही नहीं थे। जब कभी कुछ दिनों के लिए एक जगह पर रुके भी तो उनके साथ अनेक साधु-सन्त हुआ करते थे। मुझे पता था मेरे गुरुदेव मुझे अत्यन्त प्यार करते थे और मैं भी उन्हें प्यार करता था। किन्तु मैं उन दिनों एक बालक था। मेरी अपनी समस्या थी। बालक होने के नाते मैं बहुत सक्रिय था। मैं

दौड़ना, बातें करना और खेलना चाहता था। मेरे गुरुदेव जिन्हें मैं महराज जी कहा करता था, बहुत ही शान्त प्रकृति के थे। इसलिए मुझे आनन्द तब ज्यादा आता था जब उनके साथ और महात्मा लोग होते थे। ऐसी परिस्थिति में मैं अपने महाराज जी के साथ खाता और सोता। और अन्य महात्माओं के साथ खेलता, कूदता, बातें करता और बदमाशियाँ करता।"

"श्री महराज जी के साथ यात्रा करने में बड़ा ही आनन्द आता। पर्वतों पर चढ़ना, नदियों को पार करना, बर्षा और तूफान के समय पत्थरों के भीतर छिपना, रात्रि के समय आग के पास बैठना, उनकी और अन्य साधुओं की भोजन बनाते समय सहायता करना, ये सब बातें प्रसन्नता, साहस और आनन्द से भरी हुई हुआ करती थीं। जब मेरे स्कूल की छुट्टियाँ खत्म होने को होतीं तो मैं स्कूल जाने के लिए उत्सुक रहता। वह इसलिए नहीं कि स्कूल मुझे अच्छा लगता था बल्कि इसलिए कि ये महात्मा लोग अगली छुट्टियों में मुझे और भी सुन्दर स्थानों पर ले जाने की योजना बनाया करते थे। जब-जब मैं इन महापुरुषों को छोड़कर घर या स्कूल आता तो मानो पूरा संसार व्यर्थ है। वही पुराना परिवार, मित्र, किताबें और अध्यापक। मन में यह प्रश्न उठता कि इन सब चीजों में क्या रखा है? मुझे सब कोई पराये से लगते। इस प्रकार से मेरा इन दो संसारों में आना-जाना लगा रहा।"

स्वामी जी चौदह साल के हो गये थे। गर्मियों का दिन था। स्वामी जी अपने घर पर थे। एक दिन विचित्र घटना घटी। जिससे जीवन में एक ऐतिहासिक मोड़ आया। उन दिनों स्वामी जी घर और गाँव वालों के लिए बृज किशोर थे किन्तु साधू लोग उन्हें भोले कहते थे। दोपहर का समय था। एक वृद्ध महात्मा भोले के घर पधारे। उन्होंने भोले के हाथ में भोजपत्र का एक टुकड़ा दिया। जिस पर लिखा था-"भोले! मेरा आशीष, मुख मोड़ जग से, हो अग्रसर अध्यात्म पथ पर। अवधूत गंगोत्री १९३९।" इसके पहले भोले ने इस साधु को कभी नहीं देखा था। भोले को ये भी नहीं पता था कि इस पत्र को भेजने वाला गंगोत्री का यह अवधूत कौन है। फिर भी इस पत्र का उनके ऊपर बहुत प्रभाव पड़ा। भोले अभी हाईस्कूल में ही थे। मित्रों का दबाव, और परीक्षा सम्बन्धी तैयारियाँ उन्हें संसार की तरफ खींचे जा रही थीं। किन्तु इस पत्र ने उनको ऐसा झकझोर दिया कि उन्हें संसार निस्तत्व, सारहीन दिखलायी पड़ने लगा। वे सहसा गम्भीर चिन्तन में डूब गये। उन्हें अपने पूर्व

जन्म की बातें याद आने लगीं और एक बार फिर से स्कूल और परिवार छोड़ भाग जाने का विचार उनके मन में आने लगा। भोले अपने इन अनेक तथा परस्पर विरोधाभासों से पूर्ण भावनाओं को सँभाल न सके। मजबूर होकर अपने गुरुदेव के पास गये। उस समय गुरुदेव समीपवर्ती पर्वत तुंगनाथ पर रह रहे थे। उनके साथ में भोले के बड़े गुरुभाई, स्वामी शिवानन्द जी भी थे। बाबा जी की आज्ञा से स्वामी शिवानन्द जी ने भोले को स्कूल लौट जाने को कहा। अब की बार बाबाजी ने कुछ ऐसा चमत्कार किया कि भोले के मन में शान्ति आयी और जीवन के लक्ष्य को सामने रखकर स्कूल लौट गये।

अब तक प्रारम्भिक शिक्षा पूरी हो चुकी थी। उच्च शिक्षा के लिए भोले गाँव को छोड़ मसूरी और इलाहाबाद गये। अब सांसारिक और आध्यात्मिक दोनों ही अर्थों में जीवन शान्ति और अशान्ति, सुख और दुख, सन्तोष और असन्तोष के कगार पर खड़ा था। भोले एक मेधावी नवयुवक थे। घर के पिंजड़े से बाहर स्कूल के स्वतन्त्र वातावरण में तथा सहज रूप से मिलने वाले सन्तों के समाज में रहकर इन्हें अपने प्रतिभा के पूर्ण विकास का पूरा अवसर प्राप्त था। फिर भी युवावस्था का क्या किया जाय। एक तरफ तो आध्यात्म में रुचि, दूसरी तरफ अच्छी-अच्छी चीजों को खरीदने और संगीत में रुचि। अध्यात्म और संसार के खेल में मस्त भोले अच्छे-अच्छे कपड़े और ट्रान्जिस्टर, रेडियो लेकर आते तथा अपने गुरुदेव और साधुओं को संसार का चकमा देने की कोशिश करते। भला ये महात्मा लोग इन सब चीजों से क्या प्रभावित होते। फिर भी ये सन्तजन भोले को अपना निःस्वार्थ और असीम प्यार देते।

एक बार भोले अपने साथ तीन ग्रामोफोन और दर्जनों रिकार्ड लेकर अपने गुरुदेव के पास आये। उस समय गुरुदेव ऋषिकेश से थोड़ा आगे नरेन्द्रनगर नामक कस्बे के थोड़ा बाहर एक मकान में रह रहे थे। उनके साथ पाँच और महात्मा लोग थे। वहाँ पहुँच कर भोले दिन रात संगीत की तान छेड़ देते। इधर महात्मा लोग अपना ध्यान भजन करते और उधर भोले का ग्रामोफोन शुरू हो जाता। भोले का संगीत धीरे-धीरे ऊँचा और कोलाहल पूर्ण होता गया। साधुओं ने अन्ततः जाकर बाबाजी से शिकायत की। बाबाजी ने मुस्करा कर कहा, "अभी बालक है और हम लोगों का ध्यान आकृष्ट करना चाहता है। चलो! उसके संगीत को सुनें।" बाबा जी भोले के पास गये और

उनके संगीत के प्रति रुचि की बहुत प्रशंसा की। जब देखा कि भोले अपनी प्रशंसा सुन कर अपने आपे से बाहर हो गया है तो बड़े उत्सुकता भरे शब्दों में पूछा, "भोलिया! तेरे पास कितने ग्रामोफोन हैं?" भोले ने झटके से कहा, "तीन ग्रामोफोन, दो तीन दर्जन रिकार्ड और बैटरी से चलने वाला ट्रांजिस्टर। आप मानेंगे नहीं इस ट्रांजिस्टर के माध्यम से मैं यहीं बैठे-बैठे भारत के अच्छे-अच्छे संगीतज्ञों का संगीत सुन सकता हूँ।"

बाबा जी मुस्काते हुए बोले, "मुझे बड़ी खुशी हो रही है कि अब तुम एक सभ्य और शिक्षित व्यक्ति के रूप में बड़े हो रहे हो। जरा मुझे भी कुछ संगीत सुनाओ।"

भोले ने एक ग्रामोफोन शुरू कर दिया। गुझदेव ने कहा, "इससे कुछ आनन्द नहीं आया। और दोनों ग्रामोफोन भी लगा दो।" भोले बोले कि एक साथ आप तीन-तीन ग्रामोफोन कैसे सुन सकते हैं? तो बाबाजी ने कहा, "क्यों नहीं।"

भोले ने आश्चर्य के साथ कहा, "क्योंकि तो फिर यह संगीत थोड़े ही रह जायेगा। यह शोर-शराबे में बदल जायेगा। और आप कुछ भी नहीं सुन सकेंगे।"

विस्मय के साथ देखते हुए बाबाजी बोले, "अरे! मैं तो सोचता था जितना ही अधिक, उतना ही अच्छा।"

भोले बहुत शर्मिंदा हुए। फिर भी अपने संगीत का क्रम जारी ही रखा और जब देखा कि उनके शोर-शराबे से महात्मा लोग प्रभावित नहीं हो रहे हैं तो धीरे-धीरे उनकी चपलता खुद ही कम हो गयी। हफ्ते दस दिन में ही बाबा जी के व्यवहार और हाव-भाव से भोले को यह समझ आ गया कि दूसरों के संगीत को लगातार सुनने से हम उस संगीत पर निर्भर हो जाते हैं। उस संगीत के दास हो जाते हैं। फिर हम उस संगीत का आनन्द नहीं ले पाते हैं बल्कि हमको उस संगीत का व्यसन हो जाता है। भोले को यह बात समझ में तो आ गयी किन्तु सच्चाई यह थी कि अब तक उन्हें संगीत का व्यसन हो ही चुका था।

स्कूल से लौटने के बाद जैसे ही कक्षाएँ खत्म हो जातीं भोले अपने संगीत का अभ्यास शुरू कर देते। गायन के साथ-साथ तबला, हारमोनियम,

सितार और वीणा का कार्यक्रम शुरू हो जाता। यहाँ तक कि भोले के सहपाठी मित्रगण भी इनके संगीत से ऊब गये। संगीत के प्रवाह में इतने बह गये कि लखनऊ रेडियो स्टेशन पर जाकर कार्यक्रम दिये और अपने कार्यक्रम से बहुत प्रसन्न भी हुए। दुबारा जब बाबाजी के पास गये तो वीणा अपने साथ ले गये। उन दिनों वीणा में इतना लीन हो गये थे कि बाबाजी के साथ रहने पर भी संगीत के अलावा और कुछ न करते थे। इसके पहले जब कभी गुरुदेव के साथ रहते तो कम-से-कम धूनी के लिए लकड़ी इकट्ठा करते, चावल दाल बीनते और बर्तन साफ करते। लेकिन अब की बार संगीत के चक्कर में हमेशा कामचोरी की ताक में लगे रहते।

एक दिन साधुओं ने डाँटकर कहा कि भोले को रसोई में कुछ-न-कुछ काम तो करना ही होगा। भोले को दाल की सफाई का काम दिया गया। दाल साफ करते समय एक शरारत की बात सूझी। उन्होंने सोचा कि अगर ये साधु लोग यह जान जायें कि मैं ठीक से काम करना नहीं जानता और मैं दाल से कंकड़-पत्थर बीनना नहीं जानता तो ये लोग मुझसे काम करवाना बन्द कर देंगे। यह सोचकर भोले ने पत्थर बीनने के बजाय दाल में छोटे-छोटे और पत्थर डाल दिये। दाल पकायी गयी और महात्माओं को खाने के साथ दाल परोसी गयी। एकाएक खट की आवाज आयी और पता चला कि एक वृद्ध महात्मा का दाँत टूट गया। इस बात को सब जानते थे कि भोले ने यह सब जानबूझ कर किया था। बाबाजी को भी यह पता था। बाबाजी ने यह संकल्प ले लिया कि अब इस बच्चे को ठीक करना है। बाबाजी ने अन्य साधुओं से कहा, "अगर इसे अब ठीक न किया गया तो अब यह बिल्कुल हाथ से निकल जायेगा और इसकी जिन्दगी बरबाद हो जायेगी।" महात्माओं ने मिलकर एक योजना बनायी।

दूसरे दिन प्रातःकाल महात्मा लोग अपने ध्यान भजन में लगे थे। उधर भोले का वीणा पर संगीत शुरू हो गया और वह भी शृंगार रस का संगीत-"बाजू बन्द मेरो गिर-गिर जाय।" बस सभी साधुगण एकाएक उठे। झपट कर इस नवयुवक संगीतज्ञ को पकड़ लिये। वीणा तोड़-ताड़ कर संगीतशास्त्री की खूब जमकर पिटायी की। भोले किसी प्रकार से इन महात्माओं से छूट कर बाबा जी की तरफ भागे। बाबाजी आँखें बन्द किये अपनी कुटिया में बैठे थे। भोले ने शिकायत करते हुए कहा-"आप की ही आज्ञा से मैं

संगीत का अभ्यास किया करता हूँ और देखिये इन साधुओं ने मेरी क्या हालत कर दी है?" बाबा जी ने उत्तर दिया "मैंने तुम्हें ऐसे संगीत का अभ्यास करने को कहा है जिससे दूसरों को परेशानी न हो। तुम्हें कर्म के सिद्धान्त का कुछ ज्ञान है? अगर तुम किसी का दाँत तोड़ोगे तो तुम्हारी हड्डियाँ टूटनी ही हैं। अब आज से भीतरी संगीत को सुनो। अब चालीस वर्षों तक तुम इस शोर-शराबे को जिसे संगीत कहते हो, बन्द कर दो।" इसके बाद कुछ घण्टों तक बाबा जी और अन्य महात्मा बिल्कुल चुपचाप रहे। और ऐसा बर्ताव करते रहे जैसे कि भोले को जानते ही न हों। किन्तु वहाँ पर पिटायी के समय एक और महात्मा विद्यमान थे जिन्होंने भोले की पिटायी में भाग नहीं लिया था। इन महात्मा का नाम था-गुदड़ी बाबा। गुदड़ी बाबा प्यार से हाथ पकड़कर भोले को अपनी कुटिया में ले गये। उन्होंने प्यारपूर्वक भोले के सिर पर हाथ फेरा। उनके प्यार भरे स्पर्श से ही भोले की सभी शारीरिक और मानसिक घाव भर गये। गुदड़ी बाबा ने भोले को याद दिलाया कि उन्हें बाबाजी और अन्य साधु लोग कितना प्यार करते हैं। गुदड़ी बाबा ने समझाया कि संसार की अच्छी-से-अच्छी वस्तुओं को प्राप्त करना और उनका उपयोग करना अच्छी बात है। किन्तु नम्रता के साथ संसार में रहो। भोले का सिर सहलाते हुए बोले-"देखो! बाबा जी कह रहे थे कि अब तुम आज से भीतरी संगीत को सुनो। तुम उनके पास जाओ और प्रार्थना करो-वे तुम्हें बतायेंगे कि भीतरी संगीत कैसे सुना जाता है। उसका आनन्द कैसे लिया जाता है। वे तुम्हें बतायेंगे कि भीतरी संगीत के द्वारा तुम जीवन के स्वामी, रास बिहारी परमेश्वर को कैसे रिझा सकते हो। संगीत छेड़ना है तो उनकी सेवा में छेड़ो। उस भीतरी संगीत से परमेश्वर प्रसन्न होंगे और तुम्हें भी अत्यन्त प्रसन्नता मिलेगी। शब्द, स्पर्श आदि से मिलने वाले इन्द्रियों के सुख के चक्कर में जीवन के परम लक्ष्य को मत भूलो।"

अभी गुदड़ी बाबा भोले को यह सब समझा ही रहे थे कि बाबाजी स्वयं ही वहाँ आ गये। आँसुओं से तर भोले दौड़कर बाबाजी से लिपट गये। भोले को गोदी में चिपकाते हुए गुदड़ी बाबा की तरफ देखकर कहा-"भोलिया को यह नहीं पता है कि इसे दुखी देख कर मुझे कितना कष्ट होता है।" उस दिन बाबाजी ने ध्यान की पूरी विधि बतायी। बताया कि कैसे बैठा जाता है, कैसे साँस ली जाती है और कैसे मन को मन्त्र पर केन्द्रित किया जाता है। बाबाजी ने भोले को एक स्वस्थ और सुखी जीवन जीने की कला बतायी।

और यह बताया कि दोस्तों, मित्रों के साथ कैसे रहना चाहिये। उनके साथ व्यवहार कैसे करना चाहिये। और उनके साथ रहते हुए संग-दोष से कैसे बचे रहना चाहिये।

पचासों वर्ष बाद स्वामी जी मुझे यह कहानी बता रहे थे। स्वामी जी की बातों से उस समय ऐसा लग रहा था मानो यह घटना अभी एक-दो दिन पहले ही घटी हो। स्वामी जी बोले, कि यह घटना सोमवारी बाबा के आश्रम के नजदीक एक शिव मन्दिर के पास में ही घटी थी। यह स्थान अल्मोड़ा से पन्द्रह मील दूर कोसी और सिरौत नदियों के संगम पर है। बंगाली बाबा, सोमवारी बाबा, हरियाखान बाबा और गुदड़ी बाबा एक-दूसरे के मित्र थे और इस क्षेत्र में प्रायः एक-दूसरे से मिला करते थे। स्वामी जी ने मुझे इन दिव्य महात्माओं की अनेक कहानियाँ बतायी थीं। पिछले बीस वर्षों में मैंने अन्य लोगों से भी इन महात्माओं के विषय में सुना, उससे अनुभव होता है कि हिमालय के ये सन्त पृथ्वी पर विचरण करने वाले साक्षात देवगण हैं। केवल ईश्वर की कृपा और अपने पुण्य कर्मों से साधक इन महापुरुषों का दर्शन कर सकता है। स्वामी जी की उद्दण्डता और शरारतों की बात सुनकर मेरे मन में कई प्रश्न खड़े हुए-ऐसे महात्माओं के साथ रहते हुए भी कोई भला ऐसा शरारती कैसे हो सकता है? इतने पवित्र वातावरण में किसकी आत्मा कहेगी कि मैं संगीत का आनन्द लूँ और सन्त महापुरुष लोग खाना बनायें और बर्तन धोयें। एक दिन अवसर मिलते ही मैंने यह प्रश्न कर ही दिया।

स्वामी जी बोले, "आन्तरिक सुधार के लिए केवल पवित्र वातावरण ही पर्याप्त नहीं है। हमारे अचेतन मन में छिपे हुए संस्कार बहुत बलवान हैं। बौद्धिक ज्ञान और समय-समय पर सन्तों से मिलने वाली प्रेरणा तभी काम करती है जब हम आन्तरिक सुधार और आन्तरिक परिष्कार के लिए दृढ़ संकल्प के साथ साधना में जुट जायें। मैं एक बहुत हठी बालक था। मेरे गुरुदेव ही वे महापुरुष हैं जिन्होंने मेरे हठ और ढ़िठाई को आत्मविश्वास तथा मेरी शरारत को सृजनात्मक शक्ति के रूप में बदला।"

"जब मैं सात वर्ष का था तो मेरे श्री महाराज जी ने मुझे राजराजेश्वरी जगदम्बा का दर्शन कराया। वह भी इतनी रहस्यमयी स्थिति में। किसी समय मैं तुम्हें विस्तार में बताऊँगा। किसी विशेष परिस्थिति में ऐसा लगा कि मेरे महराज जी बहुत क्रोधित हैं। मुझे दोनों हाथों से उठाकर माँ के चरणों में फेंक

दिया। उसके बाद जो अनुभव हुआ उससे मैं पूर्ण विश्वस्त हो गया कि वही मेरी माँ हैं। वह सदा मेरी रक्षा करती हैं। मेरे गुरुदेव और माँ सदा एक-दूसरे के साथ रहते हैं। उस दिव्य दर्शन के पश्चात मेरा हृदय गुरुदेव और अन्य सन्तों के प्रति श्रद्धा, प्रेम व कृतज्ञता से भर गया। मैंने सोचा कि अब कभी भी उनके साथ शरारत नहीं करूँगा। उनका सम्मान करूँगा और उनकी सेवा करूँगा। किन्तु एक-दो हफ्ते बाद ही मेरी पुरानी प्रवृत्तियाँ फिर से जग गयीं। उसी प्रकार की शरारत और उसी प्रकार का प्रमाद। मुझे यह पता भी रहता कि मैं उनके साथ दुर्व्यवहार कर रहा हूँ और इस बात से दुखी भी हुआ करता। मैं श्री महाराज जी के पास जाकर क्षमा भी माँगा करता। उस समय वे प्यार से कहते, 'इसमें तुम्हारी कोई गलती नहीं है। इसी को बालपन कहते हैं। मैं एक-दो बार और तुम्हें उसके चरणों में फेंकूँगा और तुम बिल्कुल ठीक हो जाओगे'।"

अभी भी मुझे अपने प्रश्नों का पूरा-पूरा उत्तर नहीं मिला था। अतः मैंने पूछा, "स्वामी जी माँ का दर्शन होने के बाद आप ने क्या किया? यह अनुभव कहाँ और कैसे हुआ?"

स्वामी जी बोले, "यह घटना खजुराहो में हुई थी। मेरे पिताजी के दिवंगत हुए कुछ ही साल बीते थे। मेरे गुरुदेव और पाँच अन्य महात्मा मुझे खजुराहो ले गये। उन दिनों वहाँ चारों तरफ जंगल ही जंगल था। आसपास में एक दो छोटे-छोटे गाँव थे। खजुराहो में लगभग साठ-सत्तर मन्दिर हुआ करते थे। उनमें से कई मन्दिर अपनी टूटी-फूटी अवस्था मे थे। पूज्य गुरुदेव, मैं और पाँचों महात्मा चौंसठ योगिनी के मन्दिर में रुके। श्री महाराज जी तो अधिकतर आँखें बन्द किये मन्दिर में ही रहते। अन्य और महात्मा लोग या तो चौसठ योगिनी के मन्दिर में ध्यान मग्न रहते या फिर बीच-बीच में अन्य मन्दिरों में जाकर पूजा किया करते।"

"प्रारम्भ के कुछ दिनों तक मैं खूब खुशी-खुशी से वहाँ की हर वस्तु का आनन्द लेता रहा। जहाँ-जहाँ महात्मा लोग जाते उनके साथ जाता। जहाँ वे ध्यान करते उनके आस-पास खेला करता। उनके कहने से मैं मूर्तियों को प्रणाम करता और उनको प्रसन्न करने के लिए मैं आँखें मूँद कर बैठ जाता ताकि वे लोग सोचें कि मैं ध्यान कर रहा हूँ किन्तु थोड़े ही दिनों में मेरा मन ऊबने लगा। सर्दियों के दिन थे, रातें बड़ी ठण्डी। सुबह सभी लोग ध्यान-

भजन में बैठ जाते और मेरी इच्छा होती कि आग के सामने बैठ कर ठण्ड काटूँ। साथ-ही-साथ सुबह मुझे भूख भी लगती। एक दिन भूख और ठण्ड से परेशान होकर मैं मन्दिर में जान बूझकर खाँसता-छींकता, शोर मचाता हुआ दौड़ने लगा। मैंने सोचा कि ऐसा करने से कोई न कोई महात्मा पूछेगा कि क्या बात है? ऐसा मैं क्यों कर रहा हूँ? किन्तु किसी ने भी मेरी शरारत पर ध्यान नहीं दिया।''

अन्त में अपने गुरुदेव के कमरे में गया। वहाँ मैं खाँसा, चीजें गिरा दीं और अनेक प्रकार का शोर शराबा किया। वे चुपचाप शान्त भाव से बैठे रहे। फिर मैंने उनके बाल खींचे। इतना होने पर भी वे कुछ बोले नहीं आँखें तक नहीं खोलीं। अन्त में मैंने अपनी उँगलियों से उनकी पलकों को उठाया। ऐसा करते ही गुरुदेव उठकर खड़े हो गये। क्रोध में आकर मुझे अपने दोनों हाथों से सिर के ऊपर तक उठा लिया। वहाँ से चलकर चौंसठ योगिनी मन्दिर की मुख्य मूर्ति के पास गये। मुझे हवा में झण्डे की तरह फहराते हुए माँ से ऊँचे स्वरों से बोले-''या तो इसे ठीक करो या अपने पास ले लो।''

यह कहते हुए गुरुदेव जैसे ही मुझे जगदम्बा की मूर्ति पर फेंकने ही वाले थे कि करुणामयी माँ अपने अनन्त सौन्दर्य के साथ प्रगट हो गयीं। उनका वह रूप वर्णनातीत है। मुझे गुरुदेव के हाथों से ले लिया और प्यार से अपनी गोदी से चिपका लिया। मुझे अभी भी याद है कि उनकी आँखों के कोने से करुणा की वह दिव्य किरण निकली जिसने मेरे हृदय को गद्गद् कर दिया। उनके मुखड़े से प्रगट होने वाली सौन्दर्य और आनन्द की लहरी ने मुझे अपने में लीन कर लिया। अपनी दिव्य मुस्कान के साथ माँ ने मेरे गुरुदेव की ओर देखा और मुझे आशीर्वाद देते हुए बोलीं, ''आज से यह अच्छा बच्चा हो जायेगा।'' यह कहते हुए माँ ने मुझे गुरुदेव की बाँहों में रख दिया। उस समय मैं आनन्द और भय से काँप रहा था। आज भी माँ का वह सौन्दर्य और करुणाभरी आँखें मेरे सामने हैं। वह छवि मेरे हृदय में सदा-सदा के लिए स्थिर हो गयी है।

उस समय मैं अपने को सँभाल नहीं पा रहा था। मेरा हृदय कौतूहल से भरा था। भीतर-ही-भीतर आनन्द की लहरें उठ रही थीं। बार-बार मन कहता कि उन महात्माओं को मैं उस अनुभव के विषय में बताऊँ। किन्तु मेरे गुरुदेव ने ऐसा करने से रोक दिया। वे बोले, ''ऐसे अनुभव बताये नहीं जाते।

ऐसे अनुभवों को भीतर–ही–भीतर रखा जाता है।"

ऐसा कहते–कहते स्वामी जी ने मेरी तरफ देखा और बोले, "एक दिन तुम्हें मैं वहाँ ले चलूँगा।" मैं समझ गया कि स्वामी जी अब माँ के विषय में और कुछ बताना नहीं चाहते हैं। तो मैंने भी प्रसंग बदलकर पूछा, "स्वामी जी, माँ का दर्शन होने और उनका आशीर्वाद मिलने के पश्चात् क्या फिर आप की बालसुलभ चपलता शान्त हो गयी?"

"नहीं, नहीं," स्वामी जी बोले। "उसके बाद भी मैंने कई बार मूर्खतापूर्ण व्यवहार किया किन्तु एक बात अवश्य थी वह यह कि माँ के उस दिव्य रूप, अलौकिक सौन्दर्य और असीम प्यार को याद करते ही मन में किसी भी प्रकार की कुण्ठा और हीन भावना नहीं रह जाती थी। मुझे अपने कर्मों पर किसी भी प्रकार का पश्चाताप न होता क्योंकि उस दिन से इस बात का सदा अनुभव होता रहता है कि राज राजेश्वरी करुणामयी माँ और मेरे गुरुदेव मुझे अच्छी तरह जानते हैं। मेरे जीवन की कोई भी बात, कोई भी कर्म और मेरा कोई भी भाव उनसे छिपा नहीं है तो फिर मुझे अपने किसी भी कर्म पर, किसी भी बात पर पश्चाताप क्यों? वे ही तो मेरी हर साँसों के स्वामी हैं। मेरे हर कर्म उन्हीं के संरक्षण में होते हैं। मेरे सब विचार उन्हीं के संकल्प से मेरे मन में प्रगट होते हैं तो मुझे अपने विचारों और कर्मों पर अच्छे और बुरे की मोहर लगाने की क्या जरूरत। स्वभाव में आकर कुछ चपलता ओर बचपने की बातें हो भी गयीं तो क्या फर्क पड़ता है। माँ के उस दर्शन ने मुझे आत्मशक्ति प्रदान की जिसके नाते मैं गुरुदेव से किसी भी विषय पर बातचीत कर सकता था। उनसे कुछ भी कह सकता था।"

मैंने जब कभी भी गुरुदेव से अपनी कमजोरियों के विषय में कहा तो वे बोलते 'हाँ! हाँ! सब ठीक है। अपने आप को प्यार करो। अपनी भावनाओं को सत्य की कसौटी पर कसो। मन और इन्द्रियों का दास मत बनो। अपने स्वाभाविक भावों और विचारों के प्रतिकूल होकर अपने आप को दुखी मत करो।' गुरुदेव की इन शिक्षाओं से मैंने निर्णय करना सीखा कि मैं कब अपने साथ कठोरता का बर्ताव करूँ और किन परिस्थितियों में जीवन धारा को बिना किसी अनुशासन के यों ही बहने दूँ।

'कई बार मैंने सोचा कि मैं सही रास्ते पर हूँ किन्तु थोड़े ही दिनों बाद पता चलता कि मैं गलत था। ऐसी परिस्थितियों में मेरे गुरुदेव केवल यही

कहते कि मैं सत्य और असत्य का निर्णय अपने निजी अनुभवों के आधार पर ही करूँ। दूसरों से मिलने वाला ज्ञान-ज्ञान नहीं है वह तो केवल सूचनाओं की तालिका है। दूसरों का मतमतान्तर है। परीक्षा के दिनों में दूसरों का मत काम नहीं आता। जब मैं बीते दिनों को देखता हूँ तो साफ-साफ पता चलता है कि मेरे गुरुदेव चाहते थे कि मेरा एक सामान्य मनुष्य की तरह विकास हो। वे यह नहीं चाहते थे कि मेरा बालपन कठोरता और भाव रहित प्रौढ़ता के कटघरे में रहकर नष्ट हो जाये। इसलिये शायद ही जीवन में कभी-कभार कहा होगा कि तुम ऐसा न करो या ऐसा ही करो। जब अनुशासन बिल्कुल अनिवार्य होता तो ऐसी स्थिति में मेरे गुरुभाई स्वामी शिवानन्द जी के पास भेज देते। शिवानन्द जी उदार, विद्वान किन्तु परम अनुशासित महात्मा थे। मैं उन्हें भाई शिवा कहा करता था।

वैसे स्वामी जी का जीवन बाबाजी और अन्य महापुरुषों के साथ बीता फिर भी स्वामीजी हम लोगों की ही भाँति थे कभी-कभार सांसारिक प्रलोभनों की तरफ आकर्षित हुए। इलाहाबाद विश्वविद्यालय में पढ़ते समय स्वामीजी का जीवन ऐसे मित्रों के बीच में बीता जो धनी मानी परिवार के थे। उनके संग रहकर स्वामीजी की इच्छा होती कि उन्हीं के समान जीवन बितायें-अच्छी-खासी कार हो और खर्चा करने के लिए खूब पैसा हो। उन दिनों छुट्टियों के समय बजाय इसके कि अपने गुरुदेव के साथ पहाड़ों में चलने और यात्रा की कठिनाइयों का सामना करें-स्वामीजी अपने मित्रों के साथ बम्बई टहलने की योजना बनाते।

बाबाजी जानते थे कि इन इच्छाओं को कुशलतापूर्वक जीतना है उनको दबाने से या उनसे भागने से समस्या का समाधान नहीं हो सकता है। इसलिये बाबाजी ने भोले के लिए ऐसा वातवरण प्रदान किया जहाँ पर कि भोले एक विजयी की तरह सन्तोष और तृप्ति का अनुभव करे। बाबाजी ने भोले को हिमालय के सिद्ध सन्त अघोरी बाबा के पास भेजा। अघोरी बाबा गढ़वाल के श्रीनगर नामक शहर के बाहर धारी देवी नामक स्थान पर एक गुफा में रहते थे। अघोरी बाबा सूर्य विज्ञान के पूर्ण ज्ञाता और सिद्ध पुरुष थे। अघोरी बाबा की कृपा से भोले के जीवन में सभी भौतिक साधन उपलब्ध थे। अघोरी बाबा भोले को मन चाहे रुपये पैसे दिया करते थे। उन दिनों यूरोप की सैर पर जाना केवल राजाओं-महाराजाओं और धनी पुरुषों के लिए ही सम्भव

था। किन्त अघोरी बाबा ने भोले को वे सब सुविधाएँ प्रदान कीं जो राजकुमारों को ही मिल सकती थीं। इस प्रकार के वातावरण में भोले ने संसार की अच्छी–से–अच्छी वस्तुओं का प्रयोग किया और भीतर उपजे विवेक से अनुभव किया कि सांसारिक वस्तुएँ मनुष्य को कितना सुख दे सकती हैं। सांसारिक वस्तुओं से मनुष्य तृप्त हो सकता है कि नहीं।

इलाहाबाद विश्वविद्यालय में भोले बृजकिशोर कुमार के नाम से जाने जाते थे। कुछ इने–गिने लोग इन्हें भोले अथवा भोले प्रभु भी कहा करते थे। इनकी एक मेधावी छात्र के रूप में ख्याति थी। दर्शन शास्त्र, अंग्रेजी और हिन्दी साहित्य में अच्छा खासा अधिकार था। मित्र लोग क्रान्तिकारी कहा करते थे। साथ ही साथ भौचक्के रहते थे कि मस्ती से रहने वाला, अधिकतर कक्षाओं में उपस्थित न रहने वाला उनका यह मित्र बिना पढ़े–लिखे ही परीक्षा में इतनी उच्च श्रेणी का नम्बर कैसे प्राप्त कर लेता है। विश्वविद्यालय के प्रोफेसर भी इनका बड़ा सम्मान करते थे। कुछ प्रोफेसर तो इसी अचम्भे में रहते कि प्रोफेसर आर.डी. रानाडे (राम चन्द्र दत्तात्रेय रानाडे) भोले को इतना प्यार क्यों देते हैं। प्रोफेसर रानाडे अपने युग के अद्वितीय दार्शनिक होने के साथ–साथ ही उच्च कोटि के सन्त भी माने जाते थे। रानाडे में अध्यात्म और बुद्धिबल का अद्भुत सम्मिश्रण था। विश्वविद्यालय के प्रबुद्ध प्रोफेसर और विद्वानों को शीघ्र ही यह अनुभव हो गया कि बृजकिशोर के अन्दर एक दैवी ज्योति छिपी है और इसी दिव्य ज्योति के सम्मान हेतु रानाडे जैसे महापुरुष बृजकिशोर को इतना प्यार और सम्मान दिया करते हैं।

उन दिनों दो ऐसे महान विद्वान थे जिन्होंने बृजकिशोर के अन्दर छिपी हुई दिव्य ज्योति को भली–भाँति पहचाना था। वे दोनों महापुरुष थे–सूर्यकान्त त्रिपाठी 'निराला' और राहुल सांकृत्यायन। निराला जी एक लम्बे–चौड़े कद के व्यक्ति थे। दूसरे शब्दों में उनको पहलवान कहा जाय तो कोई अतिशयोक्ति नहीं होगी। एक बार में पाँच–सात लोगों के खुराक का खाना खा जाते थे। जैसे–जैसे वृद्ध होते गये वैसे–वैसे उनका स्वभाव और भी निराला होता गया। अधिकतर वे अद्वैतभाव में स्थिर रहा करते थे। अपने और दूसरों के भीतर कोई भेद नहीं देखते थे। दूसरों के दुख–दर्द के प्रति अत्यन्त संवेदनशील थे। हम और हमारे का भाव समाप्त हो चुका था। उनके पास कोई भी चीज ज्यादा देर तक नहीं टिकती थी। उनके शरीर को ठण्ड से बचाने के लिए यदि

किसी ने उनके ऊपर कीमती शाल डाल दी तो थोड़ी ही देर बाद निराला जी उस शाल को किसी रिक्शे वाले को दे देते। इलाहाबाद में निराला जी की उदारता, विद्वता और आध्यात्मिक स्थिति से हर आदमी परिचित था। इलाहाबाद में सब लोग उनका सम्मान करते थे। निराला जी थोड़ा झक्की थे। यह कहना कठिन था कि वे कब गुस्सा हो जायेंगे और कब शान्त हो जायेंगे। एक बार गुस्सा हो गये तो उन्हें सम्भालना कठिन था। लेकिन लोगों ने देखा कि बृजकिशोर की उपस्थिति में निराला जी शान्त और प्रसन्नचित रहते थे और बृजकिशोर से हर विषय पर बातचीत करने में आनन्द मिलता था। निरालाजी बृजकिशोर को प्रायः भोले प्रभु कहा करते थे।

गर्मियों के दिन थे शाम के समय निरालाजी इलाहाबाद के कम्पनी बाग में टहलते-टहलते पहुँच गये। यह पार्क केवल अंग्रेजों के लिए हुआ करता था। पार्क में पहुँचकर निरालाजी अपने सब कपड़े उतार कर बैंच पर सो गये। सुबह पार्क में नियुक्त पहरेदारों ने इस नंग-धड़ंग आदमी को सोते हुए पाया। पहरेदारों ने लाठी से खोद-खोदकर जगाने की कोशिश की। जब निरालाजी नहीं उठे तो उन लोगों ने निराला जी को लाठी से मारा। विशालकाय निराला जी जग पड़े और उठकर उन पहरेदारों की खूब अच्छी-खासी पिटायी की। इस घटना से थोड़ी ही देर में ट्रक पर सवार पच्चीसों पुलिस वाले पहुँच गये। किन्तु दारोगा ने निराला जी को पहचान लिया। दारोगा ने निराला जी से क्षमा माँगी और नम्रतापूर्वक उन्हें पार्क से बाहर निकल जाने की प्रार्थना की। दारोगा ने समझाया कि यह पार्क आम जनता के लिए नहीं है बल्कि यह केवल अंग्रेजों के लिए है। फिर क्या था सिंह की तरह गरजते हुए निराला जी ने कहा, "मैं यहीं रहता हूँ। मुझे अपने ही घर से कौन निकाल सकता है।" अंग्रेज अधिकारी जानते थे कि निराला जी के साथ यदि बल का प्रयोग किया गया तो गंधक की खान में चिन्गारी देने के समान होगा। पूरे-के-पूरे शहर में हँगामा मच गया। किन्तु इस समय तक अंग्रेज महिलाओं के सैर का समय हो चुका था। और कोई भी यह नहीं चाहता था कि इन अंग्रेज महिलाओं की निगाह बैंच पर लेटे इन नंग-धड़ंग व्यक्ति पर पड़े।

संयोग से निराला और भोले प्रभु के विशेष सम्बन्ध को सभी लोग जानते थे। कोई दौड़कर भोले प्रभु को बुला लाया। भोले प्रभु को देखते ही निराला जी खिलखिलाकर हँस पड़े और बोले, "भोले प्रभु! आओ। देखो ये मूर्ख लोग मुझे मेरे ही घर से निकल जाने को कह रहे हैं।"

भोले प्रभु बोले, "ये सब आपकी ही आत्मा के टुकड़े हैं। भला आपसे कैसे लड़ सकते हैं। ये लोग सीधे-सीधे कह नहीं पा रहे हैं। सुबह का समय हो गया है अब आप यहाँ से चलकर नाश्ता करें। बच्चे की तरह निरालाजी उठ खड़े हुए और बोले, "चलो।"

उनके हाथों में वस्त्र देते हुए भोले बोले, "महाराज! यह माया का आवरण तो अपने ऊपर डाल लीजिये।" जब तक निरालाजी कपड़े पहन रहे थे भोले प्रभु ने दरोगा से कहा-वह दौड़कर पुलिस स्टेशन पहुँचे और सुन्दर नाश्ते की तैयारी करे। भोले बाबा ने दारोगा से कहा, "ध्यान रहे कि भोजन की कमी न हो।"

इसी प्रकार से राहुल सांकृत्यायन ने भी भोले के भीतर छिपे हुए दिव्य प्रकाश को भली-भाँति देख लिया था। निराला और राहुल सांकृत्यायन एक-दूसरे के परम मित्र थे। वैसे दोनों के बीच में दार्शनिक मतभेद हुआ करता था। राहुल सांकृत्यायन बौद्ध धर्म में दीक्षित हो गये थे किन्तु उनका समस्त भारतीय दर्शन और साहित्य पर पूर्ण अधिकार था।

राहुल एक अच्छे पहलवान भी थे। बौद्धिक स्तर पर वे संस्कृत, पाली, प्राकृत, तिब्बती और चीनी आदि भाषाओं में लिखे ग्रन्थों से कुश्ती लड़ा करते थे। अपनी मौज-मस्ती में आकर शास्त्रार्थ और वाद-विवाद में हिन्दू, बौद्ध, इसाई और इस्लामी सिद्धान्तों का स्वेच्छा से खण्डन और मण्डन किया करते थे। शारीरिक स्तर पर भी इतने बलवान थे कि उनको अपने समान बलवान पहलवान न मिलता था। अपने शक्तिशाली कन्धों को व्यवस्थित रखने के लिए कभी-कभी तेज़ी से दौड़ते और मोटे-ताजे वृक्षों के तनों से अपने कन्धों को टकराते। नाश्ते पर वे कितना खाते आप विश्वास नहीं कर सकते। वे पूड़ियाँ गिनते नहीं थे बल्कि एक-के-ऊपर दूसरे को दाबकर रखते। नाभि बराबर ऊँचा पूड़ी का ढेर आलू की सब्जी, एक दर्जन केला और कम से कम एक किलो दूध यह उनका आम नाश्ता हुआ करता था। उनके मस्तिष्क का आकार कहीं उनके पेट से हज़ार गुना बड़ा था। भारत, चीन और तिब्बत की बड़े-बड़े पुस्तकालयों में विद्यमान ग्रन्थ इनके मस्तिष्क के एक छोटे-से कोने में पड़े रहा करते थे।

अब निराला जी और राहुल सांकृत्यायन की बात सुनिये। कम्पनी बाग में निराला जी के साथ वह घटना घटने के थोड़े ही दिन बाद निराला और

भोले दोनों राहुल सांकृत्यायन के यहाँ गये। उन दिनों राहुल सांकृत्यायन लखनऊ में रहा करते थे। भोले अपने शान्तिपूर्ण जीवन से ऊब से गये थे। मन–ही–मन इन दोनों दिग्गजों को एक–दूसरे से भिड़ाने की ताक में थे। भोले इस बात को अच्छी तरह जानते थे कि निराला को कैसे उकसाया जा सकता है। किन्तु राहुल को भड़काने का तरीका ठीक–ठीक से नहीं पता था। हाँ! भोले इतना जानते थे कि राहुल को अपने तिब्बती और चीनी भाषा के ज्ञान का बड़ा गर्व है। उनको इस बात का गर्व है कि उन्होंने ही चीनी भाषा में अनुवादित और सुरक्षित ग्रन्थों का फिर से संस्कृत भाषा में अनुवाद करके बौद्ध धर्म और ज्ञान को फिर से मानव समाज के सामने प्रस्तुत किया। दूसरी तरफ भोले को ये भी पता था कि निराला जी एक अत्यन्त मेधावी, प्रज्ञावान कवि हैं। और इनकी कल्पना शक्ति और अन्तर्दृष्टि वहाँ तक पहुँचती है जहाँ तक सूर्य की किरणें भी नहीं पहुँच पाती हैं। एक दिन भोले प्रभु इन दोनों दिग्गजों को अखाड़े में लाने में सफल हो ही गये। शाम का समय था। सब लोग भोजन से निवृत्त होकर शान्त वातावरण में पारस्परिक बौद्धिक ज्ञान के आदान–प्रदान का आनन्द ले रहे थे। इसी बीच अवसर पाकर भोले प्रभु बोले, "शंकराचार्य भी कितने मेधावी, प्रतिभाशाली और आध्यात्मिक ज्ञान से सम्पन्न महापुरुष रहे होंगे जिन्होंने अकेले ही समूचे बौद्धधर्म को पूरे भारत से बाहर उखाड़ फेंका और सनातन धर्म की पुनः स्थापना की। और आश्चर्य तो यह है कि यह सब काम सोलह वर्ष की आयु पूरा होते–होते कर डाला। राहुल सांकृत्यायन जैसे महापण्डित को अवतार लेने में बारह सौ वर्ष लग गये। तब कहीं जाकर उस ज्ञान की पुनः स्थापना हो पायी जिसे शंकराचार्य ने इतनी निर्दयता से नष्ट कर दिया था।"

निराला जी से नहीं रहा गया। तुरन्त बोल पड़े "ज्ञान कोई वस्तु नहीं है। जिसका कारखानों में निर्माण किया जा सके, नष्ट किया जा सके या रूपान्तरण किया जा सके। ज्ञान शाश्वत है यह अपने आप ही प्रगट होता है और लुप्त हो जाता है। यह केवल अज्ञानी लोग सोचा करते हैं कि उन्होंने ज्ञान की खोज की।"

राहुल अभी भी शान्त बैठे रहे। लेकिन भोले ने देख लिया कि राहुल के अन्दर आग धीरे–धीरे भभक रही है। अतः उन्होंने उस आग में ईंधन डालते हुए कहा, "हिन्दू लोग शंकराचार्य की पूजा किया करते हैं क्योंकि

उन्होंने भारत माता को बौद्धों से मुक्ति दिलायी। किन्तु हिन्दू समाज यह नहीं समझ पा रहा है कि बौद्ध धर्म का उन्मूलन करके शंकराचार्य ने भारतीय संस्कृति पर कितनी गहरी चोट पहुँचायी। उनके इस व्यवहार में कोई साधुता नहीं दिखायी पड़ती। भला कोई सन्त किसी धर्म पर इतना बड़ा आघात कैसे कर सकता है।''

निराला के अन्दर छिपा हुआ शेर जागृत हो गया। गर्जना करते हुए निराला जी बोल पड़े, ''छोटे मुँह बड़ी बात। शंकराचार्य साक्षात् ज्ञान की मूर्ति हैं। उनकी आलोचना करने के पूर्व पहले तुम अपना मुँह देखो। भोले! तुम्हें क्या पता है कि कितने कम समय में शंकराचार्य ने अपनी शिक्षा समाप्त की। अपने गुरुदेव के चरणों में पहुँचे। उनसे दीक्षा ले साधना सम्पन्न की। बड़े-बड़े दार्शनिकों को पछाड़ा। ब्रह्म सूत्र और उपनिषदों पर भाष्य लिखे। नष्ट हुई वैदिक परम्परा और ज्ञान को फिर से जीवन दिया। भारत के चारों कोनों पर मठों की स्थापना की। लाखों और करोड़ों के जीवन में सुधार और क्रान्तियाँ लाये। और इतना सब करके इतनी छोटी आयु में अपना पार्थिव शरीर माता प्रकृति को सौंप दिया।'' फिर व्यंग भरी निगाह से राहुल की तरफ देखते हुए बोले, ''इतनी छोटी आयु में हममें से कितने लोग अपना मल भी साफ करना सीख नहीं पाते।''

निराला की इस बात को सुनकर भोले ने ऐसा नाटक किया कि मानो भोले इस वार्तालाप को इसके आगे नहीं बढ़ने देना चाहते हैं किन्तु आग तो अब धधक ही चुकी थी। राहुल इस वाक्युद्ध के रण स्थल में कूद पड़े। बड़ी-बड़ी आँखों से भोले और निराला की ओर देखते हुए बोले, ''यदि मूँड मुडाया एक छोटा-सा बालक अपने अनुनायियों के साथ मूर्खों के बीच टहले तो तुम उससे क्या आशा करते हो? और उन मूर्खों से क्या आशा करते हो? धर्म तो अफीम के नशे की तरह है। संसार के किसी भी समाज में धर्म रूपी अफीम के नशे में धुत लोगों की कमी नहीं है। ऐसे समाज में धर्म नेता और धर्म गुरु बनने के लिए तुम्हें केवल इतना ही करना है कि तुम लोगों को बताओ कि तुम्हारी अफीम और लोगों की अफीम से अच्छी है ज्यादा नशीला-महान है। शंकराचार्य ने यही किया। वह एक भ्रमित व्यक्ति था। अपने दर्शन और धार्मिक कृत्यों में उसे खुद भी नहीं पता था कि वह क्या कह रहा है और क्या कर रहा है। अपने व्यक्तित्व के अनुरूप ही उसने समाज को

मायावाद और विवर्तवाद की शिक्षा दी। और भ्रमित लोगों ने बड़ी वाहवाही के साथ उसके भ्रमवाद को गले से लगाया। अन्धे हिन्दू और सनातन धर्मी ये नहीं देख पाये कि शंकराचार्य एक तरफ तो केवल नाम रहित रूप रहित ब्रह्म की सत्ता का उपदेश दिया करता है और दूसरी तरफ हर टूटे-फूटे मन्दिरों में दौड़-दौड़ कर देवी-देवताओं की पूजा करता और उनकी कृपा की भीख माँगता फिरता है। शंकराचार्य की ख्याति से प्रभावित होकर हीन भावना से ग्रसित संस्कृत के पण्डितों ने शंकराचार्य को सिंहासन पर बैठा दिया। शंकराचार्य ने भी स्थानीय लोगों को प्रसन्न करने के लिए-स्थानीय राजाओं, पण्डितों और प्रजावर्ग को अपनी तरफ मिलाने के लिए स्थानीय मन्दिरों के प्रति अपनी श्रद्धा दिखायी। उन मन्दिरों में स्थापित विष्णु, शिव और देवी आदि मूर्तियों की पूजा की। किन्तु अपने परम गुरु गौडपाद की भाँति भीतर-ही-भीतर बौद्ध सिद्धान्तों को अपनाया। किन्तु देखो! वह कितना धूर्त कि उसने जनता को बौद्ध धर्म और बौद्ध भिक्षुकों के विरोध में भड़काया। वह दार्शनिक तो कम राजनीति में चतुर नेता अवश्य था।"

युद्ध अपने चरम सीमा पर पहुँच गया। जैसे-जैसे रात बीतती गयी शास्त्रार्थ की ज्वाला वैसे-ही-वैसे बड़ी होती गयी। भोले प्रभु ने बड़ी चालाकी के साथ न्यायाधीश का पद ग्रहण किया। दोनों महावीरों की आवाज़ें ऊँची होती गयीं। दोनों ने अपनी बाँहें चढ़ा लीं और बारबार जोश में आकर मेज ठोंकी। आधी रात के बाद किसी-किसी ढंग से सोने गये।

दूसरे दिन इन दोंनो महारथियों को भारत के प्रसिद्ध विद्वान और चिन्तक आचार्य नरेन्द्र देव ने नाश्ते पर आमन्त्रित किया था। नहा-धोकर ये दोनों पुरुष आचार्य नरेन्द्र देव के यहाँ पहुँचे। वहाँ पर भी रात वाली बात छिड़ गयी। वहाँ पर भी भोले प्रभु ने कुशलतापूर्वक दोनों को वाक्-युद्ध में लगा ही दिया। भोले प्रभु ने आचार्य नरेन्द्र देव की तरफ देखते हुए कहा, आचार्य जी! मैं तो बहुत छोटा हूँ और अबोध हूँ किन्तु इतना अवश्य देख सकता हूँ कि आज के युग में राहुल जी गौतम बुद्ध का और निराला जी शंकराचार्य का प्रतिनिधित्व करते हैं। ज्ञान तो अमूर्त है अतः उसको नापा नहीं जा सकता है। इसलिये मेरे पास इस नाश्ते के समय दोनों की विद्वता को आँकने का एक उपाय सूझ रहा है जो ज्यादा भोजन कर सके-उसे विजयी घोषित किया जाय। इस पर निराला जी बोले-"हाँ! हाँ! राहुल! और सब्जी

लीजिये। यह सब्जी तो आपके विशुद्धि मार्ग ग्रन्थ का प्रतिरूप है।" राहुल बोल पड़े–"हाँ हाँ! आप केले लीजिये। इससे शंकराचार्य के ब्रह्म सूत्र पर लिखे गये भाष्य को तृप्ति मिलेगी।" इस प्रकार से दोनों विद्वान नहले पर दहला मारते रहे। अन्ततः आचार्य नरेन्द्र देव ने दोनों को अद्वितीय घोषित करके शान्त किया और नाश्ता समारोह सम्पन्न हुआ।

इस प्रकार से अनुभवी गुरुजनों, विद्वानों और मित्रों के साथ भोले प्रभु का विश्वविद्यालय कालीन जीवन बीत रहा था। इन दिनों भोले-प्रभु संसार में रहकर सक्रिय जीवन बिता रहे थे। परीक्षा के दिनों में अथक परिश्रम और साथ-ही-साथ मित्रों के बीच सामाजिक उत्तरदायित्वों का भी निर्वाह करना। इतना होने पर भी हर क्षण उन्हें अपने जीवन के परम लक्ष्य का बोध बना रहता था। सौभाग्य से भोले प्रोफेसर रानाडे के अन्तरंग शिष्यों में से थे। प्रोफेसर रानाडे के यहाँ इनका आना-जाना लगा रहता था। अतः प्रोफेसर रानाडे के व्यक्तिगत जीवन को नजदीक से देखने का अवसर प्राप्त हुआ करता था। भोले ने देखा कि प्रोफेसर रानाडे की आध्यात्मिक उपलब्धि कहीं उनके बौद्धिक उपलब्धि से भी महान है। भोले ने देखा कि प्रोफेसर रानाडे इस संसार में रहते हुए भी कमल के पुष्प की भाँति संसार से परे हैं। रानाडे जी बहुत ही व्यस्त जीवन बिताने वाले पुरुष थे। वे सदा ही पुस्तक लिखने, विश्वविद्यालय में पढ़ाने और महाराष्ट्र में अपने व्यक्तिगत आश्रम की देखभाल करने में अपना समय बिताते थे। इतना होने पर भी उनकी साधना में किसी भी प्रकार का व्यवधान नहीं पड़ता था। वे एक रहस्यमय सन्त थे। ऐसे योगी थे जिनसे भूत, वर्तमान और भविष्य छिपा नहीं था। एक दिन रानाडे जी सहसा बाबाजी और भोले के पारस्परिक सम्बन्ध और व्यक्तिगत जीवन के विषय में बताने लगे। बातचीत के प्रसंग में रानाडे जी इतनी गहरायी में चले गये और इतनी सूक्ष्म बातें बताने लगे जिससे ऐसा लगा मानो भोले और बाबाजी से सम्बन्धित ये बातें रानाडे जी की आँखों के सामने ही घटी हों। जब भोले ने रानाडे जी से पूछा कि उनको इन सब बातों का पता कैसे चला तो रानाडे जी बोले, "क्यों नहीं। हममें और उनमें (बाबाजी) अन्तर ही क्या है? मैं उनमें हूँ और वे मुझमें हैं।"

तब भोले ने पूछा, "क्या मैं कभी इस स्थिति में पहुँचूँगा जिस स्थिति में आप हैं? क्या मेरा भी मन इतना निर्मल हो सकता है कि भूत, भविष्य

और वर्तमान की बातों को आप की तरह जान सकूँ?"

रानाडे जी ने उत्तर दिया, "वह महापुरुष यह नहीं चाहता कि तुम अपना समय भविष्यवाणी करने वालों के साथ नष्ट करो या भविष्यवाणी करने की विद्या प्राप्त करने में अपना समय नष्ट करो। मैंने अपने ही आनन्द के तरंग में आकर ये कुछ शब्द अपने मुख से निकाल दिये और सम्भवतः इसके भी पीछे उसी महापुरुष की इच्छा रही होगी जिसने तुम्हें मेरे पास भेजा है।"

प्रोफेसर रानाडे के नजदीक रहकर भोले को हमेशा प्रेरणा मिला करती थी। रानाडे जी की गतिविधियों को देखकर भोले को पूर्ण विश्वास हो गया कि मनुष्य एक ही साथ बौद्धिक और आध्यात्मिक जीवन बिता सकता है। सांसारिक सफलता के साथ–साथ आध्यात्मिक सफलता भी प्राप्त कर सकता है।

एक बार भोले ने बाबा जी से प्रश्न किया कि रानाडे जी इस ऊँची अवस्था को कैसे पहुँचे? तो बाबा जी ने सीधा उत्तर दिया–अभ्यास।

इस पर भोले ने पूछा, "वह अभ्यास क्या है? उसे मैं अपने जीवन में कैसे अपनाऊँ?"

बाबाजी प्रसन्न होकर बोले, "मैं इतने दिनों से प्रतीक्षा कर रहा था कि तुम इस प्रकार का प्रश्न करोगे। मुझे खुशी है कि तुम्हारे अन्दर साधना करने की इच्छा जग गयी है। दार्जलिंग चले जाओ। शहर के बाहर एक छोटा–सा गधेरा (बरसाती नदी) है। उस नदी के किनारे एक श्मशान है। वहाँ जाकर तुम इकतालिस दिन की साधना करो। चाहे जो कुछ हो जाय बीच में साधना छोड़कर भागना नहीं। यह एक बहुत विशेष साधना है। साधना के समय तुम्हारे मन में व्यग्रता आ सकती है। मन उचाट हो सकता है। साधना से विमुख करने वाली भावनायें भी आ सकती हैं। किन्तु किसी भी परिस्थिति में साधना पूरी होने तक उस स्थान को मत छोड़ना।"

कई कारणों से भोले का मन उत्सुकता और प्रसन्नता से खिल गया। पहला कारण तो यही कि पूर्वी हिमालय में दार्जलिंग एक बहुत ही सुन्दर स्थान है। कितना मज़ा आयेगा गर्मियों की छुट्टियाँ इतने सुन्दर स्थान में बीतेंगी। उससे भी बड़ा कारण तो यह कि इस श्मशान भूमि से अपनी परम्परा

का एक महान इतिहास जुड़ा हुआ है। यहीं पर भोले के गुरुभाई भवाल संन्यासी का दाह संस्कार होने जा रहा था किन्तु बाबाजी ने उन्हें फिर से जीवित किया था।

भोले दार्जलिंग पहुँचे। वहाँ पर गुरुदेव के द्वारा बतायी साधना पद्धति का अनुसरण करते हुए श्मशान पर साधना शुरू कर दी। अड़तिस दिन बीत गये। किन्तु भोले ने साधना का कुछ भी प्रभाव न देखा। उन्तालिसवें दिन भोले के मन में एक शक्तिशाली विचार आया। वे सोचने लगे, "मैं यहाँ अपना समय क्यों नष्ट कर रहा हूँ। संसार से नाता तोड़ मैं यहाँ निर्जन स्थान में रह रहा हूँ। गुरुदेव ने कहा था कि साधना पूरी होने पर मुझमें एक निश्चित विकास के लक्षण दिखायी पड़ेंगे। उन्तालिस दिन तो बीत गये। जब इतने दिनों में कुछ नहीं हुआ तो बचे-खुचे दो दिनों में क्या चमत्कार हो जायेगा।"

बड़ी देर तक मन-ही-मन तर्क-वितर्क करने के बाद भोले ने निश्चय किया कि साधना के चक्कर में समय नष्ट करना बुद्धिमानी नहीं है। ऐसा सोचकर हवन कुण्ड में पानी डालकर आग को बुझा दिया। छप्पर की बनी कुटिया को भी उजाड़ दिया और शाल को ओढ़कर शहर की ओर चल दिये। गलियों से होकर गुजर रहे थे कि उनके कान में किसी स्त्री के गाने की ध्वनि सुनायी पड़ी। उसके गाने का भावार्थ यह था कि जीवन रूपी दीपक में तेल तो बहुत कम है और रात अभी बहुत लम्बी है। संगत करने वाले तबले की थाप से आवाज़ आ रही थी। धिक् धिक्। धिक् का अर्थ संस्कृत में होता है-धिक्कार। भोले के पैर रुक गये। भीतर से आवाज़ आयी-यह सामान्य गाना बजाना नहीं है। करुणामयी माँ कह रही हैं कि भीतर जले दीपक को बुझाकर जीवन को अँधकार में मत डुबा दो। तबले के माध्यम से शिवगण कह रहे हैं धिक्कार है कि तुम इतने उतावले हो गये कि दो दिन और प्रतीक्षा न कर सके। वर्षों पूर्व चौंसठ योगिनी के मन्दिर में मिला हुआ माँ राज राजेश्वरी का दर्शन फिर से सामने आ गया भोले श्मशान भूमि की तरफ लौट पड़े। ४१वें दिन साधना पूरी होने पर वह दिव्य अनुभव हुआ जिसके लिए गुरुदेव ने भोले को वहाँ भेजा था।

इस अनुभव से भोले को पता चला कि मन कितना चंचल है। इतना खुरापाती है। कितने चालाकी के साथ मन हमें संसार की तरफ चलने के लिए मजबूर करता है। इस अनुभव ने यह भी बताया कि साधना में धैर्य की

कितनी आवश्यकता है बीज बोकर धीरज के साथ उसकी देखभाल करो। निराई और सिचाई करो। धीरे-धीरे वह बीज अंकुरित होगा, बड़ा होगा और समय आने पर उस बीज से निकले वृक्ष में फल लगेगा। इस अनुभव ने भोले को बताया कि जीवन में सफल होने के लिए संकल्पशक्ति परम आवश्यक है। एक बार जीवन यात्रा पर, अध्यात्म यात्रा पर चल पड़े तो फिर चल पड़े। किसी भी परिस्थिति में फिर रुकना नहीं।

रुको तो केवल लक्ष्य पर पहुँच कर ही। बाद में बाबाजी कभी-कभी पूँछते, "भोलिया! वह माँ क्या गा रही थी?" भोले संकुचित स्वर से गाकर बाबाजी को वह गाना सुनाते। बाबाजी गाना सुनकर "हुँ" की आवाज़ निकालकर सिर हिलाते और आँखें बन्द कर कहीं खो जाते।

उस स्त्री के संगीत ने भोले के हृदय को बिल्कुल झकझोर दिया। इस कहानी को बताते हुए स्वामी जी एक दिन मुझसे बोले, "इन्हीं रूपों में गुरुतत्व भीतर जागृत होकर हमें संमार्ग पर स्थापित कर देता है। साधक को चाहिये कि वह हमेशा अपने को याद दिलाता रहे कि जीवन कितना छोटा और मार्ग कितना लम्बा है। जीवन का क्या अर्थ है, क्या लक्ष्य है—इसको बिना जाने मर जाना कितने दुख की बात है। यों ही मर जाना जीवन का व्यर्थ चला जाना है। साधक को चाहिए कि वह अपनी विवेकशक्ति का विकास करे। विवेक और संकल्पशक्ति के सहारे तर्क और वितर्क से भरे मन को अपने अधिकार में करके उसे श्रद्धा और विश्वास रूपी देवता के चरणों में अर्पित कर दे।" स्वामी जी बोले, "मैंने अपने बाल्यावस्था का अवलोकन किया। बीते दिनों का स्मरण किया। वर्तमान के झरोखे से आत्म निरीक्षण किया और पाया कि मैं कितना भाग्यशाली रहा कि पूज्य गुरुदेव जैसे करुणामय सिद्ध सन्त ने मेरा पालन-पोषण और मार्ग-दर्शन किया।"

भोले को इस प्रकार के अनेक और अनुभव हुए। उन अनुभवों से उन्हें पता चला कि सच्चा प्रेम क्या होता है। सच्चे प्रेम में कितनी शक्ति होती है। प्रेम की शक्ति से हमारा भीतरी और बाहरी जगत जगमगा उठता है। भोले ने देखा कि बाबा जी प्रेम की मूर्ति हैं। उनकी प्रेम-गंगा में स्नान करने के बाद भोले को किसी देवी-देवता के दर्शन और आशीर्वाद पाने की इच्छा नहीं रही। बीस वर्षों तक स्वामी जी के सानिध्य में रहकर मैंने उन्हें अनेक बार कहते सुना, "प्रेम ही जीवन का स्वामी है।" जब बाबाजी जीते-जागते प्रेम

की मूर्ति थे तो भला उनके अलावा स्वामी जी के जीवन का स्वामी और कौन हो सकता था। कभी-कभी लोग स्वामी जी से पूछते, "स्वामी जी! आप कृपा करके अपने गुरुदेव के विषय में कुछ बतायें।" उत्तर में स्वामी जी बोलते, "वही मेरे माता-पिता, मित्र, और गुरु हैं। जो कुछ भी मैं आज हूँ वह उन्हीं के नाते हूँ उन्होंने मुझे सब कुछ दिया। लेकिन बदले में एक गिलास पानी तक नहीं माँगा।" स्वामी जी स्वभाव से भावुक नहीं थे। किन्तु अपने गुरुदेव का स्मरण करते ही, उनके विषय में चर्चा चलते ही मानो वे किसी दूसरी दुनिया में पहुँच जाते। एक दो वाक्य कहते-कहते उनका गला अवरुद्ध हो जाता, वाणी रुक जाती और प्रेम और कृतज्ञता से भरे उस लोक में पहुँच जाते जहाँ सामान्य लोगों का प्रवेश नहीं है।

१९९३ में स्वामी जी अन्तिम बार अमेरिका गये। अपने अन्तिम प्रवचन में एक दिन लोगों को सम्बोधित करते हुए बोले, "अपने गुरुदेव और अन्य सन्तों से मिले प्रेम के उपहार के अलावा मेरे पास और कुछ भी नहीं है। वही प्रेम का उपहार मैं आप सबको दे रहा हूँ। ईश्वर करे आप इस प्रेम के उपहार को अपने हृदय में रख सकें और यह प्रेम का भण्डार आप के जीवन में नित्य बढ़ता रहे।"

भोले को यह असीम प्रेम बाबा जी जैसे करुणामय सिद्धसन्त से थाती के रूप में प्राप्त हुआ। बाबाजी ही भोले के हृदय में संचित दिव्य प्रेम के स्रोत हैं। जब तक हम उस स्रोत को नहीं जानेंगे हमें उस दिव्य प्रेम का ज्ञान कैसे हो सकता है। बाबाजी के जीवन की झाँकी मिलने के बाद ही हमें यह पता चल सकता है कि बााबाजी ने किस प्रकार से भोले के जीवन को सँवारा, सुधारा और इस योग्य बनाया कि उनका प्यारा "भोले" ऋषियों के दिव्य ज्ञान और प्रेम को जन-जन तक पहुँचा सके।

अध्याय

२

हिमालय के सिद्ध सन्त : बंगाली बाबा

बंगाली बाबा ने ही भोले का पालन–पोषण किया। बाबाजी के सानिध्य में भोले का जीवन बीता। भोले ने बाबाजी के साथ भारत, नेपाल, तिब्बत, सिक्किम, भूटान हर जगह भ्रमण किया। बाबाजी के चरणों में बैठकर अध्ययन और साधना की। फिर भी भोले को अपने गुरुदेव–बाबाजी के विषय में कुछ भी पता नहीं था। उनको यह भी नहीं पता कि बाबाजी का कब जन्म हुआ था और उनके परिवार में और कोई भी है या नही। सच्चाई तो यह है कि बाल्यकाल में भोले का रुझान बाबाजी की तरफ तो था वह इसलिए नहीं कि भोले को बाबाजी के ज्ञान और आध्यात्मिक शक्तियों का पता था। बल्कि बाबाजी से मिलने वाले अलौकिक प्रेम ने ही भोले को रिझा लिया था। बाबाजी से मिलने वाले दिव्य प्यार का स्वाद चख लेने पर भोले को और सभी सांसारिक प्यार स्वाद हीन से लगते थे किन्तु खजुराहो में चौंसठ योगिनी के मन्दिर में जगज्जननी राजराजेश्वरी का दर्शन होने के बाद भोले को यह महसूस हुआ कि बाबा जी यों ही कोई साधारण बूढ़े महात्मा नहीं हैं जो उन्हें प्यार से मिठाइयाँ दिया करते हैं। माँ के दर्शन के बाद भोले के मन में बार–बार यह विचार आता कि बाबाजी को और अच्छी तरह जान सकूँ। किन्तु इतनी छोटी आयु में बाबाजी की महानता का अनुमान भी लगाना भोले के लिए सम्भव नहीं था।

जब भोले थोड़ा बड़े हुए तो देखा कि बाबाजी की आध्यात्मिक शक्तियों का तो कोई अन्त ही नहीं है। वे तो इतने ऊँचे और महान हैं कि उन तक तो हमारा मन पहुँच ही नहीं सकता। उदाहरण के तौर पर एक दिन भोले और बाबाजी पहाड़ों में टहलते चले जा रहे थे। इतने में भोले ने देखा कि बगल वाले पहाड़ का एक शिखर टूट कर प्रलयंकारी गर्जन के साथ नीचे गिरा आ रहा है। बड़े-बड़े बरफ के टुकड़े और पाषाण-खण्ड लुढ़कते हुए घाटी की तरफ गिर रहे हैं। भयभीत हृदय से भोले ने बाबाजी से कहा, "महाराज जी! भागिये"। बाबाजी ने कहा, "क्यों?" भोले रोते हुए बोले, "क्या आप लुढ़कते हुए पत्थरों और कानों को फाड़ देने वाली आवाज को नहीं सुन रहे हैं? आज हम लोग मर जायेंगे।" बाबाजी ने शान्तभाव से उत्तर दिया, "डरो नहीं। अभी हम लोगों की मृत्यु नहीं आयी है। ये लुढ़कते हुए पत्थर हमारा क्या बिगाड़ सकते हैं?" फिर बाबाजी पहाड़ों की तरफ देखते हुए हाथ उठाकर बोले, "रुक जाओ।" उनका यह कहना हुआ कि पूरा पर्वत शिखर वहीं पर स्थिर हो गया। हिमखण्ड और पत्थरों का लुढ़कना बन्द हो गया। बाबाजी और भोले अपने मार्ग पर चलते रहे। काफी दूर जाने के बाद पीछे मुड़कर पहाड़ की तरफ देखते हुए बाबाजी बोले, "अब आप अपना काम कर सकते हो।" उनका यह कहना हुआ कि फिर से वह विनाशकारी दृश्य शुरू हो गया। गर्जन-तर्जन के साथ पर्वत शिखर नीचे गिरने लगा और कुछ ही क्षणों में बड़े-बड़े पेड़ों और यहाँ तक कि उस मार्ग को जिससे कि होकर अभी-अभी बाबाजी और भोले आगे बढ़े थे-नष्ट करते हुए पर्वत शिखर चूर-चूर होकर घाटी में जा गिरा।

ऐसे तथा अन्य कई अनुभवों से भोले को यह ज्ञात हुआ कि प्रकृति की शक्तियाँ बाबाजी की इच्छा का अनुसरण करती हैं। बाबाजी भी प्रकृति में घुलमिल गये हैं। वैसे तो भोले का हृदय बचपन से ही बाबाजी के प्रति प्रेम और कृतज्ञता के भाव से भरा हुआ करता था किन्तु इन अनुभवों के बाद उनके अन्दर श्रद्धा, सम्मान और विश्वास से भी भर गया।

भोले के मन में बार-बार भाव आता कि वह बाबाजी के विषय में और जाने-बाबाजी का जन्म कहाँ हुआ था। उनके माता-पिता कौन थे। उनके गुरुदेव कौन थे और बाबाजी कहाँ और कौन-सी साधनायें कीं जिसके कारण उन्हें यह सब दिव्य शक्तियाँ प्राप्त हुईं। साधु लोग अपने बीते दिनों

को याद नहीं किया करते। संन्यास लेने के बाद इनका अपने पूर्वाश्रम के परिवार और स्थान से कोई सम्बन्ध नहीं रह जाता। भोले इन सब बातों को अच्छी तरह जानते थे। किन्तु बाबा जी के विषय में जानने के लिए उनके मन में इतनी तीव्र इच्छा थी कि उन्होंने बाबाजी से कई बार इस विषय पर पूछा। पीछा करने पर इतना ही तत्त्व निकल पाया कि बंगाल के मेदनीपुर नामक गाँव में उनका एक ब्राह्मण परिवार में जन्म हुआ था। किन्तु भोले का संकल्प अटल था। मन मे ठान रखा था कि बाबा जी के विषय में और भी अधिक जानकर रहेंगे। मेरा भी सौभाग्य जागा कि १९८२ और १९८५ ई. के बीच स्वामी जी ने धीरे-धीरे मुझे थोड़ा-थोड़ा करके बताया। इस सन्दर्भ में स्वामी जी जैसा कि मुझे बताया, थोड़ी बहुत आप-बीती तो बाबाजी ने खुद ही अपने प्यारे भोले को बतायी थी। स्वामी जी बोले, "कभी कभी मेरे महाराज जी अपने से सम्बन्धित बातें वैसे ही बताते थे जैसे घर का कोई बड़ा-बूढ़ा बच्चों को कहानियाँ सुनाता हो। श्री महाराज जी के विषय में बताने वाले लोगों में प्रमुख थे मेरे गुरु भाई शिवानन्द, भवाल संन्यासी और पागल बाबा।"

शिवानन्द जी एक महान योगी थे। ये अधिकतर गंगोत्री में रहा करते थे। ये बाबाजी को बहुत दिनों से जानते थे क्योंकि इनका भी जन्म मेदिनीपुर में हुआ था। इनके परिवार के लोग बाबाजी के परिवार को भलीभाँति जानते थे। जब भोले के अन्दर बाबाजी को जानने की इच्छा बहुत तीव्र हो गयी तो स्वामी शिवानन्द जी ने भोले केा मेदिनीपुर पहुँचने का रास्ता बताया। उस समय तक मेदिनीपुर एक छोटा-सा गाँव न रहकर एक कस्बे में बदल चुका था। भोले को बाबाजी के घर का कोई नामोनिशान तक न मिला। किन्तु इनकी दो वृद्ध माताओं से भेंट हुई। इन माताओं की आयु ८० वर्ष से ज्यादा थी। उन दोनों ने बताया कि बहुत दिनों पहले बाबाजी घर छोड़कर हिमालय के एक साधु के साथ चले गये थे। भोले ने कई दिनों तक उन दोनों माताओं और आसपास के परिवारों के साथ समय बिताया। वहाँ रहकर भोले को ज्ञात हुआ कि बाबाजी के माता-पिता बंगाल के प्रतिष्ठित लोगों में से थे। वे लोग प्रबुद्ध तथा धार्मिक व्यक्ति थे। हिमालय के किसी महान सन्त से मन्त्र दीक्षा लेकर माता काली की आराधना में तत्पर रहा करते थे। बाबाजी को भी बाल्यकाल में ही हिमालय के इसी सन्त ने दीक्षा दी थी और इस प्रकार से बाल्यकाल से ही बाबाजी शक्तिसाधना में लग गये थे।

बंगाली बाबा बहुत ही सुशिक्षित व्यक्ति थे। तथा अंग्रेजी शासन में प्रतिष्ठित पद पर आसीन थे। वे एक विवाहित व्यक्ति थे तथा कई बच्चों के पिता थे। जीवन में कोई ऐसा मोड़ आया कि संसार को छोड़कर अपने गुरुदेव के चरणों में शरण ली। बाबा जी के गुरुदेव बाबाजी को बिहार के जंगलों में स्थित छिन्नमस्ता देवी के मन्दिर पर ले गये। इसके बाद की कहानी न तो उन दोनों वृद्ध महिलाओं को पता थी और न ही गाँव में और किसी को।

बाबाजी के जीवन के विषय में शोध करते समय भोले को यह ध्यान आया कि कई बार बाबाजी ने माता छिन्नमस्ता के प्रति विशेष आदर और श्रद्धा व्यक्त की है। भोले को यह लगा कि यदि बाबाजी के द्वारा की गयी माता छिन्नमस्ता की आराधना के विषय में उन्हें कुछ विशेष ज्ञान प्राप्त हो तो बाबा जी के जीवन के विषय में ज्ञान प्राप्त करने में सहायता मिले। ऐसा सोचकर एक दिन भोले ने अपने गुरुभाई शिवानन्द जी से इस विषय में पूछा। स्वामी शिवानन्द जी ने बताया कि माता छिन्नमस्ता बाबाजी के परिवार की कुल देवी हैं। बिहार प्रान्त के रामगढ़ के जंगलों में स्थित माता का मन्दिर एक सिद्ध पीठ है। उन दिनों इस छिन्नमस्ता पीठ के आसपास घनघोर जंगल हुआ करता था और रात के समय वहाँ पर जंगली जानवर टहला करते थे। बाबाजी के परिवार के लोग इस सिद्ध पीठ का दर्शन व पूजन करने आया करते थे। बाबाजी के गुरुदेव ने भी यहाँ काफी समय बिताया था।

माता छिन्नमस्ता का स्वरूप अद्‌भुत है। तान्त्रिक परम्परा के अनुसार शिव शव रूप में लेटे हैं। माता उनके वक्षस्थल पर खड़ी हैं। उनके एक हाथ में तलवार और दूसरे में अपना ही कटा हुआ सिर है। इसीलिए इनका नाम छिन्नमस्ता है। इनके दोनों तरफ दो देवियाँ हैं। जो माता छिन्नमस्ता के कटे गर्दन से फव्वारे की भाँति निकलते हुये रक्त को पी रही हैं। माता छिन्नमस्ता वैराग्य और अहंकार पर विजय प्राप्ति का प्रतीक हैं। शिव अर्थात् परम चैतन्य की दृढ़ भूमि पर खड़ी हैं। ज्ञान की तलवार से अपने ही सिर को जो कि तर्क और वितर्क का प्रतीक है–काट डाला है। अहंकार के खजाने रूपी सिर को काटकर अपने हृदय के नीचे रख रखा है। इससे यह सन्देश मिलता है कि माँ की कृपा से मनुष्य बुद्धिवाद पर विजय प्राप्त करके विशुद्ध श्रद्धा और भक्ति का लाभ प्राप्त करता है। माता छिन्नमस्ता के दोनों तरफ दो शक्तियाँ हैं। ये शक्तियाँ भोग और मोक्ष का प्रतिनिधत्व करती हैं। माँ के शरीर से भी

निकलने वाले प्राण रूपी रक्त के ही सहारे मनुष्य इहलोक और परलोक में अर्थात् सांसारिक और आध्यात्मिक सफलता प्राप्त कर सकता है।

शताब्दियों से बिहार योगियों और तान्त्रिकों का साधना स्थल रहा है। यहीं पर बाबा जी को संन्यास दीक्षा मिली थी। यहीं पर उन्होंने भूतकाल से अर्थात् सांसारिक सम्बन्धों से अलग करके नया जीवन पाया था। और यहीं पर पूर्व नाम और सम्बन्धों को त्यागकर बाबा धरमदास के रूप में जन्म लिया। इसके पश्चात् बाबाजी ने अपने गुरुदेव के साथ कई वर्षों तक भ्रमण किया। इस भ्रमण काल में बाबाजी प्रायः अपने गुरुदेव के परम प्रिय स्थान कैलाश पर्वत जाया करते थे। किन्तु जाड़ों में दार्जलिंग लौट आया करते थे। दार्जलिंग को अपना स्थायी निवास बनाकर अपने गुरुदेव के साथ नेपाल, सिक्किम और भूटान में टहला करते थे।

एक दिन भोले ने अपने गुरु भाई शिवानन्द जी से पूछा कि क्या कभी बाबाजी के गुरुदेव से मिले हैं? तो शिवानन्द जी ने सीधा-सादा उत्तर दिया, "यह बात तो तुम्हें अपने-आप जाननी होगी?"

चूँकि भोले इस बात को भली-भाँति जानते थे कि गुरुदेव कभी भी स्पष्ट शब्दों में अपने विषय में नहीं बतायेंगे इसलिए उन्होंने बाबाजी से माता छिन्नमस्ता के विषय में पूछा। भूमिका बनाते हुए भोले ने कहा, "मैं अभी थोड़े दिनों पहले मेदिनीपुर गया था। वहाँ पता चला कि माता छिन्नमस्ता हमारी कुल देवी हैं। मुझे माँ के विषय में कुछ भी नहीं पता है। ये माता छिन्नमस्ता कौन हैं? मुझे उनकी कृपा कैसे मिल सकती है ताकि मैं उनकी कृपा से ऋषियों के पदचिह्नों पर चल सकूँ।"

बाबाजी बोले, "समय आने पर मैं तुम्हें माता छिन्नमस्ता की साधना के विषय में बताऊँगा। छिन्नमस्ता योगियों की माँ हैं। साक्षात् योगरूपा हैं। योग माया हैं। उनकी कृपा से साधक को योग में पूर्णता प्राप्त होती है। लेकिन उनकी कृपा प्राप्त करने के लिए तुम्हें अपना सिर देना होता है। जब तुम अपना शरीर और रक्त माँ के गणों को, माँ के भक्तों को अर्पित कर देते हो तो तुम्हें माँ अमरत्व का वरदान देती हैं। इस साधना को पूरा करने में दो जीवन लग जाते हैं।"

भोले के आश्चर्य का ठिकाना न रहा। वे सोचने लगे क्या बाबा जी पूर्व जन्म में छिन्नमस्ता की आराधना कर रहे थे? क्या आधी साधना पूरी

होते ही मृत्यु को प्राप्त हुए और आधी इस जन्म में सम्पन्न किये हैं? क्या यह सम्भव है कि मनुष्य एक जन्म में साधना प्रारम्भ करके दूसरे जन्म में पूरी करे? क्या अगले जन्म में साधक को पिछले जन्म में शुरू की गयी साधना का ज्ञान रहता है? इस साधना के पूरा होने पर साधक को क्या ज्ञान मिलता होगा? क्या सिद्धि मिलती होगी? उस अनुभव की क्या विशेषता होती होगी? समय-समय पर भोले बाबाजी से इन विषयों में अपनी जिज्ञासा प्रगट करते। किन्तु बाबाजी से इन प्रश्नों का उत्तर निकाल पाना सरल न था।

एक दिन बिना कोई कारण बताये बाबाजी ने भोले को एक सन्त के पास जाने को कहा। ये सन्त बिहार प्रान्त में फल्गु नदी के किनारे गया नामक तीर्थ में रहा करते थे। हिन्दू धर्म के अनुसार फल्गु एक पवित्र नदी है किन्तु बरसात को छोड़कर नदी हमेशा सूखी पड़ी रहती है। नदी की रेती में यदि आप गड्ढा खोदें तो थोड़ी ही देर में पीने योग्य स्वच्छ पानी निकल आता है।

भोले गया पहुँचे। स्थानीय लोगों के द्वारा भोले ने उस सन्त के विषय में जानने की कोशिश की। किसी को भी उस सन्त के विषय में कुछ विशेष ज्ञान न था। लोग इतना ही बता पाये कि ये सन्त ऐसे ही खाली हाथ आये थे। उनके पास कमण्डल और लंगोटी तक भी न थी। गया में विद्यमान मन्दिरों से दूर नदी के किनारे कुछ कंकड़-पत्थर इकट्ठा करके उसी पर बैठ गये। हमेशा ये कंकड़ों पर बैठे-बैठे आकाश की तरफ देखा करते। पहले तो कुछ लोगों ने सोचा कोई पागल होगा। अतः उन्हें किसी ने छेड़ा नहीं। शीघ्र ही उन लोगों ने अनुभव किया कि उन लोगों की धारणा गलत थी। वह साधु बहुत शान्त प्रकृति का था। और उसकी अपनी एक दिनचर्या थी। प्रतिदिन दोपहर के समय वहाँ से उठ कर सूखी नदी की रेती में जाते। वहाँ अपने हाथों से गड्ढा खोदते। जब गड्ढा पानी से भर जाता तो पानी पीकर अपने कंकड़-पत्थर के टीले पर लौट आते। यदि कोई कभी उन्हें कुछ भोजन देता तो गड्ढा खोदते समय उसे जमीन पर रख देते और उस भोजन की सुरक्षा का कोई प्रयत्न न करते। अगर कोई कुत्ता या कौवा उस भोजन को ले लेता तो उसकी कोई परवाह न करते। अतः लोगों ने सोचा कि इस महात्मा को भोजन देने का सबसे अच्छा समय है जब वे गड्ढा खोद रहे हों। वे महात्मा मौन व्रत में रहा करते थे। यदि कोई अंजान आदमी इन्हें बोलने के लिए

बाध्य करता तो केवल "डु डु डु......" किया करते थे। चूँकि ये हमेशा कंकड़ के टीले पर बैठते थे इसीलिये लोग इन्हें कंकड़िया बाबा कहते थे। बच्चे इन्हें पागल बाबा भी कहते थे।

भोले ने इस महात्मा के पास पहुँच कर सम्मानपूर्वक प्रणाम किया। किन्तु महात्मा ने भोले की तरफ ध्यान न दिया। भोले थोड़ी दूर बैठकर प्रतीक्षा करने लगे। आधी रात के समय महात्मा जी ने भोले को बुलाया और बाबा जी को सम्बोधित करते हुए पूछा, "आज कल किस भाग्यशाली जगह पर श्री महाराज जी रह रहे हैं।"

भोले ने आश्चर्य के साथ पूछा, "क्या आप मेरे गुरुदेव को जानते हैं?" सन्त ने उत्तर दिया, "इस पृथ्वी पर जिसकी भी आँखें खुली हैं वह भला उन्हें कैसे न जानता होगा।"

भोले समझ गये। उन्हें दृढ़ विश्वास हो गया कि इन्हीं महापुरुष के द्वारा सम्भवतः मेरे गुरुदेव चाहते हैं कि मैं उनके विषय में जान सकूँ। भोले ने नम्रता से कहा, "मैं बहुत दिनों से श्री महाराज जी से और अपने गुरुभाई से भी उनके विषय में जानने की कोशिश कर रहा हूँ किन्तु मुझे अब तक इतना ही पता चल पाया है कि श्री महाराज जी का जन्म मेदिनीपुर में हुआ था। बहुत दिन पहले घर छोड़ अपने गुरुदेव के साथ हिमालय में चले गये थे और कुछ दिनों के लिए हिमालय जाते समय छिन्नमस्ता जी के यहाँ रुके थे। क्या आप कृपा करके ये बतायेंगे कि मेरे परम गुरुदेव कौन हैं और कहाँ रहते हैं? माता छिन्नमस्ता का रहस्य क्या है? और विशेष करके आप मेरे गुरुदेव के विषय में कुछ बतायें।"

महात्मा जी बोले, "समय आने पर बाबा जी खुद ही तुम्हें तुम्हारे गुरुदेव के विषय में बतायेंगे और उनके पास भेजेंगे भी। आज रात्रि मैं माता छिन्नमस्ता और तुम्हारे गुरुदेव के विषय में बताऊँगा। छिन्नमस्ता दस महाविद्यायों में से एक है। उच्च कोटि के योगी लोग ही इनकी साधना में प्रवृत्त होते हैं। उनकी साधना वही कर सकता है जो मृत्यु के भय से मुक्त हो। मृत्यु इस साधना में बाधक नहीं मानी जाती किन्तु मृत्यु के द्वार से चल कर साधक माँ के दिव्य लोक में प्रवेश करता है। जहाँ पर उसे भगवान शिव के वक्षस्थल पर विराजमान माता के दर्शन होते हैं। छिन्नमस्ता की साधना में साधक को मृत्यु के द्वार से गुजरना ही पड़ता है।"

"छिन्नमस्ता की साधना के समय मृत्यु के द्वार से गुजरने के तीन तरीके हैं। पहला–मृत्यु के पहले ही शरीर त्याग कर किसी दूसरे शरीर में प्रवेश कर जाओ। इस प्रकार से जन्म लेने के झंझट से दूर रहो। योग मार्ग में इसे परकाया प्रवेश कहते हैं।"

"दूसरा–सामान्य तरीके से मृत्यु को प्राप्त हो। उस समय मृत्युंजयी योग सिद्ध गुरुदेव तुम्हारे साथ मृत्यु के समय खड़े रहते हैं। क्लेश, कर्म, प्रारब्ध और प्रकृति की शक्तियों को दूर ढकेल तुम्हारे अन्तर यात्रा की रूपरेखा स्वयं बनाते हैं। वह यह भी निर्णय करते हैं कि तुम कब, कहाँ और कैसे जन्म लोगे। माता के गर्भ में वे ही नौ महीने तक तुम्हारी देखभाल करते हैं। यह प्रयत्न करते हैं कि इस नौ महीने लम्बी निद्रा में तुम अपना पिछला ज्ञान भूल न जाओ। इस परिस्थिति में गुरु अपने योग शक्ति से तुम्हारे ज्ञान बीज को सुरक्षित बनाये रखता है और जब तुम्हारे नये शरीर का मस्तिष्क और स्नायु मण्डल विकसित हो जाता है तो तुम्हारे ज्ञान बीज को उसमें डाल देता है। मृत्यु और पुनर्जन्म के अन्तराल में गुरु तुम्हारी तरफ से साधना करता है। समय आने पर दीक्षा के माध्यम से वह सब कुछ तुम्हें अर्पित कर देता है और तुम्हारे पूर्व जन्म की साधना फिर से शुरू हो जाती है।"

"तीसरा रास्ता–यह है कि तुम सामाजिक दृष्टि से मृत्यु को प्राप्त हो जाओ, सामाजिक मृत्यु शारीरिक मृत्यु से भी ज्यादा दुखदायी होती है। तुम्हारी कीर्ति नष्ट हो गयी। तुमको गालियाँ मिलने लगीं। तुम्हारे बन्धु–बान्धव तुम्हारा त्याग कर दें और तुम्हारे विषय में लोगों की धारणा बिल्कुल बदल गयी तो इसको कहते हैं सामाजिक मृत्यु। इस सन्दर्भ में मृत्यु का अर्थ हुआ पुराने व्यक्तित्व पर आवरण डालकर नये व्यक्तित्व को समाज के सामने प्रस्तुत करना।"

"बाबाजी उन विशिष्ट महायोगियों में से हैं जो माँ के साथ एक हो गये हैं बाबा जी अमर हैं। मरे को भी जीवन देने में समर्थ हैं–यह बात तो तुम भवाल संन्यासी के सन्दर्भ में देख ही चुके हो।"

भोले ने अपनी पूरी रात कंकड़िया बाबा के साथ बितायी। इस रात वे इस निष्कर्ष पर पहुँचे कि जब बाबा जी के गुरुदेव ने बाबा जी को संन्यास दीक्षा दी तो उस समय तक बाबा जी की माँ छिन्नमस्ता से सम्बन्धित साधना आदि पूरी हो चुकी थी। बाबा जी के गुरुदेव ने माँ छिन्नमस्ता की सिद्धपीठ

पर बाबा जी के भूतकाल तथा उससे सम्बन्धित समस्त संस्कारों और वासनाओं को योग की अग्नि में जलाकर भस्म कर दिया। वही हुई उनकी संन्यास दीक्षा। संन्यास दीक्षा के समय उन्होंने बाबा जी का अध्यात्मिक स्तर पर दाह संस्कार और श्राद्ध कर्म किया। भूतकाल के बन्धनों से मुक्त बाबाजी को नया जीवन दिया और अपने इस नवजात शिशु का नाम रखा–"बाबा धरमदास"। संन्यास दीक्षा के बाद बाबा धरमदास के रूप में अवतार लेकर बाबाजी ने फिर कभी भी पीछे मुड़कर नहीं देखा। इसके बाद वे कुछ दिनों तक अपने गुरुदेव के साथ दार्जलिंग में रहे। वहाँ से सिक्किम, फिर तिब्बत। तिब्बत में अपने गुरुदेव के साथ बाबा जी कई साल तक रहे।

यह कहानी मुझे स्वामी जी ने उस रात बतायी जब मैं उन्हें लिविंग विथ द हिमालयन मास्टर्स के "ऑन द माउण्ट ऑफ पेबुल्स" का हिन्दी अनुवाद सुना रहा था। कहानी सुनाते समय स्वामी जी बोले, "वह कितनी आनन्द भरी रात थी। मैं कंकड़िया बाबा के साथ दो तीन रात और बिताकर अपने गुरुदेव के पास लौट आया। पहुँचते ही मैंने अपने गुरुदेव से पूछा कि कंकड़िया बाबा कौन हैं कहीं यही तो मेरे परम गुरुदेव नहीं जो मेरे साथ खेल खेल रहे हों?"

बाबाजी ने उत्तर दिया, "नहीं। वे परम गुरुदेव तो नहीं लेकिन परम गुरुदेव के ही समान हैं। जिसे तुम कंकड़िया बाबा के रूप में देखकर आ रहे हो–वे हैं विश्व वन्द्य श्री तोतापुरी महाराज। जिन्होंने बहुत दिनों पहले रामकृष्ण परमहंस को रास्ता दिखाया था।" स्वामी जी के आश्चर्य का ठिकाना न रहा। स्वामीजी मुझसे बोले, "जब मेरे गुरुदेव को मेरे परम गुरुदेव ने छिन्नमस्ता पीठ पर दीक्षा दी तो उस समय वहाँ भगवान तोतापुरी विद्यमान थे। दीक्षा के समय वे मेरे परम गुरुदेव के साथ ही थे और मेरे महाराज जी अर्थात् बाबा धरमदास को अपना आशीर्वाद दिया था। संन्यास दीक्षा के बाद मेरे गुरुदेव परमगुरुदेव के साथ तिब्बत गये। उस समय उनके साथ तीन-चार महात्मा और थे। भगवान तोतापुरी भी साथ गये थे। ये सब लोग वहाँ लगभग सात साल रहे। उसके बाद मेरे परम गुरुदेव तो वहीं रहे किन्तु मेरे गुरुदेव भगवान तोतापुरी जी के साथ भारत लौट आये और कई वर्षों तक तोतापुरी जी के साथ भारत के सिद्ध पीठों व तीर्थों का भ्रमण करते रहे।"

बाबाजी का जीवन बड़ा रहस्यमय था। वैसे हिमालय के तीर्थों से

उनका बहुत लगाव था। फिर भी जाड़ों के समय में भारत के मैदानी भागों में आ जाया करते थे। वे भीड़ से बहुत दूर रहते थे। हमेशा यह कोशिश करते थे कि गृहस्थों के साथ रात न बितायें। टूटे-फूटे मन्दिर, नदी का किनारा, प्राकृतिक जगहें जैसे वृक्ष और गुफाएँ–ये उनकी मनपसन्द जगहें थीं। हिमालय के उच्च कोटि के सन्त उन्हें जानते थे। अनेक राजा महाराजा भी उनके भक्त थे। कुछ धनी लोगों ने उनके लिए कुटिया और आश्रम बना रखे थे और उनकी प्रतीक्षा किया करते थे कि बाबाजी कब आयेंगे और वहाँ कुछ दिन रहकर उन्हें अपना आशीर्वाद देंगे। उदाहरण के तौर पर उत्तर भारत में अमरगढ़ नामक एक छोटी-सी रियासत थी। वहाँ के राजा ने बाबा जी के लिए एक कुटिया बनायी थी। वह कुटिया भी ऐसी-वैसी नहीं। सैकड़ों एकड़ जमीन में उसने एक तालाब बनाया। तालाब से निकली मिट्टी से किनारे-किनारे बहुत बड़ा भीटा (मिट्टी का बना पहाड़) और उस भीटे के चारों तरफ जंगल। इस भीटे में गुफाएँ। ये गुफाएँ सब ईंट और पत्थर की थीं। राजा ने अपनी तरफ से सब कोशिश की कि यहाँ पर बाबाजी को हिमालय जैसा दृश्य दिखायी पड़े–जंगल-पहाड़ और पानी की झील। इस महान आश्रम के संचालन के लिए राजा ने सैकड़ों एकड़ खेती योग्य जमीन भी दान में दी। उत्तर प्रदेश के प्रतापगढ़ जिले में अमरगढ़ नामक छोटे-से बाजार के पास अभी भी यह स्थान अपनी टूटी-फूटी अवस्था में विद्यमान है। उन दिनों चाहे बाबा धरमदास (बाबाजी) वहाँ हों या न हों–आश्रम की तरफ से साल भर में एक बार बड़ा भण्डारा हुआ करता था। शताब्दी बीत गयी किन्तु वार्षिक भण्डारे की परम्परा वहाँ अभी भी चालू है।

बाबाजी के नाते वह स्थान सन्तों-महात्माओं का गढ़-सा बन गया था। बाबाजी अर्थात् बाबा धरमदास ने अपने शिष्य करमदास को अपना उत्तराधिकारी नियुक्त किया था। बाबा करमदास के बाद उनके शिष्य बाबा फुलारदास ने इस स्थान की व्यवस्था सँभाली। सबसे आश्चर्य की बात तो यह है कि इतना सब होते हुए भी किसी को पता नहीं था कि बाबा धरमदास कौन थे? उनका जन्म कहाँ हुआ था और यहाँ आने के पहले वे कहाँ रहा करते थे? चूँकि उनके नाम के पीछे दास शब्द जुड़ा था इसलिये इस क्षेत्र में लोगों का विश्वास है कि बाबा धरमदास कबीर पन्थी थे। कुछ पढ़े-लिखे लोगों का विश्वास है कि बाबाजी नागा साधु थे क्योंकि नागा सम्प्रदाय में भी साधुओं के नाम के पीछे दास शब्द जुड़ा रहता है।

कई पीढ़ियों से मेरा परिवार अमरगढ़ के राज घराने से जुड़ा हुआ है। मेरे पिताजी अमरगढ़ के राजपुरोहित हुआ करते थे। इस आश्रम से मेरे पिताजी का अच्छा-खासा सम्बन्ध था। मेरे पिताजी बाबा धरमदास के शिष्य करमदास और उनके शिष्य फुलारदास को भली-भाँति जानते थे। बाबा फुलारदास तो बचपन के साथी और सहपाठी भी थे। मुझे अच्छी तरह याद है कि बाबा फुलारदास मेरे घर पर आते और उस समय उनमें और मेरे पिताजी में बाबा धरमदास को लेकर अच्छा खासा नोंक-झोंक व वाद-विवाद हुआ करता। मेरे पिताजी बोलते, "फुलारदास तुम उल्लू हो। तुम्हें बाबा धरमदास के विषय में कुछ भी नहीं पता। बाबाजी का किसी परम्परा से कुछ लेना-देना नहीं। वे स्वयं में एक परम्परा हैं। याद है हमारे अपने संस्कृत के गुरुजी क्या कहा करते थे। इन गुरुजी के अनुसार बाबा जी का सच्चा नाम था स्वामी मध्वानन्द भारती और इस प्रकार बाबाजी का सम्बन्ध शंकराचार्य की परम्परा से है।"

इस पर बाबा फुलारदास आक्षेप करते हुए बोलते, "मैं उनके चेले का चेला हूँ। मुझसे अधिक उनके विषय में कौन जानेगा। मेरे गुरु बाबा करमदास और उनके गुरु बाबा धरमदास कबीर पन्थी थे। न तो मेरे गुरु का, और न ही तो मेरे परमगुरु को संस्कृत की इन पोथियों से कुछ लेना देना था।" फिर मेरे पिताजी उखड़ कर बोलते, "बाबाजी को इन पोथियों से कुछ लेना-देना इसलिये नहीं था क्योंकि वे अपने आपमें वेद शास्त्र थे। साथ ही उनका तुम जैसे मूर्खों से पाला पड़ा था। गधे को मोतियों का हार देने से क्या फायदा। मैं यह नहीं कहता हूँ कि बाबा जी कबीर पन्थी साधु नहीं थे। मेरे कहने का तात्पर्य केवल इतना है कि वे कबीर पन्थी होने के साथ-साथ कुछ और भी थे। कबीर पन्थी साधु देखो सफेद कपड़े पहनते हैं। बाबाजी सफदे और काले कपड़े की कुछ परवाह नहीं करते थे। बाबाजी धूनी रमाते और शरीर पर भस्म लगाते थे। कबीर पन्थ में धूनी और भस्म का रिवाज नहीं है। फुलारदास! मैं बाबा जी के दो एक और नामों को जानता हूँ। कुछ दिनों पहले में माता विन्ध्यवासिनी का दर्शन करने गया था। ऊपर पहाड़ों में चलकर गेरुआ तालाब पर मैंने दो कमरों का एक मकान देखा। जिसमें से एक कमरे में भगवान श्री कृष्ण और माता काली की स्थापना हुई थी और दूसरा कमरा बाबाजी के लिए था। उस कमरे में दरवाजे के ऊपर पत्थर पर लिखा था– 'यह कृष्ण कुटी गोरखपुर जिले के सरहरी के जमीन्दार और आनरेरी मजिस्ट्रेट राय के.के. चन्द्र के द्वारा स्वामी पूर्णानन्द बंगाली वृद्ध बाबा के लिए १९१७

में निर्मित की गयी।' यह पढ़कर मुझे आश्चर्य हुआ।''

मेरे पिताजी बोलते गये। इसके पहले मैं बाबाजी को मध्वानन्द के रूप में जानता था। पूर्णानन्द नाम तो मैंने सुना भी नहीं था। जब मैंने अपने संस्कृत के गुरु पं. भोला दत्त जी से बाबा का सच्चा नाम पूछा तो उन्होंने यह कहकर मेरा मुँह बन्द कर दिया कि जब भगवान के हज़ार नाम हो सकते हैं तो बाबा जी के क्या एक दो दर्जन भी नहीं हो सकते।''

बाबाजी एक परिव्राजक महात्मा थे। लोगों ने जगह-जगह पर स्थान बना रखे थे। किन्तु वे किसी भी स्थान पर ज्यादातर नहीं ठहरते थे। बाबाजी को एक स्थान पर जानने वाले व्यक्ति यह नहीं जानते थे कि बाबाजी की और भी जगहें हो सकती हैं। बाबाजी ने न तो किसी संस्था की स्थापना की और न तो अपने को किसी सामाजिक या धार्मिक कार्यक्रमों में उलझाया। वे यह नहीं चाहते थे कि उनके आसपास भीड़ जम जाये। पूर्णरूप से सुलझे मुमुक्षु साधकों को ही अपने पास टिकने देते थे। विभिन्न स्थानों और समयों में अलग-अलग नाम धारण कर लिया करते थे। उनमें से पांच नाम मुझे पता हैं—बंगाली बाबा, बाबाजी, बाबा धरमदास, स्वामी मध्वानन्द और स्वामी पूर्णानन्द। हो सकता है बाबाजी के कुछ और नाम रहे हों। इन अनेक नामों के कारण बाबाजी अपने को आसानी से छिपा लेते थे। किन्तु एक ऐसा समय आया कि बाबाजी छिपाने से छिप न सके।

यह बीसवीं शताब्दी का प्रथम चरण था। जिस समय भवाल संन्यासी का मामला शुरू हुआ। आज भी इस मामले को अत्यन्त उलझे हुए मामलों में गिना जाता है। मामले को खत्म हुए कितने वर्ष बीत गये लेकिन फिर भी बीच-बीच में भारत के समाचार-पत्र और पत्रिकाएँ इस मामले के सारांश को प्रकाशित किया करती हैं। इस मामले को पढ़कर आप यह अन्दाजा लगा सकते हैं कि स्वामी जी के गुरुदेव श्री बंगाली बाबा असम्भव को सम्भव करने वाले काल दण्ड को तोड़ कर पृथ्वी पर विचरण करने वाले एक सिद्ध योगी हैं। जन्म और मृत्यु उनके कदमों में सिर झुकाते हैं। १९९३ में इस सन्दर्भ में भारत की प्रसिद्ध मैगजीन 'बिलट्ज' ने इस मामले को फिर से प्रकाशित किया :

''कलकत्ता हाईकोर्ट में भवाल संन्यासी के केस की सुनवाई करने वाले तीन न्यायाधीशों में एक न्यायधीश थे—जस्टिस सर एल. डब्ल्यू. जे.

कॉस्टेलो। उन्होंने अपने जजमेंट में लिखा, 'निःसन्देह यह केस, कानून के इतिहास में एक अद्‌भुद केस है।' डि.एन. प्रिट्ट जिन्होंने संन्यासी की तरफ से प्रीवि कौन्सिल में पैरवी की, उन्होंने भी कहा कि अपने विस्तृत जीवन-काल में उन्होंने ऐसा कोई मामला नहीं देखा था। इस प्रकार की घटना और इस प्रकार का मामला केवल भारत जैसे देश में ही सम्भव है।"

भवाल संन्यासी जिन्हें राजकुमार स्वामी जी कहा जाता है—बाबा धरमदास के शिष्य थे और स्वामीजी के गुरुभाई। एक असाधारण परिस्थिति में उनकी मृत्यु हुई। मृत्यु के कई दिनों बाद जीवित हुए और फिर साधु हो गये। जैसा कि ब्लिट्‌ज मैगजीन में लिखा है, "बंगाल के एक सम्पन्न जमीन्दारी का उत्तराधिकारी मृतक घोषित कर दिया जाता है और उसका विधि-विधान से दाह संस्कार भी सम्पन्न हो जाता है। और फिर बारह वर्ष बाद वह एकाएक प्रगट होता है। उसकी बहन और उसकी दादी माँ उसे पहचान लेती हैं। किन्तु उसकी पत्नी उसे ढ़ोगी और बनावटी आदमी कहकर उसे स्वीकार करने से इंकार कर देती है। बीसवीं शताब्दी के प्रथम चरण में अपनी चिता से जीवित हो उठने वाला यह राजकुमार अपनी सम्पत्ति के मसले को लेकर मुकदमा दायर करता है। और अन्ततः १९४६ में प्रीवि कौन्सिल से मुकदमा जीतता है। भवाल संन्यासी का यह अद्‌भुद मामला संसार की अदालतों में अद्वितीय है। इसकी किसी से भी तुलना नहीं की जा सकती।"

चूँकि बाबा जी ही वे महापुरुष थे जिन्होंने राजकुमार को जिवित किया था इसलिए इस मामले के दौरान पूरे भारत वर्ष में पढ़े-लिखे लोग इस मुकदमे और बाबाजी की चर्चा किया करते थे—क्या इस प्रकार के चमत्कार सचमुच सम्भव हैं? क्या इस प्रकार के योगी इस संसार में हैं? उनको पहचाना कैसे जा सकता है? आदि आदि। बाबाजी के कुछ शिष्य जैसे बाबा दर्शन दास और प्रीतमदास ने जाकर अदालत में गवाही दी। उन लोगों ने बताया कि उन्हें भवाल संन्यासी मिले कैसे। उनको किसने और कैसे जीवित किया। उनकी मन्त्र दीक्षा कैसे हुई। साधु बन कर उन्होंने साधना कैसे की और किस विशेष परिस्थिति में बाबाजी ने उन्हें अपने घर भेजा।

महात्मा होने के पहले भवाल संन्यासी पूर्वी बंगाल के भवाल राज्य के राजकुमार थे। इनका नाम था रामेन्द्र नारायण राय चौधरी। ये अपने पिता के दूसरे पुत्र थे। लोग इन्हें प्यार से मजोकुमार कहते थे। ये अपने माता-

पिता तथा बड़े और छोटे भाई के साथ जयदेव पुर के सुन्दर महल में रहते थे। जयदेवपुर ढाका से बीस मील दूर है। यह महल अपने सभी शाही सौन्दर्य और साधनों से भरपूर था—नृत्यशाला, संगीतशाला, घुड़साल और यहाँ तक कि एक छोटा-सा चिड़ियाघर भी था। सेवा में थे अनेक नौकर-चाकर तथा चौबीसों घण्टे की ड्यूटी पर रहने वाला डॉक्टर। ये सभी राजकुमार चापलूसों की भीड़ से घिरे रहा करते थे। चारों तरफ व्यसन का वातावरण था। शिक्षक पर शिक्षक आये और इन राजकुमारों को पढ़ा-पढ़ा कर थक गये और इन राजकुमारों ने किसी-न-किसी प्रकार से थोड़ी-सी बंगाली सीखी और सीखा इंगलिश में हस्ताक्षर करना। जब १९०१ में राजा की मृत्यु हुई तो उस समय रामेन्द्र की आयु केवल सत्रह वर्ष थी। पिता की मृत्यु के बाद इन राजकुमारों को कुछ बोलने, समझाने और डाँट-डपट लगाने वाला कोई न रह गया। ये राजकुमार हर प्रकार के व्यसन में डूब गये—रात्रि में शराब पीते, वेश्याओं के साथ सोते और दिन में घुड़सवारी और शिकार करते।

अट्ठारह वर्ष की आयु में रामेन्द्र की एक तेरह वर्षीय सुन्दर लड़की से शादी हो गयी। लेकिन इससे रामेन्द्र की वैश्यावृत्ति में कोई फरक नहीं पड़ा। थोड़े ही दिनों में रामेन्द्र गुप्त रोग का शिकार बन गया और उसका स्वास्थ्य गिरने लग गया। उसके अपने निजी डॉ. दास गुप्ता और साला सत्येन्द्र नाथ बनर्जी उसे कलकत्ता इलाज के लिए ले गये। साले के परामर्श से राजकुमार स्वास्थ्य लाभ प्राप्त करने के लिए दार्जलिंग गया। वहाँ पर इनके साले ने रहने की सब व्यवस्था की। राजकुमार दार्जलिंग के प्रसिद्ध बँगला 'स्टेप असाइड' में रहने लगा। यह वही स्थान है जिसे बाद में भारत के प्रसिद्ध चिन्तक और क्रान्तिकारी देशबन्धु चितरंजनदास ने खरीदा और यहीं पर महात्मा गाँधी और डॉ. एनी बेसेन्ट रुका करते थे।

राजकुमार का स्वास्थ्य दिन-पर-दिन गिरता गया। उसे खूनी दस्त होने शुरू हो गये। तीन हफ्ते के भीतर ही ८ मई १९०९ के आधी रात में निजी डॉ. दास गुप्ता और दार्जलिंग के सिविल सर्जन लेपटीनेन्ट कर्नल कल्वर्ट ने उसे मृत घोषित कर दिया। ९ मई के प्रातःकाल उसके दाह संस्कार की व्यवस्था की गयी। यह दाह संस्कार दार्जलिंग शहर के बाहर एक बरसाती नदी के किनारे रखा गया। चिता बनाकर उसके ऊपर शव रखा गया। और शव के ऊपर फिर से कुछ लकड़ियाँ। जैसे ही चिता में आग जलायी गयी

मूसलाधार वर्षा शुरू हो गयी। राजकुमार का साला, डॉक्टर और सभी सम्बन्धी और मित्र बरसात से बचने के लिए वहाँ से उठकर चले गये। वहाँ रह गये कुछ नौकर जिनको काम दिया गया था कि बरसात खत्म होने के बाद फिर से चिता में आग लगायें। किन्तु बरसात इतनी तेज हुई कि थोड़ी ही देर में नदी में बाढ़ आ गयी और बाँस की तिख्ती से बँधा हुआ शव बह गया। शव को बहते देख नौकर लोग चिल्लाते हुए उसके पीछे दौड़े किन्तु नदी का प्रवाह इतना तेज कि उसको पकड़ न सके। उन लोगों ने लौट कर राजकुमार के साले सत्येन्द्र को यह सब बात बतायी। किन्तु इस सूचना के बिना परवाह किये सत्येन्द्र ने चारों तरफ दाह संस्कार पूर्ण होने की घोषणा कर दी।

शव बहते-बहते काफी दूर जाकर एक जगह नदी के किनारे लग गया। उसके बगल में ही एक गुफा थी। वहाँ बाबाजी अपने चार शिष्यों के साथ रह रहे थे। सायंकाल उन लोगों ने नदी के किनारे से आती हुई एक विचित्र आवाज सुनी। बाबाजी ने अपने दो शिष्यों-बाबा दर्शन दास और लोकदास को पता लगाने के लिए भेजा। उन लोगों ने आकर बताया कि नदी के किनारे तिख्ती में बँधा हुआ वहाँ किसी का शव पड़ा है। बाबाजी ने उन दोनों साधुओं से कहा कि वह लाश उनके शिष्य की है। बाबाजी ने साधुओं को भेजकर वह लाश अपनी गुफा में मँगवायी। उन साधुओं ने लाश के ऊपर लिपटे गीले कपड़ों को उतार कर उसे सूखे कपड़े से ढक दिया। फिर बाबाजी के निर्देशानुसार उसे पास के एक गाँव में ले गये। मुर्दे का मुण्डन करके उसके सिर पर कुछ औषधियों का लेप लगाया। थोड़ी देर में मुर्दा सांस लेने लगा। किन्तु यह बात थोड़ी ही देर में पूरे गाँव में फैल गयी। चमत्कार देखने के लिए भीड़ इकट्ठा हो गयी। वैसे अभी राजकुमार बेहोश ही था किन्तु फिर भी बाबाजी ने अपने शिष्यों को आज्ञा दी कि उसे यहाँ से उठाकर दूर के किसी गाँव में ले चलें। तीन दिन के भीतर उसे होश आ गया। वह बोलने-चालने लगा। किन्तु उसे अपने बीते दिनों की कुछ भी स्मृति न रही। जब उसमें चलने-फिरने की ताकत आ गयी तो साधु समाज वहाँ से चल दिया।

भवाल का यह राजकुमार अब राजकुमार न रह कर बाबा धरमदास का नवजात बच्चा था। बाबाजी और अन्य साधुओं ने इसे हँसना-बोलना और पढ़ना-लिखना सिखाया। उन लोगों ने इसे हिन्दी के अक्षर सिखाये। राजकुमार ने तेजी से सीखना शुरू किया। कुछ ही वर्षों में इसे हठयोग,

रसायन शास्त्र और आयुर्वेद का पूर्णज्ञान हो गया। हठयोग और आयुर्वेद की विद्या का अभ्यास करने से उसका शरीर खूब स्वस्थ और बुद्धि प्रखर हो गयी। बाबाजी के साथ पूरे हिमालय और विन्ध्याचल की पहाड़ियों को छान मारा। एक दिन बाबाजी के साथ यह कश्मीर स्थित अमरनाथ तीर्थ में पहुँचा। अब तक इसे पुनः जीवित हुए चार साल हो चुके थे। यहीं पर बाबाजी ने इसे मन्त्र दीक्षा दी। मन्त्र दीक्षा मिलते ही यह नवयुवक जन्म और अपने माता-पिता के बारे में सोचने लगा। उत्सुकता वश उसने कई बार बाबाजी से यह बात पूछी किन्तु हर बार बाबाजी यही बोले, "जब उचित समय आयेगा तो मैं तुम्हें तुम्हारे घर भेजूँगा।" एक दो वर्ष और बीत गये। बाबाजी नेपाल के ब्रह्मक्षत्रा नामक स्थान पर रह रहे थे। उनके साथ और कई साधु थे। यह राजकुमार स्वामी भी था। राजकुमार साधु को एकाएक यह याद आया कि उसका घर कहीं पूर्वी बंगाल में है। जैसे ही बाबाजी को पता चला कि उसको पूर्वी बंगाल का स्मरण हो गया है तो बाबाजी बोले-"जाओ तुम्हारा समय आ गया है।" जब वह चलने लगा तो बाबाजी ने उससे कहा कि यदि तुम माया के आवरण को तोड़ सको तो फिर हम लोगों के पास आ जाना।

इस समय तक वह राजकुमार एक नागासाधु हो गया था। उसके बड़े-बड़े जटाजूट और लम्बी दाढ़ी थी। शरीर पर केवल एक लंगोट और सिर से लेकर पैर तक भस्म। उसको अभी भी यह नहीं पता था-वह कौन है? उसके सम्बन्धी लोग कौन हैं और उसका घर कहाँ है? केवल उतना ही याद आ रहा था कि वह कहीं ढाका के पास रहा करता था। घूमते-घूमते १९२० के दिसम्बर में राजकुमार ढाका पहुँचा। शहर के बाहर पेड़ के नीचे धूनी बनाकर पद्मासन में बैठ गया। सुबह शाम टट्टी पेशाब के अलावा दिन-रात धूनी के पास बैठा रहता। उसके बाँह पर गोंदा हुआ था-'बाबा धरमदास का चेला नागा।' धीरे-धीरे करके लोगों ने देखा कि इस साधु और मजो कुमार रामेन्द्र में काफी समानता है। लोगों ने आपस में बातचीत करना शुरू कर दिया और कुछ लोगों को यह विश्वास हो गया कि यह साधु भवाल का राजकुमार है।

बस क्या था। समाचार चारों तरफ फैल गया। रामेन्द्र का पुराना मित्र कासिमपुर का राजा भी आया। देखते ही उसने पहचान लिया। कासिमपुर का राजा इस नागा साधु को अपने महल पर ले गया और पाँच छः दिन बाद

इसे हाथी पर बैठाकर जयदेवपुर भेज दिया। हाथी से उतरकर साधु जयदेवपुर महल के पास ही मन्दिर पर बैठ गया। उसे अभी भी यह याद नहीं आ रहा था कि उसका उस स्थान से क्या सम्बन्ध है। लेकिन थोड़ी ही देर में उसके सगे-सम्बन्धी, नौकर और सैकड़ों की संख्या में स्थानीय लोगों ने उसे पहचान लिया।

राजकुमार की बड़ी बहन को भी यह समाचार मिला। उसने अपने लड़के को भेजकर साधु को अपने महल में बुलवा लिया। बहन और दादी माँ ने उसे देखते ही पहचान लिया। उन लोगों ने साधु को उसके छोटे भाई का फोटो दिखाया। फोटो देखकर साधु उसे पहचान गया और बहुत खुश हुआ किन्तु जब उसे पता चला कि वह और उसका बड़ा भाई दोनों ही इस संसार में नहीं हैं तो वह रोने लगा। अंग्रेजी कानून के अनुसार किसी उत्तराधिकारी की अनुपस्थिति में राज्य कोर्ट ऑफ वार्ड्स के हाथ में चला गया था। लोगों ने जब पूछा कि आप साधु होकर क्यों रो रहे हो तो उसने गोलमटोल उत्तर दिया, "माया मुझे रुला रही है।" जब लोगों ने पूछा, "क्या आप कुमार रामेन्द्र नरायन हो?" तो उसने उत्तर दिया, "नहीं-नहीं। मैं आप लोगों का कुछ नहीं लगता हूँ।"

इस मुलाकात ने पूरे महल में तहलका मचा दिया। भूत और वर्तमान का टकराव हुआ। और बीच में फँसा यह बेचारा नागा साधु। उसे खूब अच्छी तरह पता था कि वह बाबा धरमदास का नागा चेला है। किन्तु उसे यह भी याद हो चला था कि वह भवाल राज्य का राजकुमार है। उसने अपना दिल पक्का करके कहा, "मैं आप लोगों का कुछ नहीं लगता हूँ।" यह कहकर महल से बाहर निकल ढाका पहुँच कर धूनी जला अपना सधुक्कड़ी जीवन बिताना शुरू किया। लेकिन अब लोग उसका पीछा न छोड़ते। बहन ढाका आ गयी और समझा-बुझाकर उसे अपने साथ जयदेवपुर के महल में ले गयी। वहाँ उसे शरीर पर भस्म न लगाने देती बल्कि राजकीय ढंग से उसे नहला-धुलाकर उसके पूरे शरीर का निरीक्षण किया। उसने देखा कि उसके शरीर पर बैल गाड़ी के पहिये से लगे हुए चोट का निशान है जो रामेन्द्र को बचपन में था। अब उसकी सब शंकायें दूर हो गयीं। यह साधु उसका अपना ही भाई है।

सब बात स्पष्ट हो जाने पर भी साधु महल के बन्धन में नहीं बँधना

चाहता था। बाबाजी के साथ रहने में जो सुख है उसकी याद आते ही संसार के सभी सुख फीके लगते थे। साथ ही अब इस साधु को पता चल गया था कि किस प्रकार से १९०९ में उसकी पत्नी और साले ने मिल कर उसकी हत्या का काण्ड रचा था। उसके भीतर छिपा हुआ राजकुमार यह माँग कर रहा था कि वह इस विषय पर सोचे कि उसकी हत्या का प्रयत्न करने वालों को क्या दण्ड दिया जाये। किन्तु उसके भीतर छिपा हुआ साधु उसको बार-बार कह रहा था, "जो तुझको काँटा बुए, ताहे बुए तू फूल"। साधु स्वभाव कह रहा था कि क्षमा कर दे इन सबको। मुझ विरक्त महात्मा को क्षमा ही शोभा देता है। फिर भीतर से दूसरी आवाज आती है–कायर मत बनो। अपने कर्त्तव्य का पालन करो। उठो! अपने अधिकार के लिए लड़ो। धर्मानुसार जिस पर तुम्हारा अधिकार है उसे त्यागना उचित नहीं है। किन्तु यह राजर्षि हमेशा लोगों से इतना घिरा हुआ रहता था कि भीतर से आती हुई इन अनेक आवाजों को गम्भीरता से सुनने और उसके ऊपर विचार करने का समय नहीं हुआ करता था। उसे बार-बार बाबाजी के शब्द याद आते–'यदि तुम माया के आवरण को तोड़ सको तो हम लोगों के पास आ जाना।' साधु रात को सो नहीं पाता था। बार-बार बाबाजी के इस कथन पर चिन्तन किया करता था और जानने की कोशिश किया करता था कि बाबाजी सचमुच चाहते क्या है–एक कर्म योगी की भाँति संसार में रहते हुए संसार से अछूता बना रहे। क्या वह संसार में प्रवेश ही न करे अर्थात् इस घर परिवार राजपाट के पचड़े में ही न पड़े। संसार से बाल-बाल बचे रहने का वास्तविक अर्थ क्या होता है? इस समय तक साधु की स्मरण शक्ति पूर्ण रूप से लौट आयी थी। उसकी बुद्धि पहले से भी ज्यादा तीव्र और कुशाग्र हो गयी थी। वह साफ-साफ देख रहा था कि उसे दो धर्मों का पालन करना है–विरक्त साधु धर्म का और राजधर्म का। और इन दोनों धर्मों से उसे एक धर्म का चयन करना था। इसके साथ-ही-साथ उसके ऊपर चारों तरफ से दबाव पड़ रहा था कि खुलकर वह संसार को बताये कि वह है कौन? उसे ही यह निर्णय करना था–उसे क्या करना चाहिए? संसार में रहना चाहिए या संसार को त्यागकर बाबाजी के पास चला जाना चाहिए।

राजकुमार की बहन प्रतीक्षा करते-करते थक गयी। उसने भाई पर दबाव डाला कि महल के बाहर इकट्ठे सब के सामने साफ-साफ बोले। और यदि वह ऐसा नहीं करता है तो वह खाना-पीना बन्द करके अपना प्राण दे

देगी। उसने अपने भाई को डपट कर कहा, "साधु हो गये हो तो क्या हुआ? सच-सच बोलो तुम कौन हो?" इस प्रकार चार मई १९२१ के सायंकाल भवाल संन्यासी के नाम से जाना जाने वाला यह साधु जनता के सामने आया। उस भीड़ में से किसी ने उसका नाम पूछा तो उसने उत्तर दिया–रामेन्द्र नारायन राय चौधरी। तुम्हारी माता कौन थी? किसने तुम्हें दूध पिलाया था बचपन में? तो उसने उत्तर दिया–"आलोका"। तब बस क्या था चारों तरफ से लोग बोल पड़े–मजो कुमार की जय मजो कुमार की जय।

जनता की खुशी का ठिकाना न रहा। क्योंकि उसे अपना राजा मिल गया। लोग उपहार लाकर उसके चरणों में रखने लगे और उसे माल गुजारी भी देने लगे। किन्तु उसकी पत्नी उसे कभी देखने तक नहीं आयी बल्कि वह और उसका भाई सत्येन्द्र यही कहते रहे कि "वह साधु एक फरजी आदमी है।" उन दोनों ने कोर्ट ऑफ वार्ड्स के ऑफिस में जाकर राजकुमार की मृत्यु का सर्टीफिकेट प्रस्तुत किया। वहाँ आफिस में यह सिद्ध करने की कोशिश की कि राजकुमार की १२ साल पहले ही मृत्यु हो चुकी है। और यह धूर्त, नंगधड़ंग साधु रियासत हड़पने की खुराफात कर रहा है। उस सर्टीफिकेट पर राजकुमार के निजी डॉ. दास गुप्ता, दार्जलिंग के सिविल सर्जन लेफ्टीनेन्ट कर्नल कल्वर्ट और दार्जलिंग के डिप्टी कमिश्नर मिस्टर क्राफर्ट के हस्ताक्षर थे। राजकुमार के साले सत्येन्द्र ने वे सब कागजाद भी प्रस्तुत किये जिससे सिद्ध होता था कि राजकुमार की मृत्यु के बाद राजकुमार की पत्नी की तरफ से सत्येन्द्र ने स्काटिश यूनियन इन्श्योरेन्स कम्पनी से मरणोपरान्त मिलने वाले जीवन बीमा के पैसों को भी ले लिया था। सत्येन्द्र ने ये सब बातें पूर्वी बंगाल में प्रचलित 'द इंग्लिश मैन' नामक अखबार में छपवा दीं।

अब भवाल संन्यासी कौन है? इस बात को लेकर चारों तरफ हर प्रकार की बातें शुरू हो गयीं। दोनों तरफ से गवाही देने वालों की तरफ से भीड़ लग गयी। 'अन्ततः ३ जून १९२१ को बोर्ड ऑफ रेवन्यू ने अपना निर्णय सुनाया कि यह साधु फरजी आदमी है और यह नोटिस जारी किया, "बोर्ड ऑफ रेवन्यू के पास इस बात का ठोस प्रमाण है कि भवाल राज्य के द्वितीय कुमार का मृत शरीर दार्जलिंग शहर के बाहर बारह वर्ष पहले जल कर भस्म हो गया। अतः यह साधु जो अपने को द्वितीय राजकुमार कहता है–बिल्कुल फरजी है। इसको किराया, माल गुजारी और चन्दा देना कानूनन गलत है।"

जब डंके की चोट पर खुले बाजार में सुनाया गया तो चारों तरफ हँगामा हो गया। मारपीट और दंगाफसाद को शान्त करने के लिए पुलिस ने गोली चलायी जिससे एक आदमी मर गया और अनेक घायल हो गये। संन्यासी के सहयोगियों के विरुद्ध सत्येन्द्र के सहयोगियों ने मुकदमा दायर किया। किन्तु केस की सुनवाई होते-होते मुकदमा खारिज़ हो गया। इसी बीच बर्दवान के राजा बाबा जी के पास गये और प्रार्थना की कि बाबाजी इस समस्या का कुछ समाधान दें। उनकी प्रार्थना को स्वीकार करके १९२१ की अगस्त में बाबाजी ढाका आये और संक्षेप में पूरी कहानी सुनायी कि यह राजकुमार उन्हें कैसे मिला, राजकुमार को जीवित कैसे किया, शिक्षा दीक्षा कैसे दी और किस परिस्थिति में उसे उसके घर भेजा।

राजकुमार की बहन और दादी माँ ने राजकुमार का पक्ष लिया। १९२२ की जुलाई में दादी माँ ने राजकुमार की पत्नी को पत्र लिखा और कहा कि वह आकर स्वयं अपनी आँखों से देखे अपने परिवार की इज़्ज़त रखे। अपनी आँखों से अपने पति को देखने के बाद धर्मानुसार जो उचित हो उसे वह करे। राजकुमार की पत्नी ने दादी माँ के पत्र को स्वीकार करने से इन्कार कर दिया। इस बात से दादी माँ को पूरा विश्वास हो गया कि उसने राजकुमार की हत्या का प्रयास किया था और राजकुमार को नकली व्यक्ति सिद्ध करने के लिए वह कुछ भी करने की कोशिश करेगी। अतः दादी माँ सीधे ढाका के कलेक्टर के पास गयीं। उस समय मिस्टर जे.जी. डुमाण्ड ढाका के कलेक्टर हुआ करते थे। दादी माँ ने उनसे प्रार्थना की कि यह मामला भारत के छह प्रसिद्ध वकीलों के सम्मुख परीक्षण के हेतु रखा जाये। दादी माँ ने यह भी कहा-सम्भव हो तो ये वकील भारत के छहों उच्च न्यायालयों से होने चाहिये। इस मामले से सम्बन्धित पूरा खर्च दादी माँ ने कहा, "मेरे व्यक्तिगत फण्ड से आयेगा।"

भवाल संन्यासी को भी अपना निर्णय करना था। उन्होंने विजय का मार्ग चुना। उन्होंने निर्णय किया कि विजय प्राप्त करने के पश्चात ही वे संसार से संन्यास लेंगे। भवाल संन्यासी अब पूरी तैयारी के साथ युद्ध भूमि में उतर गये। कलकत्ता को उन्होंने अपना निवास स्थान बनाया। कभी-कभार वे ढाका आते। बाकी १९२४ से लेकर १९२९ तक कलकत्ता में ही स्थायी रूप से रहने लगे। ये वही दिन थे जब भारत में अंग्रेजों के विरुद्ध स्वतन्त्रता संग्राम का

आन्दोलन अपने उच्च शिखर पर पहुँच गया था। भवाल संन्यासी प्रत्यक्ष रूप से भारतीय राजनीति में भाग तो नहीं लिये किन्तु उनकी सहानुभूति स्वतन्त्रता प्रेमियों से थी। जबकि उनकी पत्नी और सत्येन्द्र अंग्रेजों के पक्ष में थे। भवाल संन्यासी इन पाँच सालों में राजनीतिक दायरे से बाहर बहुत मान–सम्मान अर्जित कर चुके थे। उनके अनुयायियों और सहयोगियों की एक विशाल सेना तैयार हो गयी।

१९२९ के अक्टूबर में भवाल संन्यासी ढाका लौटे और अपनी बहन के साथ रहने लगे और यहीं से रहकर प्रजा से मालगुजारी इकट्ठा करते थे। इधर सत्येन्द्र ने अदालत की सहायता से धारा १४४ के अनुसार भवाल संन्यासी को शहर में प्रवेश करने पर रोक लगा दी। अब भवाल संन्यासी को मजबूर होकर ढाका के सेशन कोर्ट में अपनी पत्नी और साले के विरुद्ध मुकदमा दायर करना पड़ा। भारत के प्रसिद्ध वकील वी.सी. चटर्जी ने भवाल संन्यासी के मामले को अपने हाथों में लिया। २४ अप्रैल १९३० को यह मुकदमा शुरू हुआ और छह साल तक चलता रहा। इस मुकदमे में १६०९ गवाह और २००० सबूत उपस्थित किये गये। इन गवाहों में हर प्रकार के लोग थे। हिन्दू, मुसलमान, सिक्ख, पारसी, इसाई, बौद्ध, नागा साधू, तिब्बती और अंग्रेज। हर प्रकार के पेशे वाले लोग थे। यहाँ तक कि भडुवे और वैश्याएँ भी थीं। मामला इतना जटिल था कि ग्रेट ब्रिटेन से स्काटलैंड यार्ड नामक खुफिया पुलिस विभाग को जाँच पड़ताल के लिए बुलाया गया। स्काटिस इन्श्योरेन्स कम्पनी के लोग बुलाये गये ताकि वे लोग आकर राजकुमार के शरीर में होने वाले निशान की जाँच इस साधु के शरीर में कर सकें। बाबा जी के वक्तव्य को जो उन्होंने ढाका में कई वर्ष पहले दिया था उसको अदालत में प्रस्तुत किया गया। अदालत ने इन सब साक्ष्यों के आधार पर राजकुमार के साले सत्येन्द्र को अपराधी घोषित किया और घोषित किया कि सत्येन्द्र ने राजकुमार की हत्या करने का षड्यन्त्र किया था। चारों तरफ ढाका और जयदेवपुर में भवाल संन्यासी की जीत का उत्सव मनाया गया। यह उत्सव तीन दिन तक चलता रहा। इस प्रकार से भवाल संन्यासी जयदेवपुर स्थित अपने पैत्रक महल में लौटे। परम्परा अनुसार उनका राज्याभिषेक हुआ और इस प्रकार भवाल संन्यासी पुनः राजा रामेन्द्र नारायन राय चौधरी के नाम से विख्यात हुए। अपने भाई के दबाव में रहने वाली पत्नी ने अभी भी अपने पति को स्वीकार न किया।

५ अक्टूबर १९३६ को राजा रामेन्द्र अर्थात् भवाल संन्यासी की पत्नी, उसका भाई और उसके गोद लिये हुए लड़के ने कलकत्ता हाई कोर्ट में फिर से मुकदमा दायर किया। उस समय न्यायधीश के सामने वकीलों ने हँसी उड़ाते हुए कहा, "यदि किसी मृत शरीर का सिर मुँडाकर उस पर कोई नागा साधु पिसी हुई जड़ी-बूटी लगा दे और सैशन जज उसको जीवित घोषित कर दे तो ऐसे सेशन जज को क्या कहा जा सकता है?" चार वर्ष के लड़ाई के उपरान्त भवाल संन्यासी की फिर से जीत हुई किन्तु उसकी पत्नी और साले ने हाई कोर्ट के निर्णय को न स्वीकार करके लन्दन के प्रीवि कौन्सिल में मुकदमा दायर किया। यह मुकदमा भी छह साल तक चला। २८ बड़े-बड़े वाल्यूम्स में छपे हुए रिकार्ड्स को और सात सौ तस्वीरों को देखने और अध्ययन करने के पश्चात् प्रीवि. कौन्सिल ने ३० जुलाई १९४६ में केस रद्द कर दिया और इस प्रकार से भवाल संन्यासी की फिर से जीत हुई। एक अगस्त को राजा रामेन्द्र को अपनी अन्तिम विजय का समाचार तार द्वारा मिला। इस समय तक कलकत्ता और ढाका के सभी अखबारों में यह समाचार प्रकाशित हो चुका था। लोग उत्सव मनाने के लिए उत्सुक हो रहे थे। किन्तु राजा रामेन्द्र मानो इस विजय से कुछ प्रभावित नहीं हुए। अदालत ने उन्हें राजा घोषित किया। प्रजा भी अपने राजा की जय जयकार कर रही थी किन्तु इसको कोई नहीं जान पा रहा था कि राजा रामेन्द्र के दिल में क्या गुजर रहा है। जनता उन्हें राजा कहे या महाराजा लेकिन इस राजा को यह भली-भाँति पता था। वह कौन है—वह कोई नागा साधु है, अपने गुरुदेव बाबा धरमदास का प्यारा शिष्य है। उनके कलकत्ता स्थित निवास पर हज़ारों की संख्या में लोग धन्यवाद और साधुवाद देने के लिए आये। हज़ारों की संख्या में टेलीग्राम भी आये। किन्तु यह राजर्षि भवाल संन्यासी अपनी ही दुनिया में खोया हुआ था। वह अपने विचारों में डूबा हुआ था। क्या माया की लीला पूरी हो गयी? इस नाटक में मैंने अपना भाग ठीक से निभाया? इस नाटक में क्या कुछ और करना रह गया है? आदि-आदि। उनके आसपास के लोग यही सोचते महाराजा अब ६२ वर्ष के हो चुके हैं। शरीर थक गया है इसलिये इनके मन में कोई उत्साह नहीं रह गया है। किन्तु इस बातचीत के प्रसंग में स्वामी जी ने बताया कि सच्चाई कुछ और ही थी—"मेरे गुरुभाई अर्थात् भवाल संन्यासी आध्यात्मिक स्तर पर गुरुदेव के साथ थे।"

उनकी गुरुदेव से हर क्षण बात हो रही थी। गुरुदेव उस समय दार्जलिंग

में थे, और उसी गुफा में जहाँ ३६ वर्ष पहले इस योगी की आत्मा को गुरुदेव ने भवाल के राजकुमार के शरीर में प्रवेश कराया था।

१९८३ में मुझे यह कहानी सुनाते समय ऐसा लगता था जैसे स्वामी जी स्वयं ही अपने शरीर से बाहर निकलकर कहीं और चले गये हों। स्वामी जी बोले कि इस केस के अन्तिम दिनों में बाबाजी कुछ महात्माओं के साथ दार्जलिंग में थे। इनमें से एक दो वे भी महात्मा थे जो राजकुमार के मृतक शरीर को नदी से उठा कर लाये थे। उन दिनों बाबाजी बिल्कुल मौन अवस्था में चले गये थे। कभी-कभी समाधि से निकलते, आँखें खोलते और एकटक कहीं सुदूर जगत की तरफ देखते। उस समय स्वामी जी भी बाबाजी के पास पहुँच गये थे। बाबा जी ने स्वामी जी को अपने पास कैसे बुलाया, यह कहानी बाद में बतायी जायेगी। अस्तु! बाबा जी को इस प्रकार से शान्त और कभी-कभी एकटक देखते हुए पाकर स्वामीजी और अन्य महात्मा लोग आपस में बातचीत करते कि बाबाजी इस समय भविष्य में झाँक रहे हैं या भूतकाल में?

यही बात राजा रामेन्द्र के साथ भी हो रही थी–कमरा बन्द किये चुपचाप बैठे रहे। लोग बहुत चिन्तित थे कि राजा साहब को क्या हो गया। कोई हिम्मत करके पूछता तो कहते कुछ नहीं। दरवाज़ा बन्द करके बाहर जाओ, जब बुलाऊँ तो आ जाना। कभी-कभार बाहर प्रतीक्षा करने वाले मित्रों और हितैषियों का स्वागत करने के लिए कुछ क्षण के लिए बाहर आते। उन्हें प्रणाम नमस्कार करते और फिर उन सबको जल्दी ही बिदा करके स्वयं एकान्त में चले जाते। लगभग २५ वर्ष तक भवाल संन्यासी का जीवन मुकदमा लड़ने; राज्य का शासन करने, व्यवसाय की देखभाल करने तथा अपने मित्रों और सम्बन्धियों के साथ पार्टी बाजी करने में बीता। किसी को भी यहाँ तक कि उनकी बहन को भी यह पता नहीं चलने पाया कि यह राजकुमार अपनी रातें ध्यान भजन में बिताता है। दिन तो सांसारिक सुख और उलझनों में और रातें भगवान के भजन में बीतती थीं। लोगों की दृष्टि में भवाल का यह राजकुमार था राजा किन्तु वह अपनी निगाह में केवल बाबा धरमदास का शिष्य भवाल संन्यासी था।

जहाँ लन्दन से उसके मुकदमे की जीत का तार आया वहीं पर उसे एक दूसरा तार भी आया। और वह तार था उसके भाग्य निर्माता बाबा

धरमदास के यहाँ से। मौन की भाषा में बाबा जी ने लिखा था–युद्ध में तुम्हारी जीत तो हो गयी किन्तु अब तुम्हें यह निर्णय करना है कि इस विजय के फल का क्या किया जाय। अब तक बाबाजी के द्वारा कश्मीर के अमरनाथ क्षेत्र में दीक्षा मिले ३३ वर्ष बीत चुके थे। आज के तैंतीस वर्ष पहले शुरू की गयी साधना पूर्ण हो गयी थी। अब साधना की पूर्णाहुति शेष रह गयी थी। बहुत सोचने–विचारने के बाद भवाल संन्यासी ने पूर्णाहुति करने का निर्णय लिया। उन्होंने निर्णय किया कि अब माया के सबसे भीतरी पर्दे को फाड़ देना चाहिये। ब्रह्मा जी के द्वारा बनायी गयी सृष्टि से बहुत दूर जाकर पवित्र योग की अग्नि में यह पूर्णाहुति डालनी होगी। उन्होंने अपनी विजय का फल उन्हीं को देने का निर्णय किया जिन्हें उन्होंने पराजित किया था। इस संकल्प के साथ इस महायोगी भवाल संन्यासी ने अपनी बुद्धि को द्वैत भाव से ऊपर उठा लिया। मान–अपमान, हानि–लाभ, सफलता–असफलता, जन्म और मृत्यु से परे अपनी ही ज्योति से प्रकाशित दिव्य लोक में जाने का संकल्प किया।

आज के लगभग ३६ वर्ष पहले बाबाजी ने इस राजकुमार को जीवन दान दिया था। बाबाजी के इस शिष्य राजर्षि भवाल संन्यासी ने आज स्वेच्छा से अपना शरीर त्याग दिया। जैसा कि ब्लिट्ज पत्रिका लिखती है "लन्दन से विजय का टेलीग्राफ आये अभी दो दिन हुए थे। विजय के अभिनन्दन के उपलक्ष्य में चारों तरफ से तार आ रहे थे। किन्तु भवाल संन्यासी की एकाएक ३ अगस्त १९४६ को मृत्यु हो गयी। दूसरे दिन ९ बजे प्रातःकाल उनका दाहसंस्कार होने वाला था। पूरी रात इन लोगों ने इस विश्वास के साथ बिताया कि कल महान चमत्कार होगा। भवाल संन्यासी अपनी चिता से एक अट्ठारह वर्ष के नवयुवक के रूप में प्रगट होंगे।"

४ अगस्त के प्रातःकाल दाह संस्कार के समय वैसे ही भयंकर आँधी के साथ पानी बरस रहा था जैसे १९०९ में दार्जलिंग में हुआ था। छाता लिये हज़ारों की संख्या में लोग भवाल संन्यासी के फिर से जीवित होने की आशा लिये श्मशान घाट पर खड़े थे। किन्तु इस बार एक ही दो घण्टों में उनका शरीर चिता की अग्नि में जल कर राख हो गया।

जिस समय मैं 'लिविंग विद द हिमालयन मास्टर्स' का अनुवाद कर रहा था–स्वामी जी ने कई बार कहा कि उनके गुरुदेव अपने में एक परम रहस्य हैं। उनको समझ पाना बहुत कठिन है। बाबा जी सामान्य साधकों को

मध्यम मार्ग–राजयोग की साधना करने की सलाह देते थे। जबकि स्वयं उग्र तपस्या के मार्ग पर चलते थे। आशीर्वाद की खोज में उनके पास तक पहुँचने वालों के प्रति वह बहुत दयालु और सरल थे। किन्तु जो उनके पदचिह्नों पर चलने का संकल्प लेता उसके प्रति वे बहुत कठोर भी थे। वह कभी यह सीधे–सीधे नहीं कहते थे कि तुम मेरे शिष्य बनने के योग्य हो या नहीं बल्कि ऐसा वातावरण निर्मित कर देते थे जिसमें कि प्रत्येक शिष्य या तो अग्नि की दीवार को पार करके उनके पास आये या उनको छोड़कर भाग जाये। हाँ बाबाजी प्रत्येक शिष्य को इस विषय में सहायता जरूर करते थे कि उसे योग्यता कैसे प्राप्त करनी चाहिये। उदाहरण के तौर पर देखिये–उन्होंने राजकुमार को एक नया जीवन दिया। माता की भाँति उसका पालन–पोषण किया। अनुशासित जीवन बिताने की शिक्षा दी। दीक्षा देकर उस स्थिति में ला दिया जहाँ पर कि पूर्व जन्म में राजकुमार पहुँच चुके थे। बाबाजी ने उनको संसार और अध्यात्म दोनों ही जगत को देखने का अवसर दिया। सांसारिक और आध्यात्मिक दोनों ही सुख देकर उनको यह कहकर विदा कर दिया कि अब तुम खुद निर्णय करो कि अब तुम क्या चाहते हो। बाबाजी की कृपा दृष्टि सदा राजकुमार के ऊपर बनी रही। किन्तु बाबाजी यह चाहते थे कि राजकुमार अपने साथ सत्य का बर्ताव करे और बाबाजी के पास एक भगोड़े के रूप में नहीं बल्कि एक विजयी के रूप में आये।

मैंने स्वामी जी से पूछा यह राजकुमार पिछले जन्म में कौन था? साधना में किस स्थिति तक पहुँचा हुआ था? इस जीवन में इन्हें इन समस्याओं का सामना क्यों करना पड़ा। बाबाजी ने इनको अमरनाथ क्षेत्र में किस प्रकार की दीक्षा दी थी? स्वामीजी बोले कि ये राजकुमार पूर्व जन्म में ही नहीं पिछले और कई जन्मों में एक तपस्वी थे। वैसे ये खूब मन लगाकर तपस्या करते थे। फिर भी मन–ही–मन एक अन्तर्द्वन्द्व में फँसे थे। बाहरी तौर पर तो यह सोचते थे कि धन और स्त्री साधना में बाधक होते हैं किन्तु भीतर–ही–भीतर धन और स्त्री दोनों के प्रति लगाव बना रहता था। इस आसक्ति से बचने के लिए एकान्त में जाकर उग्र तपस्या किया करते थे। ये प्रायः ही व्रत करते और पंचाग्नि का सेवन करते। और यही सोचते कि तपस्या के माध्यम से यदि शरीर और इन्द्रियाँ दुर्बल हो जायेंगी तो वे उनकी आध्यात्मिक साधना में बाधा नहीं पहुँचा सकेंगी। गुरु और ईश्वर में इनकी श्रद्धा अपार थी। ये अनुशासित साधक थे। संकल्प शक्ति भी अपार थी। किन्तु धन और स्त्रियों

के प्रति इनकी धारणा हमेशा ही दूषित बनी रही। साधना में आगे बढ़ने के लिए यह आवश्यक था कि ये अपनी इच्छाओं को पहचानें, इच्छाओं को दबाने के बजाय या तो उन्हें भोग कर या उन्हें त्याग कर उनसे मुक्ति प्राप्त करें। इसलिये उनका राजकुमार के रूप में जन्म हुआ। प्रारब्ध वश थोड़े दिनों तक भोग-विलास में पड़े रहे। उन्होंने संसार का खुला रूप देखा। यह देखा कि उनकी पत्नी, साला और निजी डॉक्टर कैसे उन्हें धन, भोग और वैभव के कारण मारने तक का प्रयत्न कर सकते हैं। गुरुदेव ने न उन्हें केवल चिता में जलकर भस्म होने से बचाया अपितु सांसारिक मोहमाया के समुद्र में डूबने से भी बचाया। इतना होने पर भी अभी उन्हें बहुत कुछ सीखना और समझना था। उन्हें सांसारिक प्रलोभनों से पूर्णतया मुक्त होना था। माया के आवरण को दूर फेंक पारिवारिक सम्बन्धों, सुख-वैभव और मान प्रतिष्ठा को पीछे फेंक परमात्मा में लीन होना था। बिना इसके परम्परा से प्राप्त ऋषियों की सम्पत्ति पर उन्हें किसी प्रकार का अधिकार नहीं मिल सकता था। और गुरुदेव यह चाहते थे कि वे सभी वासनाओं और संस्कारों पर पूर्ण विजय प्राप्त कर परम्परा से प्राप्त आध्यात्मिक सम्पत्ति के पहरेदार बन सकें।

स्वामीजी ने अभी इस प्रश्न का उत्तर नहीं दिया कि राजकुमार ने दीक्षा के उपरान्त कौन-सी साधना की। इसलिए मैंने फिर से पूछा-गम्भीर साँस लेते हुए स्वामी जी बोले, "यह माता छिन्नमस्ता की साधना थी।" स्वामीजी के हावभाव से समझ गया कि अब इस विषय पर बातचीत करना नहीं चाहते थे। किन्तु इस प्रसंग के पहले कई बार मुझे माता छिन्नमस्ता के विषय में चर्चा कर चुके थे। और शक्ति संगम-तन्त्र जैसे ग्रन्थों में इस विद्या के विषय में थोड़ा पढ़ा भी था।

भवाल संन्यासी की कहानी के सन्दर्भ में जब स्वामीजी ने यह बताया कि प्रीवि कौन्सिल का लन्दन से तार आने के बाद बाबाजी और भवाल संन्यासी दोनों ही एकान्तवास में चले गये और दो दिन के बाद ही भवाल संन्यासी की मृत्यु भी हो गयी। इस बात से मैंने अपना निष्कर्ष निकाला। मेरा निष्कर्ष यह था कि इस बार भवाल संन्यासी के इस मृत्यु के तैंतीस वर्ष पहले बाबाजी ने भवाल संन्यासी को छिन्नमस्ता महाविद्या की साधना में दीक्षा दी थी। भवाल संन्यासी अपने जीवन के अन्तिम दिनों तक यह साधना करते रहे। राजा के रूप में प्रतिष्ठा हो जाने के बाद उन्हें पूरी स्वतन्त्रता थी-चाहे

वे सांसारिक माया को अपना ले या उसे छोड़ अपने गुरुदेव की शरण में। ऐसी परिस्थिति में उन्होंने यह निश्चय किया कि सबसे पहले वे अपनी इच्छाओं को सही-सही रूप में जाने। आसक्ति के सच्चे रूप को पहचाने और उसके उपरान्त इच्छाओं और आसक्तियों को ज्ञान की अग्नि में जला कर भस्म कर दें। ऐसा करने से ही उन्हें पूर्ण मुक्ति मिलेगी। भागने से नहीं। इस सांसारिक नाटक के दौरान इस राजकुमार ने अपने मन, वाणी, शरीर और इन्द्रियों को संयम के साथ साधा। और बाबा जी दूर रहते हुए भी सूक्ष्म रूप से उनकी देखभाल और रक्षा किया करते थे। जब तक उन्हें भीतरी और बाहरी दोनों ही जगत में विजय प्राप्त हुई उनकी साधना पूरी हो चुकी थी।

यह ध्यान देने योग्य बात है-यह वही साधना है जिसे बाबाजी के गुरुदेव ने किसी समय बाबाजी को दी थी। बाबाजी ने बिहार प्रान्त में छिन्नमस्ता पीठ पर निवास करते हुए यह साधना पूरी की थी। इस साधना के पूर्ण होने के उपरान्त ही बाबा जी के गुरुदेव ने बाबाजी को संन्यास की दीक्षा दी। और इस प्रकार से बाबाजी का नाम बाबा धरमदास पड़ा था। भवाल संन्यासी ने भी बाबाजी के संरक्षण में यही साधना की। साधना पूरी होने के बाद योग मार्ग से शरीर त्याग दिया। श्मशान घाट पर उपस्थित लोगों की दृष्टि में भवाल संन्यासी अर्थात् राजा रामेन्द्र नारायण का शरीर चिता में जलकर भस्म हो गया। किन्तु स्वामीजी के अपने शब्दों में "भवाल संन्यासी अभी भी हिमालय में विचरा करते हैं। और साधना में भूले-भटके साधकों को समय-समय पर रास्ता दिखाया करते हैं।"

'लिविंग विथ हिमालयन मास्टर्स' में स्वामीजी ने बड़े स्पष्ट शब्दों में एक बात कही है, "बाबाजी ने भविष्यवाणी की कि भवाल संन्यासी अपनी बहन से मिलेगा और मिलते ही उसे अपने पूर्व जन्म की बातें याद आ जायेंगी। उस समय हम लोगों के लिए बहुत सारी समस्याएँ खड़ी हो जायेंगी। अतः हम लोगों को ऊपर पहाड़ों में चले जाना चाहिये। इसलिये हम लोग कई वर्षों के लिए हिमालय स्थित अपनी प्राचीनतम गुफा में चले गये।"

एक दिन मैंने स्वामीजी से पूछा, यह हम लोगों की गुफा है कहाँ? स्वामीजी ने कहा कैलाश पर्वत पर गंगाजी के किनारे। यह वही गुफा है जिसकी रचना भगवान सनत कुमार की आज्ञा से महर्षि अंगिरा ने की थी। यह गुफा कैलाश पर्वत के पश्चिमी घाटी में नैनरी पर्वत माला के पादतल

में विद्यमान है।

इस वार्तालाप के बाद सोलह वर्षों तक मैं स्वामीजी के द्वारा वर्णन किये गये इस प्राचीनतम गुफा के विषय में सोचता रहा। कितनी ही बार मेरी कल्पना मुझे पूरे तिब्बत भर घुमाती। कभी-कभी मैं सोचता कि इस गुफा में एक द्वार होगा। उस द्वार से होकर पतली-सी सुरंग भीतर जाती होगी। उस गुफा के भीतर अनेक कमरे होंगे। वहाँ अनेक नागा साधू धूनी रमाये बैठे होंगे। सहसा मैं सोचता कि भला धूनी से उठने वाला धुआँ निकलने का रास्ता किधर से होगा। फिर मैं सोचता कि यह गुफा कोई दिव्य गुफा होगी जिसमें ठण्डी, गरमी और धुआँ-धक्कड़ का प्रश्न ही न उठता हो। उस गुफा में रहने वाले उच्च कोटि के योगियों के इच्छा मात्र से यह गुफा किसी-किसी को ही दिखायी पड़ती होगी तथा सामान्य लोगों के लिए अदृश्य रहती होगी। फिर मन में विचार आता कि नहीं जैसा स्वामीजी ने वर्णन किया है उसके अनुसार यह गुफा तो बिल्कुल सचमुच-सी लगती है। यह गुफा इसी भूलोक में है और गंगाजी के किनारे है। मैंने भारत, नेपाल और तिब्बत के मानचित्र का अध्ययन करना शुरू किया। लेकिन कहीं भी कैलाश पर्वत के आसपास मुझे गंगाजी नहीं मिलीं। मेरे अनुभव बताते कि जिस प्रश्न का उत्तर स्वामीजी नहीं देना चाहते थे उसे बड़े अच्छे ढंग से गोल-मोल कर देते थे। लेकिन मैं ये भी भली-भाँति जानता था कि किसी भी परिस्थिति में स्वामीजी असत्य नहीं बोलते। मुझे अच्छी तरह याद आता है कि जब स्वामीजी इस गुफा की चर्चा कर रहे थे तो उनकी वाणी में अत्यन्त दृढ़ता थी। उसमें सत्य की शक्ति थी। स्पष्ट था कि कभी-न-कभी किसी-न-किसी रूप में वे मुझे वहाँ तक जरूर ले जायेंगे।

'लिविंग विथ हिमालयन मास्टर्स' का अनुवाद खत्म ही होने वाला था कि एक रात जब मैं हिन्दी अनुवाद पढ़ रहा था। स्वामीजी सहसा बोल पड़े, "अपनी प्राचीनतम गुफा हिमालय में है।" मैंने कहा-"स्वामी जी! यह तो तिब्बत में लासा के पास है न।" स्वामी जी बोले, "नहीं, नहीं। तिब्बत के पास तो कभी मेरे गुरुदेव रहा करते थे तभी मैं उनके पास गया था। परन्तु अपनी परम्परागत गुफा तो कैलाश पर्वत पर है। किसी दिन तुझे वहाँ ले चलूँगा।"

१९८२ में गढ़वाल में स्थित तुंगनाथ नामक पर्वत शिखर पर बाबाजी

ने अपना शरीर त्यागा था। किन्तु उसके बाद भी बाबाजी के विषय में बात करते समय स्वामी जी कभी भी भूतकाल का प्रयोग नहीं करते थे। एक दिन मैं "मेरे गुरुदेव शरीर त्याग दिया करते हैं।" नामक अध्याय का अनुवाद करके रात्रि के समय स्वामी जी को सुना रहा था।! उचित अवसर पाकर मैंने उनसे पूछा, "स्वामीजी–इस समय बाबाजी कहाँ हैं?" स्वामी जी के मुँह से एकाएक निकल गया। "अपनी परम्परागत गुफा में हैं।" फिर मुस्कराते हुए बोले, "एक दिन मैं तुझे वहाँ ले चलूँगा।"

१९९६ में स्वामी जी ने अपना शरीर त्याग दिया। किन्तु मुझे उनका वचन याद रहा–एक दिन मैं तुझे वहाँ ले चलूँगा। १९९८ के दिसम्बर की बात है। स्वामी जी की बहुत याद आ रही थी। प्रायः मैं गुरु मन्त्र का जाप करते–करते सो जाया करता हूँ। किन्तु उस दिन कुछ याद नहीं कब नींद आयी। बहुत प्रातः काल मैंने स्वप्न देखा जैसे स्वामी जी घर में आ गये हों। उनके साथ एक महात्मा और थे। मैं उठकर खड़ा हो गया। मैंने स्वामी जी का चरण स्पर्श किया। स्वामी जी ने मुझे अपने हाथों में समेट लिया और मैं बोल पड़ा, "स्वामी जी! पता है कि आप सदा मेरे साथ हैं किन्तु आपकी बहुत याद आती है।" मेरी बात सुन कर स्वामी जी बोले, तो आ जाओ। मैंने सपने में ही सोचा कि स्वामी जी इशारा कर रहे हैं कि मैं भी शरीर त्याग कर उनके पास चला जाऊँ। फिर भी मैंने सोचा मैं स्वामी जी से साफ–साफ पूछ लूँ। जब मैंने पूछा, "कहाँ आ जाऊँ?" तो उन्होंने कहा, "नचिकेता ताल।"

मैं बहुत खुश हुआ। मैंने सोचा एक दिन लगेगा न्यूयार्क से दिल्ली पहुँचने में, फिर दिल्ली से टैक्सी ले कर एक दिन में उत्तरकाशी पहुँच जाऊँगा। फिर वहाँ से पैदल चलकर एक दिन में नचिकेता ताल। मैं यह सोच ही रहा था कि स्वामी जी मेरी पत्नी मीरा की तरफ देख कर बोले, "मीरा बेटे! टिल्क बनाना।" यह सुनकर साथ में आये महात्मा स्वामी जी से बोले कि यह टिल्क क्या होता है? स्वामी जी खिलखिला कर हँस पड़े और बोले, "आप अमेरिका न आकर बहुत सारी चीजें मिस कर गये। मैं इस देश में कई साल तक टिल्क पी कर रहा हूँ। यह चीज आपको हिमालय में नहीं मिल सकती। जब आप टी अर्थात चाय को मिल्क अर्थात दूध में उबालते हैं तो उसे कहते हैं टिल्क। और जब उसमें केसर और इलायची डाल दीजिये तो

उसे कहते हैं–सुपर टिल्क।" इस बात पर दोनों महापुरुष हँस पड़े।

टिल्क पीने के बाद दोनों महापुरुषों ने सांसारिक और आध्यात्मिक अनेक प्रकार की चर्चा की। जब चलने लगे तो स्वामी जी बोले, कि इस समय नचिकेता ताल में बहुत ठण्ड पड़ने लग गयी है। यहाँ अर्थात अमेरिका में बहुत सारा काम भी करना है। इसलिए गर्मियों में कैलाश पर्वत आ जाओ। फिर आँखों में बच्चों जैसी चपलता लिये हुए बोले, "तुम्हें अपनी परम्परागत गुफा में भी तो ले चलना है न। और ये बिल्कुल गंगा जी के किनारे पर ही है। मैंने तुम्हारे और मीरा के लिए सब प्रबन्ध कर दिया है। ईशान को भी लेते आना।"

इस सपने के दो–तीन दिन पहले से ही न्यूयार्क प्रान्त के बफलो नामक शहर में रहने वाली बानी एलबर्ट नाम की महिला कई बार टेलीफोन कर रही थी। जब उसने टेलीफोन किया तो मैं ऑफिस से बाहर और जब मैंने किया तो वह नहीं मिली। जिस रात को मैंने सपना देखा उसके प्रातःकाल मेरे मन में विचार आया कि बानी को उसके ऑफिस जाने के पहले ही घर पर टेलीफोन कर लूँ। अभी घर पर आसानी से मिल जायेगी। फोन करने पर बातचीत के प्रसंग पर उसने पूछा कि हम लोग कैलाश पर्वत कब चल रहे हैं? उसने यह भी बताया कि कई वर्ष पूर्व वह जब स्वामी जी के साथ गंगोत्री में थी तो स्वामी जी ने उसे कैलाश पर्वत ले चलने का वचन दिया था। मैंने उसे अपने सपने की बात बतायी और कुछ ही मिनट के वार्तालाप के उपरान्त हम लोगों ने कैलाश पर्वत जाने का निश्चय किया। क्योंकि वहाँ पर स्वामी जी हम लोगों की प्रतीक्षा करते होंगे।

हम लोगों ने अपनी योजना बहुत गुप्त रखी। किन्तु हिमालयन इंस्टीट्यूट पर भला कोई बात गुप्त कैसे रह सकती है। तीर्थ यात्रा के लिए २० लोग और तैयार हो गये। इंस्टीट्यूट के पर्यटन विभाग वायस ऑफ हिमालय की डायरेक्टर शैली क्रैगो ने हम लोगों की यात्रा तथा नेपाल और चीनी सरकार के बीच होने वाली सभी कानूनी गतिविधियों की जिम्मेदारी अपने ऊपर ले ली। १० जून १९९९ को हम लोग अमेरिका से तिब्बत की ओर चल पड़े। १२ जून को नेपाल पहुँचे फिर वहाँ काठमाण्डू से १५ जून को ल्हासा के लिए प्रस्थान किया। वहाँ पहुँचकर तीन दिन तक हम लोगों ने प्राचीन मठों और दलाई लामा के पोतला महल का भ्रमण किया। १८ जून को हम लोग ल्हासा

से कार द्वारा कैलाश पर्वत के लिए प्रस्थान कर गये। २३ जून को मानसरोवर पहुँचे। वहाँ दो दिन रहकर २५ जून को कैलाश पर्वत के पाद तल में स्थित दर्चन नामक स्थान पर पहुँचे। अब यहीं से हम लोगों की तीन दिन में सम्पन्न होने वाली कैलाश पर्वत की परिक्रमा का कार्यक्रम शुरू हुआ।

हमारे साथ चलने वाले और यात्रियों का मुख्य लक्ष्य पर्वत की परिक्रमा करना था किन्तु मेरा मन तो अपनी परम्परा की प्राचीन गुफा या मठ खोजने में लगा था। ल्हासा से कैलाश पर्वत के रास्ते में मैं जब कभी भी किसी नदी या जल धारा को देखता तो लोगों से उसके तिब्बती नाम जानने का प्रयत्न करता। मैंने तिब्बत के भौगोलिक नक्शे का यहाँ आने के पूर्व गहन अध्ययन किया था और यह भली-भाँति जानता था कि कैलाश पर्वत के आसपास गंगा जी नहीं हैं। फिर भी मैं भगवान से प्रार्थना करता था कि कैलाश पर्वत के पास गंगा जी हो जायँ ताकि उसके तट पर मैं अपनी परम्परा की गुफा देख सकूँ। मेरा तार्किक मन कहता वहाँ गंगाजी नहीं हैं किन्तु मेरे हृदय में निवास करने वाला दृढ़ विश्वास कहता कि निश्चय ही वहाँ गंगा जी हैं। उनके तट पर गुफा है। उसमें स्वामी जी और उनके गुरुदेव हैं। उन लोगों को वहाँ पर होना ही होना है। क्योंकि स्वामी जी ने मुझे वहाँ आने को कहा है और साफ-साफ कहा है कि वह मुझे अपनी गुफा दिखायेंगे और इसके लिए उन्होंने हर प्रकार का प्रबन्ध कर दिया है।

२६ जून को प्रातःकाल हम लोग परिक्रमा करने के लिए चल पड़े। बीस याकों पर हम लोगों ने अपने सामान लादे। हम लोगों के साथ रास्ता दिखाने वाला एक तिब्बती, दस शेरपा और याकों की देखभाल करने वाले चरवाहों का एक झुण्ड। परिक्रमा की शुरुआत दर्चन से होती है। इसकी ऊँचाई सोलह हज़ार फीट है। ल्हासा की ऊँचाई १२ हज़ार। इसलिए यहाँ तक पहुँचते-पहुँचते हम लोगों को इतनी ऊँचाई में साँस लेने का अभ्यास हो गया था। फिर भी जरा-सा भी परिश्रम होने पर हम लोगों की साँस फूलती थी इसलिए हम लोग बहुत धीरे-धीरे चलते थे। साथ में कम-से-कम सामान रखा था ताकि हम लोगों को बोझ न ढोना पड़े। तीन घण्टा चलने के बाद हम लोग कैलाश पर्वत के लाचू नामक घाटी में प्रवेश कर गये। यह घाटी कैलाश पर्वत से पश्चिम दिशा में है। दिन बिल्कुल साफ था। निर्मल आकाश में लटकते हुए दैदीप्यमान बादल पर्वत शिखरों पर रखे गये मुकुट की भाँति

सुन्दर लग रहे थे। हमारे साथ के कुछ तीर्थ यात्री आगे जा चुके थे और कुछ लोग धीरे-धीरे चलने के कारण अभी पीछे थे। शेरपाओं का अगुआ थिनले और हमारा तिब्बती पथ प्रदर्शक भूचुंग इस यात्रा पर अनेक बार आ चुके थे। ये लोग हिन्दी, अंग्रेजी, तिब्बती और नेपाली सभी भाषाओं को समझते और बोलते थे। इन पहाड़ों पर चलना इन लोगों के लिए वैसे ही है जैसे हम लोग अपने आँगन में खेला करते हैं। ये लोग बार-बार हम लोगों से आगे-पीछे जाकर देखा करते थे कि हम लोग ठीक-ठाक से हैं कि नहीं।

लाचू घाटी में चलते समय मेरा मन अपनी ही इच्छाओं और कल्पनाओं में डूबा हुआ था। मैं सोच रहा था यही पश्चिमी घाटी है अपनी गुफा यहीं कहीं पर होनी चाहिए। लेकिन गंगाजी कहाँ हैं यहाँ पर? घाटी के बीच से बहने वाली पता नहीं उस नदी का क्या नाम है? आज तो यात्रा का पहला दिन है। हो सकता है गुफा का दर्शन हम लोगों को कल हो। इन्हीं विचारों के साथ मैं आगे बढ़ता रहा। इतने में ही पहाड़ के ढलान पर आश्रम जैसा दिखने वाला एक छोटा-सा स्थान दिखायी पड़ा। यह नदी के पश्चिमी तट पर था। अभी हम लोग वहाँ से लगभग एक किलोमीटर दूर थे। मेरा हृदय प्रसन्नता से उछल पड़ा-हो सकता है कि यही गुफा का प्रवेश द्वार हो। इसी बीच अपना तिब्बती पथ प्रदर्शक भूचुंग हम लोगों की खोज खबर लेने आ गया। जब मैंने उससे नदी का नाम पूछा तो उसने कहा लाचू रिवर। जब मैंने उससे पूछा कि लाचू क्यों कहते हैं। तो उसने बताया तिब्बती भाषा में 'ला' का अर्थ होता है ईश्वर और 'चू' का अर्थ होता है पानी। अतः लाचू का अर्थ हुआ ईश्वरीय नदी, देव नदी, देव सरिता और इसी प्रकार से इस घाटी का भी नाम है लाचू घाटी। जब मैंने उससे दूर पर दिखने वाले आश्रम जैसे स्थान के विषय में पूछा तो उसने बताया वह चोकू गुम्पा अर्थात चोकू मठ है। उसने पहाड़ का भी नाम बताया-उस पहाड़ का नाम है 'नैनरी' और तिब्बती परम्परा के अनुसार वह पर्वत भगवान के पुत्र का महल है। जब मैंने पूछा, उस मठ या आश्रम की स्थापना किसने की तो उसने कहा कि उसे इस बात का ज्ञान नहीं है किन्तु हो सकता है कि यहाँ निवास करने वाले चरवाहों को पता हो। मैंने अपने याकों और कुत्तों के साथ चलने वाले चरवाहों से पूछा-तो उनमें सबसे बूढ़े चरवाहे की आँखें प्रसन्नता से चमक उठीं और वह बोला-यह बहुत विशिष्ट पहाड़ है। यहाँ पर भगवान के पुत्र हज़ारों देवी देवताओं के साथ निवास करते हैं। उनका नाम है 'सनकपा'। डेमचोक उनके

पिता और पार्वती उनकी माता हैं। यह लाचू नदी भी उनकी माता है। भगवान के पुत्र बड़े ही सरल और उदार हैं। किन्तु हैं बड़े बलवान। इनके समान संसार में कोई योद्धा नहीं है। एक बार इनको किसी बात से क्रोध आ गया तो इन्होंने एक पर्वत में इतने बाण मारे कि उसमें छलनी के समान हज़ारों छेद हो गये। इस नैनरी पर्वत में अनेक गुफाएँ हैं जहाँ पर अनेक ऋषिमुनि और देवता लोग अतिथि के रूप में रहा करते हैं इस पर्वत में रहने वाले लोग सभी ऋषि मुनि और देवता लोग बड़े दयालु हैं। वे लोग हमारे याकों और भेड़ों की रक्षा करते हैं। जब हम लोग बीमार हो जाते हैं तो वे लोग ही हमको ठीक कर देते हैं।

मैंने मठ की तरफ इशारा करते हुए पूछा–"वह स्थान क्या है? ऐसा लगता है कि वहाँ गुफा के अलावा और कुछ भी है। उसका निर्माण किसने किया? क्या अभी भी वहाँ कोई रहता है?" तो उसने उत्तर दिया, "बहुत समय पहले जब मनुष्य यहाँ पहुँचे भी नहीं थे तो यहाँ एक देवपुत्र–लामा आये। उनका नाम था–न्येन। वे बहुत ही ज्ञानी थे। अग्नि के समान प्रकाशमान थे। भगवान के पुत्र सनगपा ने उन्हें बहुत प्यार दिया और अपने महल में उन्हें एक मठ बनाने की आज्ञा दी और इस प्रकार सनगया की कृपा और आज्ञा से आदिकाल में न्येन ने इस मठ की स्थापना की। इस मठ के इष्ट देवता हैं भगवान अमिताभ।"

इस समय तक याक बहुत आगे जा चुके थे। उनको पकड़ने के लिए ये चरवाहे भी दौड़ कर आगे चले गये। हमारा पथ–प्रदर्शक तेजी से चलकर हमसे आगे चलने वाले लोगों की देखभाल करने चला गया। हमारे पीछे–पीछे चलने वाला तीर्थ यात्रियों का झुण्ड भी मेरे समीप पहुँच गया था। किन्तु इन दिव्य पहाड़ों, घाटी, नदी, आकाश और बादलों का सौन्दर्य इतना अनुपम था कि हम लोगों का मन उन्हीं को निहारने में डूबा हुआ था। किसी को भी किसी से बातचीत करने की इच्छा न थी। इधर मेरा मन अपने ही विचारों में डूबा हुआ था–ये भगवान के पुत्र कौन हैं? तिब्बती परम्परा के अनुसार अत्यन्त सरल और उदार होते हुए भी ये अत्यन्त बलवान और परम योद्धा हैं। डेमचोक इनके पिता और पार्वती इनकी माता हैं। लाचू देव नदी भी इनकी माता हैं। एक बार गुस्से में आकर इन्होंने पर्वत को अपने बाणों से विदीर्ण कर दिया था। वैदिक परम्परा में भी ऐसी कहानी मिलती है। भगवान सनत

कुमार ने शिवजी के पुत्र के रूप में जन्म लिया। उस समय शिव उनके पिता और पार्वती उनकी माता थीं। देवनदी गंगा भी उनकी माता थीं। क्रोधावेश में आकर जैसा कि वैदिक परम्परा में आता है–शिव पुत्र सनत कुमार (कार्तिकेय) या (एकन्द) ने अपने बाणों की बौछार से क्रौन्च पर्वत को विदीर्ण कर दिया था। यही सनक पाद ही पूर्वी भारत भूटान और तिब्बत में सनगपा कहे जाते हैं। तिब्बत में सनगपा का दूसरा नाम 'कोरपा' है। जो कुमार पा से निकला है। भारतीय परम्परा में सनत कुमार अर्थात् कार्तिकेय को कुमार भी कहा जाता है। मुझे एकाएक याद आ गया कि १९८३ में स्वामी जी ने मुझसे साफ–साफ कहा था कि हमारी परम्परा के आदि ऋषि हैं भगवान सनत कुमार। यह बात याद आते ही मुझे यह स्पष्ट हो गया कि यह लाचू नदी ही देव नदी गंगा है। कैलाश पर्वत के पश्चिमी भाग में विद्यमान नैनरी पर्वत ही भगवान सनत कुमार अर्थात् कार्तिकेय का मुख्य स्थान है। न्येन ही महर्षि अंगिरा हैं जो तिब्बत के स्थानीय लोगों के अनुसार अग्नि के समान तेजस्वी हैं। संस्कृत ग्रन्थों में भी महर्षि अंगिरा का ऐसा ही वर्णन आता है। उपनिषदों और पुराणों में यह कहानी आती है कि भगवान अंगिरा सनत कुमार जी के पास गये और उनसे उन्होंने ज्ञान प्राप्त किया। भगवान सनत कुमार को महर्षि अंगिरा पर अपार कृपा रही है। निश्चय ही यह हमारी परम्परा का मठ है। यह वही स्थान है जिसे स्वामी जी अपनी परम्परा की गुफा कहा करते थे।

मेरा हृदय भावनाओं से भर गया। मैंने अपनी पत्नी से कहा–मीरा! देखो स्थान कितना सुन्दर और शान्त है। कितना अच्छा होता कि यहाँ हम लोग आकर कुछ दिन ध्यान, भजन और साधना करते।

मीरा ने उत्तर दिया, "अब हम लोगों को इस संसार में करना ही क्या है? साधना के प्रारम्भिक भाग को सम्पन्न करके फिर यहाँ पर हम लोग आयें और अपनी साधना पूरी करें।" हम लोग इस प्रकार से बात कर ही रहे थे कि हम लोगों की दृष्टि पूर्व में स्थित कैलाश के मुख्य शिखर पर गयी। बादलों के बीच आँख मिचौनी करते हुए कैलाश पर्वत को देखकर हमारा माथा चकरा गया। मैंने देखा कि कैलाश शिखर पर एक महान और दिव्य द्वार है। मैंने मीरा और साथ के अन्य लोगों को शिखर देखने को कहा। उन सबके आश्चर्य का ठिकाना न रहा। सबके हाथ–पैर काँपने लगे। काँपती हुई वाणी से किसी ने पूछा कि क्या फोटो लेना उचित होगा। मैंने कहा क्यों नहीं।

हम लोगों का पुत्र ईशान और कई साथी आगे जाकर गुफा के नजदीक आराम कर रहे थे। मैंने उन लोगों को बुलाया कि वे लोग भी यहाँ आकर इस दिव्य द्वार का दर्शन करें। मैंने मीरा से कहा कि इस दिव्य द्वार के दर्शन का तात्पर्य यह है कि दरवाजा खुला है। इसका मतलब यह है कि हम लोग साधना करें। भगवान सदा शिव के दिव्य लोक में प्रवेश निश्चित है। अभी हम लोग इस दिव्य द्वार के रहस्य के विषय में बातचीत कर ही रहे थे कि इतने में क्या देखते हैं कि द्वार के भीतर बायीं तरफ सफेद वस्त्र पहने कोई पुरुष खड़ा है। हम लोग एक साथ बोल पड़े–यह कौन हो सकता है? स्वामी जी या उनके गुरुदेव? फिर मैंने सोचा इससे क्या फरक पड़ता है। यह द्वार, द्वार में खड़े ये दिव्य पुरुष हमसे लगभग चार-पाँच हज़ार फीट की ऊँचाई पर हैं। कैलाश पर्वत का वह शिखर भी एक मील दूर है। इस दिव्य झाँकी का भौतिक जगत से कोई सम्बन्ध नहीं है। साथ ही यह हमारे मन की कल्पना और शान्ति भी नहीं है क्योंकि इसे मैं अकेला नहीं बल्कि सब लोग देख रहे हैं। हम सबने सिर झुका कर श्रद्धा पूर्वक प्रणाम किया।

एक बार फिर मैंने कहा–जिन्होंने हम लोगों को बुलाया था उनके दर्शन हो गये। उन्होंने हम लोगों को अपनी गुफा भी दिखला दी। हमारा लक्ष्य पूरा हो गया। इसके बाद की परिक्रमा यदि वे पूरा करा देते हैं तो भी ठीक है नहीं कराते हैं तो भी ठीक है।

अभी हम लोग इस प्रकार से बात कर ही रहे थे कि एकाएक हमारे साथ यात्रा में चलने वाली सेंडी एण्डरसन नाम की महिला एकाएक चिल्ला पड़ी–"देखो! यह क्या है।" उसने एक सुन्दर पत्थर का टुकड़ा उठाया जिसमें संस्कृत भाषा में खुदा हुआ था 'ईशान'। ल्हासा से कैलाश पर्वत तक चलते समय रास्ते में हम लोगों ने हज़ारों ऐसे पत्थर के टुकड़े देखे थे जिस पर तिब्बती भाषा में मन्त्र लिखे थे। अधिकतर उन पत्थरों पर ओम मणि पद में हुम लिखा रहता था। वह भी तिब्बती लिपि में। इससे मेरा विश्वास और भी पक्का हो गया कि हम लोग उस स्थान पर पहुँच गये हैं जहाँ पर बाबाजी और स्वामी जी रहा करते हैं। भगवान शिव के अष्टमूर्ति में एक ईशान भी है जो भगवान सूर्य का साक्षात रूप है। सूर्य रूप में प्रकाशित होने वाले भगवान शिव ही प्रकाश के स्रोत हैं। तिब्बती बौद्ध परम्परा में इन्हीं को अमिताभ कहा जाता है। अमिताभ यानि जिसके प्रकाश की कोई सीमा न हो।

अभी हम लोग उस दिव्य द्वार, उसके बीच में खड़े हुए योगीश्वर और पत्थर पर खुदे हुए ईशान सम्बन्धी अनुभव को आत्मसात भी नहीं कर पाये थे कि अगम-अगोचर देवाधिदेव के दर्शन से हम लोगों की अन्तर्आत्मा स्तम्भित-सी हो गयी। यह दिव्य रूप विचित्र ही था। पूरा का पूरा पर्वत भगवान शिव के त्रिनेत्र में बदल गया। आँखें इतनी तीक्ष्ण और आकर्षक कि जैसे हम लोग उसी में समाहित हो जायेंगे। घनी भौंहें, विशाल चौड़ा मस्तक। हम लोग बिल्कुल आश्चर्य के समुद्र में डूब से गये। बच्चों की भाँति बार-बार यह मन में आता कि भला यह सम्भव कैसे है। फिर भीतर से आवाज आती- इसमें आश्चर्य क्या? सर्व समर्थ परमात्मा के लिये असम्भव क्या हो सकता है। क्या यह पहली बार केवल हम लोगों को ही ऐसा अनुभव हो रहा है? हमसे पहले पता नहीं कितनों को भगवान शिव के त्रिनेत्र का साक्षात्कार हुआ है। समूचे नेपाल, सिक्किम, भूटान, भारत वर्ष, श्रीलंका और यहाँ तक कि बर्मा, मलेशिया आदि देशों में भी लिखे हुए ग्रन्थों में भगवान शिव के तीन नेत्रों की चर्चा आती है। तिब्बत के मठों में इस त्रिनेत्र के चित्र बने हुए मिलते हैं। कला को भी सत्य का सहारा चाहिए। कल्पना भी सत्य के ही गर्भ से जन्म लेती है। और वह सत्य है यह कैलाश पर्वत।

हम लोगों में से किसी को भी यह साहस नहीं हो रहा था कि अपने कैमरे को उस त्रिनेत्र की तरफ कर सकें। फिर मेरे मन में एक विचार आया कि यदि यह दिव्य दृश्य हम सबके लिए समान रूप से दिखायी पड़ रहा है तो इसका तात्पर्य है कि यहाँ पर निवास करने वाले ऋषिगण यह चाहते हैं कि फोटो के माध्यम से परमात्मा की यह दिव्य झाँकी प्राप्त करके जिज्ञासु साधक लोग लाभान्वित हों। यदि मेरी समझ में कुछ खोट है तो कैमरे में यह दिव्य झाँकी आ ही न सकेगी। ऐसा सोचकर मैंने अपने साथ चलने वालों को कहा कि वे लोग फोटो ले लें। जब फोटो धुलवाया गया तो उसको देख कर हम सब उछल पड़े। वह दिव्य द्वार, उसके भीतर खड़े हुए योगीश्वर और वे त्रिनेत्र सब-के-सब अपने अपार सौन्दर्य और रहस्य को समेटे स्पष्ट रूप से दिखायी पड़ रहे थे।

कैलाश पर्वत और मानसरोवर की यात्रा करने के पहले पूज्य स्वामी जी ने अपने गुरुदेव और परम गुरुदेव के विषय में जो कहानियाँ बतायी थीं वे केवल कहानी जैसी लगती थीं। लेकिन कैलाश पर्वत का दर्शन होते ही स्वामी जी के शब्द यथार्थ तत्व में बदल गये। कैलाश पर्वत के पश्चिमी घाटी

में प्रवाहित होने वाली लाचू नदी को गंगा कहने में स्वामी जी का क्या भाव था। शास्त्रों के अनुसार गंगा देव नदी है। वे भगवान शिव की जटा से प्रवाहित होती हैं। और भगवान शिव का निवास कैलाश पर्वत पर है। जिस प्रकार से हिमालय के हिम शिखरों से प्रवाहित होने वाला जल स्त्रोत तिब्बत, नेपाल और भारत की भूमि को सींचता हुआ अन्ततः समुद्र में मिल जाता है उसी प्रकार से इन उत्तुंग शिखरों में निवास करने वाले ऋषियों, मुनियों की ज्ञान गंगा समस्त प्राणी मात्र के चित्त भूमि को सींचती हुयी परब्रह्म परमेश्वर रूपी अनन्त सागर में मिल जाती है। यह ज्ञान गंगा पृथ्वी पर उत्पन्न सभी संस्कृतियों और समाजों में पलने वाले मनुष्यों के चित्त को सींच कर हरा भरा बनाती है। आज चोकू मठ और गुफा का सम्बन्ध बौद्ध परम्परा से है तो क्या इसका मतलब हुआ कि क्या बाबाजी बौद्ध थे? भारतीय परम्परा के अनुसार कैलाश पर्वत भगवान शिव का निवास स्थान है। यहाँ पर रहकर बाबाजी ने तपस्या की। तो क्या इसका मतलब हुआ कि बाबाजी शैव थे। गंगोत्री में निवास करते समय बाबाजी भैरव घाटी में स्थित भैरव मन्दिर में रहा करते थे। तान्त्रिक परम्परा में भगवान शिव की भैरव के रूप में आराधना होती है। चूँकि बाबा जी ने भैरव जी की उग्र तपस्या की तो इसका मतलब हुआ कि वे तान्त्रिक योगी थे। पूज्य स्वामी जी के द्वारा लिखे गये ग्रन्थों से विदित होता है कि बाबाजी संन्यासी थे और उनकी दीक्षा शंकराचार्य सम्प्रदाय में हुई थी। तो क्या इसका मतलब हुआ कि शंकराचार्य की भाँति बाबाजी अद्वैत वेदान्ती थे। इन सब प्रश्नों का उत्तर स्वामी जी ने एक बार नहीं सैकड़ों बार संक्षेप में किन्तु स्पष्ट शब्दों में दिया है। स्वामी जी बार-बार लिखते हैं, "ऋषि मुनिगण किसी संस्कृति, सभ्यता और धर्म सम्प्रदाय में सीमित नहीं रहते। उनका नाता केवल ईश्वर से होता है। वे वायु की भाँति चलते हैं। उनको कोई पकड़ नहीं सकता। बाँध नहीं सकता। उनका धर्म तो प्रेम का धर्म है। उनकी भाषा भी अमानुषी है। ये लोग सन्ध्या भाषा योग परम्परा की रहस्यमयी भाषा में बात करते हैं। जो योग सिद्ध नहीं है, योगारूढ़ भी नहीं है वह भला इन सन्तों को क्या समझ पायेगा।"

बाबाजी के विषय में हम दृढ़ता के साथ इतना ही कह सकते हैं कि वे हिमालय के एक परम सन्त हैं। उनकी आत्मा वैसे ही शुद्ध और पवित्र है जैसे कि हिमालय के हिमशिखर। बाबाजी अमर हैं। अपने आध्यात्मिक आनन्द में मस्त रहते हुए कभी-कभी शरीर धारण कर लिया करते हैं और

हम सामान्य जनों के बीच में घूमा करते हैं। किन्तु उनको पहचानने वाले, उनकी कृपा को पूर्णरूप से आत्मसात करने वाले भवाल संन्यासी, स्वामी रामतीर्थ, स्वामी शिवानन्द (गंगोत्री वाले); सर जान वुडरफ और स्वामी राम जैसे प्रबुद्ध योगी बहुत कम ही होते हैं।

१९७६ से ही स्वामी जी ने मुझे कई बार आश्वासन दिया कि वे मुझे अपने गुरुदेव के पास ले चलेंगे। जब १९८२ में मुझे पता चला कि बाबाजी ने हिमालय के तुंगनाथ नामक सिद्धपीठ के पास अपना शरीर त्याग दिया तो मैं बहुत दुखी हुआ। मैंने सोचा कि देखो स्वामी जी ने अपना वचन पूरा नहीं किया। लेकिन फिर भी मुझे यह आभास हुआ कि इस प्रकार के दिव्य सन्त जन्म मृत्यु से परे होते हैं क्योंकि १९८३ में जब मैं 'लिविंग विथ द हिमालयन मास्टर्स' का अनुवाद कर रहा था तो स्वामी जी ने फिर से कहा–मैं तुम्हें गुरुदेव के पास ले चलूँगा। १९९६ में पूज्य स्वामी जी ने अपना शरीर छोड़ दिया। और एक बार फिर से मेरे मन में भाव आया कि अब मुझे परम गुरुदेव के दर्शन कैसे होंगे। स्वामी जी के वचन का क्या होगा? दो वर्ष बाद स्वामी जी ने स्वप्न में मुझे फिर से अपने दिए हुए वचन को याद दिलाया। उन्होंने मुझे कैलाश पर्वत आने को कहा। जब मैं वहाँ गया तो कैलाश पर्वत पर प्रगट होने वाले उस दिव्य द्वार के भीतर मैंने किसी सन्त को खड़े देखा। कैलाश पर्वत पर मेरी स्वामी जी से या परम गुरुदेव से भेट हुई या नहीं, यह प्रश्न तो मुझे पहले स्वयं ही आत्मसात करना होगा। और सम्भवतः तर्क–वितर्क में फँसी बुद्धि के स्तर पर इसका उत्तर मैं स्वयं भी नहीं पा सकूँगा। लेकिन यह मैं अवश्य जानता हूँ कि पूज्य स्वामी जी का पालन–पोषण करने वाला, उनके जीवन को दिशा प्रदान करने वाला यह दिव्य सन्त कैलाश वासी है। उसी कैलाश वासी ने स्वामी जी को संसार के अथाह सागर में फेंक कर तैरना सिखाया। यह सिखाया कि सुख–दुख, हानि–लाभ और मान–अपमान से भरे हुए जगत में कैसे शान्तिपूर्वक जिया जाता है। सभी द्वन्द्वों से ऊपर उठकर परमात्मा का भजन करते हुए जीवन के परम लक्ष्य को प्राप्त कैसे किया जाता है।

एक दिन अपने अज्ञान के झोंके में मैंने स्वामी जी से पूछा "आप ने बाबाजी के साथ इतना समय बिताया" स्वामी जी मेरी तरफ देखते हुए बोले, "जिसके पास परमात्मा के अलावा और किसी के लिए समय नहीं है उसके साथ तुम कैसे समय बिता सकते हो।" बाबाजी व्यर्थ के प्रश्नों में रुचि नहीं

लेते थे। और किसी को तब तक साधना का उपदेश नहीं देते थे जब तक कि साधक पूर्णरूप से साधना के लिए तैयार न हो गया हो। बाबाजी प्रायः स्वामी जी को अन्य महात्माओं के पास भेजते थे जहाँ पर उन महात्माओं के चरणों में बैठ कर स्वामी जी ने नम्रता, सरलता, अनुशासन और तत्पर होकर साधना करने की शिक्षा ली। बाबाजी ने स्वामी जी को यह कभी नहीं कहा कि स्वामी जी उनमें या अन्य किसी में श्रद्धा-विश्वास करें। बाबाजी ने स्वामी जी के लिए ऐसी परिस्थितियाँ पैदा कीं कि स्वामी जी अपनी श्रद्धा और विश्वास को तर्क की अग्नि में तपा कर चमका सकें। अपने व्यक्तिगत अनुभव के प्रकाश में उसकी सत्यता को देख सकें। बाबाजी ने स्वामी जी को सन्तों के पास रहने के लिए भेजा। उसमें से कुछ सन्त सच्चे, कुछ फरजी और कुछ पाखण्डी थे। बाबाजी ने स्वामी जी को, राजनीतिज्ञों, व्यापारियों, विद्वानों, कलाकारों और कथा भागवत सुनाने वाले प्रवचनकारों के पास भेजा ताकि स्वामी जी उन सब लोगों के सानिध्य में रह कर जीवन के सत्य को व्यापक स्तर पर समझ सकें। बाबाजी ने स्वामी जी को ऐसे-ऐसे अवसर प्रदान किये ताकि स्वामी जी निवृत्ति और प्रवृत्ति मार्ग में मिलने वाले सभी सुखों और दुखों, अच्छाइयों और बुराइयों का सामना कर अपने आप से अनुभव करें कि कौन-सा मार्ग ठीक है। किस मार्ग से चलकर मनुष्य इहलोक और परलोक दोनों ही लोकों में सुख और शान्ति का अनुभव कर सकता है।

बाबाजी का कहना था कि संसार को तभी त्यागो जब तुम्हें अपने अनुभव से ज्ञान हो जाये कि संसार निस्तत्व और स्वादहीन है। संसार से भागकर, बिना जाने-समझे अध्यात्म के पीछे दौड़ने से मनुष्य के हाथ में केवल दुख ही दुख आता है। जीवन जीने की एक पद्धति को छोड़, दूसरी पद्धति को अपना लेने से कोई सोचे कि हमारे सभी दुखों का अन्त हो जायेगा तो यह केवल भ्रम मात्र है। इसी प्रकार से केवल यह कहने मात्र से कि मेरे गुरु महाराज महान हैं और मेरे भगवान सर्वशक्तिमान हैं—कोई शान्ति और सुख प्राप्त नहीं कर सकता। इसे प्राप्त करने के लिए मनुष्य को सर्वप्रथम अपने मन के ही रहस्य को जानना होगा। उसे यह जानना होगा कि मन क्यों और किस स्थिति में, सांसारिक प्रलोभनों की तरफ भागता है। वही मन फिर अध्यात्म की तरफ क्यों दौड़ने लगता है। केवल संसार से भाग कर जंगलों और गुफाओं में रहने से ही इस रहस्य का उद्‌घाटन नहीं हो सकता। बड़े ज्ञानी, ध्यानी, साधू-महात्माओं के आसपास चक्कर लगाने से भी इस रहस्य

का उद्घाटन सम्भव नहीं है। बल्कि जरूरत इस बात की है कि पहले आप अपने मन को शान्त, पवित्र और अनुशासित करें। मन में भरे संस्कारों और वासनाओं को जितना हो सके त्यागें। बची हुयी वासनाओं को परिष्कृत करें। अपनी वृत्तियों को बदलें ताकि संसार में रहते हुए भी संसार से प्रभावित न हो सके।

बाबाजी के अनुसार अध्यात्म का अर्थ है–आत्म परिवर्तन और अन्तर्विजय के मार्ग पर चलना। चाहे हम अध्यात्म में रुचि रखते हों या नहीं किन्तु किसी–न–किसी समय हमें अपने इस अन्तर्जगत में जाना ही होगा और विजय को प्राप्त करना ही होगा। बिना इसके हम रह ही नहीं सकते। बाबाजी ने स्वामी जी को तीव्र प्रवाह से बहने वाली नदी की धारा में तैरना सिखाया और यह सिखाया कि मनुष्य इस जीवन नदी में तैरते हुए बिना सुख–दुख के भँवर में फँसे अनन्त और अगाध सागर रूपी परमात्मा तक कैसे पहुँच सकता है। बाबाजी ने स्वामी जी को वह कला दी, वह विद्या दी जिसके द्वारा स्वामी जी हर परिस्थिति में, हर काल में, हर स्थान में सुख और शान्ति का जीवन बिता सकें। यही कारण है कि स्वामी जी चाहे कैलाश पर्वत पर हों या टोकियो और न्यूयार्क में हों, उन्हें हर जगह आनन्द ही आनन्द है। व्यग्रता और उद्विग्नता के लिए कुछ भी स्थान नहीं है। बाबाजी ने स्वामी जी को इस प्रकार से शिक्षा दी, ऐसी साधना पद्धति दी, कि स्वामी जी जीवन की हर परिस्थिति में दैवी–संगीत का आनन्द लेने लगे। सन्तों महात्माओं से निःस्वार्थ प्रेम मिलने में और लोगों के द्वारा ठगे जाने में भी सुख का ही अनुभव करते थे। स्वामी जी समरसता की इस स्थिति में पहुँचे इसके पीछे एक ही महान शक्ति है वह है बाबाजी की कृपा।

ऐसे महान बाबाजी की याद करते हुए स्वामी जी स्वयं अपने हाथों से लिखते हैं "आपके सदृश कौन अद्वितीय महापुरुष हो सकता है जो सुख और दुख दोनों को ही मेरे जीवन संगीत में सँजो कर मुझे सभी द्वन्द्वों से परे जीवन के सर्वोच्च शिखर पर आसीन होने की क्षमता प्रदान करता है। आपके सन्देश को हृदयंगम कर लेने वाले साधकों को भय नहीं रह जायेगा। अतएव आज कृतज्ञता का यह पुण्य पुष्प अपने आपको आपके ही चरण कमलों में समर्पित करता है।"

अध्याय

३

सन्तों के संग निवास

स्वामी जी अपने हर सत्संग और प्रवचन में कहा करते थे कि आप लोग दिव्य आत्मा हो। आप को जरूरत है केवल मनुष्य बनने की। स्वामी जी के इस वक्तव्य का मैंने बहुत दिनों तक मनन किया किन्तु मैं उसका भावार्थ न समझ सका। बीस साल बीत गये। स्वामी जी का अन्तिम क्षण नज़दीक आ गया। उन दिनों वे अस्वस्थ चल रहे थे। मैं कोशिश किया करता था कि मैं अधिकतर उन्हीं के पास रहूँ। जितना भी बन पाता था उनकी सेवा किया करता था। साथ ही उनके क्रियाकलापों को ध्यान से देखा करता था। मैंने देखा कि स्वामी जी संसार में रहकर संसारी लोगों जैसी बात और व्यवहार इतने अच्छे ढंग से करते थे कि उनके अन्दर क्या छिपा है, यह कोई नहीं देख पाता था। अपने दिव्य रूप को वे सदा ही छिपाकर रखते थे।

शरीर छोड़ने के ९ वर्ष पहले स्वामी जी ने एक विशाल अस्पताल, मेडिकल कालेज और नर्सिंग स्कूल की स्थापना की। साथ ही आसपास के सैकड़ों गावों में शिक्षा, स्वास्थ्य आदि से सम्बन्धित मानव-सेवा का कार्य प्रारम्भ किया। यह महान कार्य देहरादून और ऋषिकेश के बीच शुरू हुआ। १९९४ तथा १९९६ के बीच यह कार्य अपने पूर्ण रूप को प्राप्त हुआ। उस समय हज़ारों लोगों का आना-जाना शुरू हुआ। वहाँ पर हर प्रकार के पेशे वाले लोग आने-जाने लगे-डॉक्टर, प्रोफेसर, व्यवसायी लोग, महात्मागण तथा राजनीतिज्ञ। दिन और रात भक्तों और प्रशंसकों की लम्बी भीड़ खड़ी रहती थी। लोग फूल-माला लिये सैंकड़ों की संख्या में स्वामी जी के दर्शन की प्रतीक्षा किया करते थे। जब स्वामी जी की लोग इस प्रकार से पूजा कर

रहे थे उसी समय कितने ही स्थानीय टटपूँजिये नेता लोग स्वामी जी के विषय में गन्दी-गन्दी अफवाहें भी-उड़ा रहे थे। ये नेता क्या एक प्रकार से गुण्डे और बदमाश थे। भोले-भाले ग्रामीणों को बहका कर उन्हें स्वामी जी के विरुद्ध करने की कोशिश किया करते थे। इस प्रकार के लोगों ने यह अफवाह उड़ायी कि स्वामी जी सी.आई.ए. के एजेन्ट हैं। इतना सारा पैसा अमेरिका से लाकर हम भारतीयों के ऊपर पश्चिमी सभ्यता को थोपने का प्रयास कर रहे हैं। कभी-कभी तो इस प्रकार के लोग सैंकड़ो की संख्या में आते-जाते और नारा लगाते "हम भारतियों की सन्तान हैं। हमें अस्पताल नहीं चाहिये। हमें सुखसुविधा नहीं चाहिये, हमें अपना गौरव चाहिये।" आदि-आदि मैं शान्त भाव से यह सब देखता रहा। और मन-ही-मन आह्लादित होता रहा कि मैं कितना भाग्यवान हूँ कि मुझे निन्दा, प्रशंसा, सुख-दुख और मान-अपमान से परे इतने महान सन्त के चरणों का आश्रय मिला। उन दिनों मुझे अनुभव हुआ कि स्वामी जी के इस कथन का, कि आप दिव्य आत्मा हो का क्या तात्पर्य है आप को केवल कोशिश करना है अपने अन्दर के मनुष्यत्व के आधान करने का। मैंने देखा कि इस महान सन्त के भीतर दिव्य आत्मा शान्त भाव से विराजमान होकर ईश्वरीय आनन्द में निमग्न है और साथ ही उनके अन्दर पूर्णरूप से विकसित मनुष्य निन्दा प्रशंसा आदि द्वन्द्वों से प्रभावित हुए बिना उस दिव्य ज्योति की सेवा में संलग्न है।

संसार के सभी देशों और सभ्यताओं में देवासुर संग्राम की कहानी पायी जाती है। इन कहानियों में दर्शाया गया है कि जब देवताओं और असुरों के बीच युद्ध हुआ तो पहले देवता लोग हार गये। पराजित होने के बाद देवता लोग स्वर्गलोक छोड़कर पहाड़ों और जंगलों में जाकर तपस्या करने लगे। बहुत काल तक तपस्या की, यज्ञ किये, जप और ध्यान किये। देवताओं की आध्यात्मिक साधना से प्रसन्न होकर परमब्रह्म परमेश्वर ने दर्शन दिया। ईश्वर की कृपा से देवता लोग फिर से अपने तेज़ और बल को प्राप्त हुए। ईश्वर की कृपा से उन परिस्थितियों में उच्च कोटि के सन्त सामने आये। उन सन्तों-ऋषियों ने देवताओं का मार्गदर्शन किया। ऋषियों के द्वारा बताये मार्ग पर चलकर देवगणों ने अपने ऊपर विजय प्राप्त की। निर्भयता और आत्मविश्वास को अर्जित किया। ऋषियों ने बताया कि संकल्प शक्ति का विकास कैसे किया जा सकता है। संकल्प के माध्यम से उन्होंने फिर से अपने अन्दर छिपी हुई अन्य शक्तियों को विकसित किया। अपने ही अन्दर प्रवेश करके उन्होंने

देखा कि वे दैवी शक्ति से भरपूर हैं। उनके अन्दर असुरों को पराजित करने की शक्ति है। उन्हें अनुभव हुआ कि उनके ऊपर ईश्वर की पूरी कृपा है। फिर क्या था–आत्मविश्वास की ज्योति जगी। आत्मविश्वास के प्रकाश में उनका भीतरी और बाहरी जगत जगमगाने लगा। ऋषियों का आशीर्वाद और ईश्वर की कृपा की पूँजी को अपने हृदय में लिये असुरों को पराजित करने के लिए चल पड़े और अबकी बार इस देवासुर संग्राम में विजयी हुए।

इन कहानियों का सारांश यह है कि हमारे अन्दर यह देवासुर संग्राम सदा से ही चलता आ रहा है। निर्भयता और आत्मविश्वास के द्वारा हम अपनी हीन भावनाओं पर विजय प्राप्त करते हैं। अपने अन्दर छिपे हुए पशु और पशुत्त्व वृत्ति पर नियन्त्रण प्राप्त कर सकते हैं। ऐसा होने के बाद ही हम सच्चे अर्थों में मनुष्य बन पाते हैं। इसी को कहते हैं आत्मविकास। इसी आत्मविकास की चरम अवस्था में हमें यह अनुभव होता है कि हमारा सच्चा स्वरूप दिव्य है। हम अपने आप में पूर्ण हैं। हमें इस पूर्णत्त्व को प्राप्त करने के लिए बाहर नहीं दौड़ना है। आत्मविकास की प्रक्रिया धीरे-धीरे शुरू होती है और धीरे-धीरे परिपक्व होती है। इस प्रक्रिया के पूर्ण होने पर हमारे अन्दर ऐसा परिवर्तन आता है कि हमारा भीतरी और बाहरी जगत सुखमय और शान्तिमय हो जाता है। स्वामी जी प्रायः कहा करते थे कि जीवन का लक्ष्य है कि अपने आप को जानो। जीवन का लक्ष्य है कि अपने अन्दर ही दैवी शक्ति को खोज कर दिव्य बन जाओ। इसके लिए पहले अपनी हीन भावनाओं का संशोधन करो। दुर्बलताओं को त्याग कर सबल बनो। तुम ईश्वर के अंश हो। ईश्वरी प्रकाश और आनन्द से भरपूर हो। अतः अपने से बाहर किसी काल्पनिक ईश्वर के पीछे तुम्हें भागने की कोई जरूरत नहीं है। जरूरत है केवल हीन वृत्तियों से मुक्त होने की। जरूरत है केवल यह जानने की कि प्रेममूर्ति, आनन्दस्वरूप परमात्मा तुम्हारे अन्दर नित्य बैठा मुस्करा रहा है। तुम्हारे सभी कर्मों को साक्षी भाव से देख रहा है। और तुम उसी दिव्य आत्मा परमेश्वर की सन्तान हो।

बाबाजी और स्वामी जी की जीवन गाथा को जब मैं सामने रखकर देखता हूँ तो स्पष्ट पता चलता है कि बाबाजी ने अपने प्रिय भोले को एक मानव के रूप में विकसित होने की कामना की। बाबाजी ने अपने भोले को यह शिक्षा दी कि अपने ही भीतर प्रवेश करके उस दिव्य ज्योति को देखो

जिसके प्रकाश में यह पूरा भीतरी और बाहरी जगत प्रकाशित हो रहा है। किन्तु बाबाजी के लिए यह इतना सरल काम नहीं था क्योंकि भोले बाबाजी के पास किसी जिज्ञासु साधक के रूप में नहीं आये थे। इन दोनों के बीच में केवल गुरु और शिष्य का ही सम्बन्ध नहीं था। भोले के लिए बाबाजी एक पिता और मित्र भी थे। साथ ही बाबाजी यह नहीं चाहते थे कि अध्यात्म के चक्कर में भोले का बालपन व्यर्थ हो जाय। जीवन की सम्पूर्णता का अनुभव करने के लिए यह आवश्यक था कि भोले का विकास एक सामान्य बालक की भाँति हो। वह किशोरावस्था को प्राप्त करें। अपनी गलतियों से शिक्षा प्राप्त करें और जीवन में अपने व्यक्तिगत अनुभवों के आधार पर निर्णय लेना सीखें। यही कारण था कि बाबाजी ने भोले के लिए ऐसे वातावरण का निर्माण किया जिसमें भोले की सभी छिपी हुई वृत्तियाँ जागृत हो सकें ताकि भोले की उद्दण्डता, अधीरता, दया, करुणा, आज्ञाकारिता आदि वृत्तियों का साक्षात अनुभव हो सके।

भोले बचपन में बहुत चंचल थे। उनके अन्दर चंचलता मानो कूट-कूट कर भरी थी। बाबाजी अच्छी तरह जानते थे कि भोला उन्हें बेवकूफ बनाने की कोशिश करता है। किन्तु बाबाजी ऐसा नाटक करते मानो उन्हें कुछ पता ही न हो। एक बार बाबाजी भोले के साथ ऋषिकेश से आगे नरेन्द्रनगर के पास रह रहे थे। आधी रात के समय एकाएक बाबाजी बोले-"भोलिया चल! अब हम चलते हैं।" भोले को पता था कि एक बार यदि बाबाजी के मन में चलने का विचार आ गया तो उन्हें कोई भी नहीं रोक सकता। भयंकर ठण्ड पड़ रही थी। धूनी को छोड़कर भोले जाना नहीं चाहते थे फिर भी उन्होंने बाबाजी की आज्ञा का पालन किया। उन्होंने बाबाजी को कम्बल से लपेट दिया और उस कम्बल को काँटों से टाँक दिया ताकि कम्बल उनके शरीर पर रुका रहे। फिर दोनों लोग चल पड़े। चलते-चलते शहर के भीतर गोल चक्कर पर पहुँचे। शहर बिल्कुल सुनसान पड़ा था। भोले को पता था कि बाबाजी को अपने शरीर का बिल्कुल पता नहीं है और यह भी नहीं पता है कि वह हैं कहाँ। इस लिए भोले ने बाबाजी को उसी गोल चक्कर पर कई बार घुमाकर उसी रास्ते पर लेकर चलने लगे जिससे कि होकर वे शहर तक आये थे। थोड़ी देर में फिर से वहीं पर पहुँच गये जहाँ से चले थे। धूनी अभी भी जल रही थी। आग को देखकर भोले चिल्लाकर बोल पड़े "देखो देखो! यहाँ पर आग है। हम लोग यही पर थोड़ी देर बैठ जायें।" बाबा जी भी बैठ

गये। प्रातःकाल जब बाबाजी ने अपनी आँखें खोलीं तो बोले–"भोलिया! हम लोग पूरी रात भर चले फिर भी घूम फिरकर उसी स्थान पर कैसे बने रहे?"

भोले ने उत्तर दिया, "क्यों कि मैंने आपको ठग लिया। बच्चों की तरह बाबाजी खूब हँसे।"

लेकिन अन्य दूसरे मौकों पर बाबाजी भोले के साथ कड़ाई का व्यवहार करते थे। उदाहरण के लिए एक बार ऋषिकेश में निवास करते समय बाबाजी और भोले गंगाजी नहाने जा रहे थे। रास्ते में हलवाई की दूकान पड़ती थी। सुबह का समय था, हलवाई जलेबी बना रहा था। जलेबी देखकर भोले चिल्ला पड़े–"मुझे जलेबी खानी है।" बाबा जी बोले, "पहले स्नान करके सन्ध्योपासना कर लोगे तब जलेबी मिलेगी।" लेकिन भोले अपने हठ पर अटल हो गये। रोना–धोना शुरू हो गया। फिर भी जलेबी नहीं मिली तो जमीन पर लोटना शुरू कर दिया। बाबाजी डाँटते हुए बोले, "एक बार मैंने न कह दिया तो कह दिया। अपना होश हवाश ठिकाने रखो।" यह सब तमाशा देखकर हलवाई को दया आ गयी। उसने भोले को जलेबी देनी चाही किन्तु बाबाजी हस्तक्षेप करते हुए बोले, "नहीं इसे अभी जलेबी नहीं मिल सकती।" भोले की ओर देखते हुए बाबाजी बोले, जलेबी देखकर मुँह में पानी आ गया। पहले चलकर स्नान करो। उसके बाद सन्ध्या पूजन करो। फिर तुम्हें कुछ मिल सकता है।" भोले अभी भी अपने हठ पर अड़े रहे। धूल से भरी सड़क पर लोटते रहे। बाबाजी सड़क के किनारे बैठकर भोले का रोना गाना सुनते रहे। इसी बीच एक ट्रक आया और भोले के ठीक सामने ट्रक को खड़ा करके ड्राइवर ने हार्न बजाना शुरू किया। भोले ने सोचा कि यदि वे अभी भी ट्रक के सामने सड़क पर लेटे–लेटे रोते रहे तो बाबाजी डर के नाते उन्हें उठा लेंगे और रोना बन्द कराने के लिए जलेबी दे देंगे। किन्तु बाबाजी ने बिल्कुल इसका उल्टा किया। ड्राइवर की तरफ देखकर बाबाजी ने कहा, "चढ़ा दो ट्रक इस बदमाश के ऊपर।" बाबाजी की बात सुनकर ड्राइवर ने पागलों की तरह हार्न बजाना शुरू किया और धीरे–धीरे भोले के नजदीक ट्रक को ड्राइव करता हुआ लाया। अन्त में भोले उठकर सड़क से भागे। बाबाजी बोले, "अगर अब रोने–गाने का काम खत्म हो गया हो तो चलकर नहाओ।" इसके बाद भोले ने स्नान किया। नहाने के बाद बाबाजी ने जलेबी दी।

बाबाजी ने कभी–कभार ही भोले हो अनुशासन की शिक्षा दी। वे भोले को प्रेम और स्नेह ही देते थे। अनुशासन का काम भोले के बड़े गुरुभाई स्वामी शिवानन्द महाराज का था। स्वामी शिवानन्द जी बाबाजी के श्रेष्ठ शिष्यों में थे और अधिकतर गंगोत्री में निवास किया करते थे। शिवानन्द जी उच्चकोटि के विद्वान और महान योगी थे। संस्कृत, हिन्दी और बंगाली भाषाओं पर उनका पूरा अधिकार था। उनका सबसे प्रसिद्ध ग्रन्थ "सुगम साधन पन्थ" है। इस ग्रन्थ का हिन्दी अनुवाद भी हो चुका है। इस ग्रन्थ को पढ़ने से हम यह अनुमान लगा सकते हैं कि स्वामी शिवानन्द का भक्ति ज्ञान और वैराग्य की स्थिति कितनी ऊँची रही होगी।

समय–समय पर बाबा जी भोले को शिवानन्द जी से संस्कृत और आध्यात्मिक ग्रन्थों को पढ़ने के लिए गंगोत्री भेजा करते थे। शिवानन्द जी बहुत अनुशासित महात्मा थे और दूसरों को भी अनुशासित देखना चाहते थे। किन्तु भोले को अनुशासन और तपस्या का जीवन बिल्कुल पसन्द न था। भोले जिद्दी भी थे इसलिए शिवानन्द जी का भोले को पढ़ाना इतना सरल नहीं था। भोले के बर्ताव से तंग आकर शिवानन्द जी भोले को बाबाजी के पास भेज देते थे। बड़े होने पर भोले ने अनुभव किया कि तपस्या और अनुशासन का जीवन में कितना महत्व है। साथ ही यह भी अनुभव हुआ कि स्वामी शिवानन्द जी महाराज उन्हें कितना प्यार करते थे। स्वामी शिवानन्द जी को भोले (स्वामी जी) बाबाजी के ही समान सम्मान करते थे। 'सुगम साधन पन्थ' का हिन्दी अनुवाद स्वामीजी (भोले) के ही देखभाल में हुआ और १९६५ में इलाहाबाद से इसका प्रकाशन हुआ।

इस ग्रन्थ की प्रस्तावना उन्होंने स्वयं लिखी। इस प्रस्तावना में स्वामी जी ने शिवानन्द जी के प्रति जो अपने भावों को व्यक्त किया है उससे स्पष्ट पता चलता है कि स्वामी जी के जीवन में स्वामी शिवानन्द जी महाराज का कितना महत्वपूर्ण स्थान है।

स्वामी शिवानन्द जी के अनेक भक्त थे। वे अधिकांश भक्तगण सिंध क्षेत्र में रहा करते थे। जो अब पाकिस्तान का भाग है। जाड़ों के दिनों में जब गंगोत्री में खूब ठण्ड पड़ने लगती थी तो स्वामी शिवानन्द जी पंजाब और सिंध क्षेत्र में भ्रमण किया करते थे। उन दिनों स्वामी दयानन्द और उनके अनुयायियों के सत्प्रयास से पंजाब में वैदिक धर्म और ज्ञान विज्ञान का खूब

प्रचार-प्रसार हुआ था। इस क्षेत्र में अनेक सूफी और मुसलमान सन्त भी हुआ करते थे। स्वामी शिवानन्द जी के साथ इस क्षेत्र में भ्रमण करते समय स्वामी जी ने यह अनुभव किया कि सच्चे सन्त-महात्मा साम्प्रदायिक बन्धनों से मुक्त होते हैं। स्वामी जी ने इस प्रसंग में मुझे एक सूफी सन्त के विषय में बताया। इन सूफी महात्मा का नाम था शहंशाह। ये आगरा में रहा करते थे। ये प्रायः बादशाहों जैसा वस्त्र पहनते थे इसलिये इन्हें लोग शहंशाह कहते थे। शहंशाह अपने आप में एक रहस्य थे। उनका कोई निश्चित स्थान नहीं था। कभी-कभी तो लोग उन्हें खोजते-खोजते थक जाते थे किन्तु उनका पता न चल पाता था। उनके पास अदृश्य होने की शक्ति थी। उनको वही खोज पाता था जिन्हें वे खुद दर्शन देना चाहते थे। कभी-कभी तो सड़कों और बाजारों में सामान्य लोगों की भाँति वे टहलते हुए मिल जाते थे। किन्तु अन्य समयों में उनके दर्शन दुर्लभ हो जाते थे। एक बार स्वामी शिवानन्द जी और भोले लाहौर से आ रहे थे। ये दोनों लोग आगरा स्टेशन पर ट्रेन से उतर पड़े। स्टेशन से आधा मील चलने के बाद स्वामी शिवानन्द जी सहसा बोल पड़े, "पता नहीं इस समय शहंशाह जी कहाँ निवास कर रहे होंगे?"

शिवानन्द जी का यह कहना हुआ कि एक पेड़ के नीचे से आवाज आयी, "शिवा! मैं यहाँ पर हूँ।" हम लोगों ने देखा कि शहंशाह एक पेड़ के नीचे टेक लगाये वैसे ही लेटे हैं जैसे गाय चराते हुए भगवान श्रीकृष्ण। स्वामी शिवानन्द और शहंशाह ने एक-दूसरे को प्रणाम किया। फिर शहंशाह जी बोले, "तो आप आ गये। भोले को बहुत भूख लगी होगी। देखो भोले! अभी थोड़ी ही देर पहले कोई मिठाई का डिब्बा लाया था। इसमें तुम्हारे मनपसन्द रसगुल्ले हैं।" फिर बिना उठे ही शहंशाह ने पेड़ के तने के पास अपना हाथ फैलाकर मिठाई का डिब्बा सामने ला दिया। भोले अब बड़े हो गये थे और उन्हें इतना पता था कि इस प्रकार के सन्तों की उपस्थिति में इस प्रकार के आश्चर्यजनक चमत्कार हो सकते हैं। स्वामी शिवानन्द और भोले ने श्रद्धा और सम्मान के साथ रसगुल्ले ग्रहण किये। स्वामी शिवानन्द और भोले शहंशाह के साथ कुछ घण्टे बिताकर स्टेशन की तरफ लौट पड़े और वहाँ से टूण्डला के लिए ट्रेन पकड़ी। टूण्डला पहुँचकर ये दोनों जन बाबाजी के पास चल पड़े। उन दिनों बाबाजी गंगाजी के किनारे गढ़मुक्तेश्वर नामक स्थान पर निवास कर रहे थे।

बाबा जी के साथ गढ़मुक्तेश्वर में निवास करते समय भोले के मन में बार-बार योग सिद्धियों के विषय में जानने की इच्छा हो रही थी। इतने दिनों तक बाबाजी और अन्य सन्तों के साथ भ्रमण करते हुए भोले ने अनेक चमत्कारों को देखा था। शहंशाह के साथ होने वाला चमत्कार उनमें से एक था। भोले ने यह भी देखा था कि कितने सारे महात्मा किसी भी प्रकार का संग्रह नहीं करते किन्तु उनकी आवश्यकता की हर चीज़ उन्हें प्राप्त हो जाती है। जबकि कितने सारे साधु हर प्रयत्न करने के बाद भी भरपेट भिक्षा नहीं प्राप्त कर पाते। भोले ने कभी भी बाबाजी के जीवन में किसी प्रकार की व्यग्रता नहीं देखी। बाबाजी कभी कोई योजना नहीं बनाते थे। जब मन में आया चल पड़े। क्यों और कहाँ जा रहे हैं यह किसी को पता नहीं। किन्तु शाम ढलते कहीं-न-कहीं पहुँच जाते जहाँ पर उनकी कोई-न-कोई प्रतीक्षा कर रहा होता था। वे जहाँ कहीं भी होते रात्रि के समय उनके धूनी और भोजन की व्यवस्था हो जाती थी। भोले ने कई बार अपनी आँखों से देखा था कि गंगोत्री के पास भैरव घाटी में विचरण करते समय शेर और भालू बाबाजी के बिल्कुल नजदीक आ जाते और ऐसा लगता था कि वे बाबाजी का दर्शन करने आये हों।

एक बार बाबाजी सोन प्रयाग में निवास कर रहे थे। भोले भी बाबाजी के साथ थे। दोपहर का समय था। एकाएक बाबाजी के मन में केदारनाथ जाने का विचार आया। बस क्या था बाबाजी चल पड़े। और भोले उनके पीछे-पीछे लग लिये। चीर बासा पहुँचते-पहुँचते रात के लगभग दस बज गये। भयंकर ठण्ड पड़ रही थी। चतुर्थी का चन्द्रमा भी अस्त होने वाला था। पगडण्डी के किनारे चीर भैरव का एक छोटा-सा मन्दिर दिखायी पड़ा। वहाँ पहुँचकर बाबाजी बोले, "भोलिया! ये केदारनाथ के द्वार पाल हैं। उनको सिर झुकाकर प्रणाम करो। इनकी इच्छा होगी तो हम लोग आगे की यात्रा करेंगे नहीं तो आज रात यहीं पर आराम करेंगे।"

बाबाजी ने सिर झुकाकर चीर भैरव को प्रणाम किया और अपनी टूटी-फूटी बंगाली मिश्रित भाषा में ऐसे बोलने लगे मानो भगवान भैरव से बातचीत कर रहे हों। अभी वे बात-चीत कर ही रहे थे कि उस पगडण्डी पर सहसा धूनी प्रगट हो गयी। बाबाजी ने चीर भैरव भगवान को धन्यवाद दिया।

जब गुरु और शिष्य दोनों लोग धूनी के पास बैठ गये तब भोले ने बाबाजी से पूछा कि इस आग की व्यवस्था किसने की? बाबाजी बोले, "पुरातन ऋषि भगवान सनत कुमार ने हिमालय के पवित्र आँचल में एक सौ आठ दिव्य धूनी जलायी हैं। इन दिव्य धूनियों में प्रज्ज्वलित अग्नि कभी भी नहीं बुझती। चीर भैरव इस धूनी के संरक्षक हैं। चीर भैरव की ही इच्छा से यह अग्नि प्रगट होती है। देखो! यह अग्नि धूम्र रहित है। यह वही अग्नि है जिसे हमारी परम्परा के सन्त जन अपने सिर पर धारण किया करते हैं।"

दूसरे दिन प्रातःकाल बाबाजी और भोले केदारनाथ के लिए प्रस्थान कर गये। उस समय हिमालय के महान योगी गुदड़ी बाबा वहाँ निवास कर रहे थे। गुदड़ी बाबा भोले को अपने बच्चे की ही भाँति प्यार किया करते थे। भोले बिना किसी हिचकिचाहट के गुदड़ी बाबा से कुछ भी पूछ सकते थे। यही कारण था कि एक दिन अवसर मिलने पर भोले ने गुदड़ी बाबा से पूछा कि उच्च कोटि के सन्त जैसे स्वयं गुदड़ी बाबा और बाबा जी की सेवा करने में लोगों को इतना सुख क्यों मिलता है। क्या कारण है लोग बाबाजी को इतना प्यार करते हैं कि उनमें इतना विश्वास करते हैं। उनके आवश्यकता की हर चीज उनके सामने क्यों उपस्थित हो जाती है। जबकि अन्य लोग यों ही माथा पीटते रह जाते हैं।

गुदड़ी बाबा ने बताया, "बाबाजी जैसे सन्त प्रकृति में घुलमिल गये हैं। प्रकृति विभु है, व्यापक है। प्रकृति परम करुणामयी माता है। प्रकृति अज्ञानी लोगों को चेतन नहीं दिखायी पड़ती। उन्हें यह नहीं समझ में आता कि प्रकृति ही जीवनी शक्ति का स्रोत है। किन्तु अनुभवी सन्त की दृष्टि से प्रकृति दिव्य स्वभाव वाली है। प्रकृति के आँचल में अनन्त शक्ति का भण्डार है। एक बार प्रकृति की गोदी में शान्तिपूर्वक रहना सीख लो तो देखोगे कि प्रकृति कैसे तुम्हारी देखभाल करती है। वह तुम्हारी आवश्यकता की हर वस्तु प्रदान करती है। यदि तुम प्रकृति को छेड़ो नहीं तो तुम्हें उससे तुम्हारे विकास के लिए जिस किसी भी चीज की आवश्यकता है, मिल जायेगी।"

भोले को गुदड़ी बाबा की कृपा से प्रकृति के मातृ स्वरूप का पूर्ण ज्ञान हो गया। फिर भी उन्होंने देखा कि गुदड़ी बाबा इस समय अपने उस स्वरूप में स्थित थे जिसे शास्त्रों में गुरु तत्व कहा जाता है। ऐसा लग रहा था कि आज गुदड़ी बाबा ज्ञान, प्रेम और भक्ति सब कुछ देने के लिए उतावले हो

रहे हैं। इस बार केदारनाथ में निवास करते समय बाबाजी की भी वही स्थिति थी। बाबाजी भी गुदड़ी बाबा की भाँति ऐसा प्रतीत हो रहा था मानो समस्त रहस्यों का उद्‌घाटन करने के लिए आतुर हो रहे हों। भोले को पता था कि बाबाजी कुछ विशिष्ट अवसरों पर ही पुष्पों का चयन करते थे अन्यथा वे कभी भी फूल नहीं तोड़ते थे। यहाँ तक कि वे जब कभी दातौन के लिए कोई शाखा तोड़ते तो पहले ऐसा लगता मानो वृक्ष से कुछ बात कर रहे हों।

एक दिन भोले ने बाबाजी से पूछा, "आप शाखा तोड़ते समय क्या कहते हैं? क्या आप वृक्ष से बात करते हैं? दातौन तोड़ते समय क्या मुझे भी ऐसे ही करना चाहिए?"

बाबाजी ने उत्तर दिया, "जाओ झाड़ी से एक दातौन तोड़ लाओ लेकिन तोड़ने के पहले शाखा को हाथ में पकड़ कर कहना, 'इषे त्वा ऊर्जे त्वा'।"

"इसका मतलब क्या हुआ?" भोले ने पूछा।

"मैं तुम्हें बल-पौरुष और इच्छा-शक्ति के विकास के लिए ले रहा हूँ।"

बाबाजी ने बताया कि 'इषे त्वा ऊर्जे त्वा' यजुर्वेद का मन्त्र है। यज्ञ के लिए पेड़ से लकड़ी काटते समय इन मन्त्रों का प्रयोग होता है। साधक के लिए सम्पूर्ण जीवन ही एक यज्ञ है। अतः किसी भी वस्तु को ग्रहण करने के लिए इस मन्त्र का प्रयोग करना चाहिए। बाबाजी का जीवन इतना सीधा-सादा और सरल था कि उन्हें देख कर कोई अनुमान भी न कर सकता था कि उन्हें वेद शास्त्रों का भी ज्ञान होगा। उन्हें किसी ने पुस्तक पढ़ते नहीं देखा था। उपदेश देते समय वे कभी भी ग्रन्थों का उदाहरण नहीं देते थे। किन्तु उनकी वाणी और कर्म में सारे आगम और निगम, सभी शास्त्र और पुराण मूर्तिमान हो उठे थे। वे स्वयं में वेदमूर्ति थे। उनका जीवन यज्ञ स्वरूप था। प्रकृति के प्रांगण में वे नित्य ही अपने जीवन के स्वामी का भजन किया करते थे। छोटे-से-छोटा और बड़े-से-बड़ा कर्म-चाहे वह सांसारिक हो या आध्यात्मिक-उनके लिए सब समान थे।

एक दिन बाबाजी और भोले पहाड़ों में टहलते चले जा रहे थे-रास्ते में बाबाजी ने एक छोटे-से पक्षी के बच्चे को देखा। ऐसा लग रहा था जैसे

वह अपनी माँ से बिछुड़ गया हो। उस पक्षी के अभी पंख भी पूर्ण रूप से नहीं उगे थे। वह इतना कमजोर था कि वह अपने सिर को भी नहीं उठा पा रहा था। उस पक्षी को देखते ही बाबाजी के मुख से वाक्य निकला "विष्णोर्वाहूभ्यां"। यह कहते हुए बाबाजी ने उस पक्षी को उठाकर अपनी गदेली पर रख लिया फिर एक बार उसकी तरफ प्यार से देखा और आकाश में फेंक दिया। वह चिड़िया आकाश में उड़ गयी। अवसर मिलने पर भोले ने गुदड़ी बाबा को यह कहानी बताकर पूछा कि वह पक्षी तो बिल्कुल मरणासन्न था। जिसके अन्दर अपनी गर्दन हिलाने तक की शक्ति नहीं रह गयी थी, वह एकाएक इतना स्वस्थ कैसे हो गया। उसमें उड़ने की शक्ति कहाँ से आ गयी। गुदड़ी बाबा ने बताया कि उस असहाय पक्षी को देखते ही बाबाजी के हृदय में सबका भरण-पोषण करने वाले भगवान विष्णु का ध्यान आया। भगवान विष्णु का ध्यान आते ही वे स्वयं ही विष्णुरूप हो गये। चेतना की उस स्थिति में अनायास ही उनके मुख से "विष्णोर्बाहूभ्यां" मन्त्र फूट पड़ा। इस मन्त्र के उच्चरित होते ही समस्त लोकों के स्वामी भगवान विष्णु कि समवायिनी जीवन शक्ति बाबाजी के शरीर में प्रविष्ट हो गयी। अतः उनके हाथों का स्पर्श होते ही वह चिड़िया स्वस्थ और बलवान हो गयी।

गुदड़ी बाबा हिमालय के उच्चतम सन्तों में से थे। वे स्वयं भी माता प्रकृति के साथ एकाकार हो गये थे। बाबाजी के समान ही उनके पास भूख-प्यास, ठण्डी-गर्मी, निन्द्रा और थकावट उनकी आज्ञा से ही फटकती थी। उनके पास एक विचित्र गुदड़ी थी। वह कपड़ों के सैकड़ों टुकड़ों से बनी थी। उन्हें जहाँ कहीं भी ऊनी अथवा सूती कपड़े का टुकड़ा पड़ा मिलता, वे उसे उठा लेते ओर उसे गुदड़ी में सिल देते। वर्षों तक इस प्रकार से उसमें कपड़ों के टुकड़ों को जोड़ते-जोड़ते वह गुदड़ी इतनी भारी हो गयी थी कि उनके अलावा उस गुदड़ी को शायद ही कोई ढो सके। लेकिन जो लोग उन्हें नजदीक से जानते थे उन्हें यह पता था कि वह कोई सामान्य गुदड़ी नहीं थी। वह एक जीती जागती गुदड़ी थी। वे जहाँ कहीं भी जाते वह गुदड़ी उनके साथ जाती। यही कारण था कि लोग उन्हें गुदड़ी बाबा कहने लगे।

गुदड़ी बाबा और बाबाजी प्रायः हिमालय की पहाड़ियों में साथ-साथ विचरा करते थे। इन दोनों महापुरुषों के साथ यात्रा करने का सुख अनुपम

था। स्वामी जी एक बार मुझसे बोले, "गुरुदेव और गुदड़ी बाबा के साथ केदारनाथ में बीते हुए क्षण जीवन के उन बहुमूल्य क्षणों में से हैं जो कि दुबारा नहीं आते। ये दोनों महापुरुष एक-दूसरे के माध्यम से कभी-कभार अपने रहस्यों को उद्घाटित किया करते थे। एक-दूसरे के विषय में कहानी सुनाकर प्रकृति के प्रति अपनी ही प्रेम गाथा को सीधे सरल शब्दों में बताया करते थे।" केदारनाथ की दिव्य घाटी में एक हफ्ते निवास करने के बाद बाबाजी तो अपने प्रिय निवास स्थान तुंगनाथ की ओर चल दिये और भोले गुदड़ी बाबा के साथ फूलों की घाटी की ओर।

आदिकाल से ही फूलों की घाटी ऋषियों मुनियों और सन्तों का प्रिय स्थान रहा है। इस स्थान का सौन्दर्य अवर्णनीय है। घाटी के चारों ओर स्थित गगन चुम्बी पर्वतों को पुराणों में गंधमादन पर्वत कहा जाता है। स्थानीय जनों और शास्त्रों के अनुसार घाटी के उस पार पहाड़ों में मनुष्यों का प्रवेश वर्जित है। अदृश्य दैव-शक्तियाँ इस दिव्य स्थान की सुरक्षा में तैनात हैं। फूलों की घाटी वाले क्षेत्र में हेमकुण्ड भी है। हेमकुण्ड वही स्थान है जहाँ पर सिक्खों के दशम् गुरु गुरुगोविन्द सिंह महाराज ने तपस्या की थी। यही कारण है कि हेमकुण्ड सिक्खों का परम पवित्र स्थान माना जाता है।

कई दिनों की यात्रा करने के बाद गुदड़ी बाबा और भोले हेमकुण्ड पहुँचे। यहाँ से फूलों की घाटी कुछ ही दूर थी। जब ये दोनों हेमकुण्ड से चलने की तैयारी कर ही रहे थे कि जापान का एक साधु भी फूलों की घाटी चलने के लिए तैयार मिला। अब गुदड़ी बाबा, भोले और वह जापानी महात्मा सभी फूलों की घाटी के लिए एक साथ प्रस्थान कर गये। उनके साथ उस जापानी महात्मा का सामान ढोने वाले दो चार गढ़वाली लोग भी थे। उस जापानी साधु को अपनी पर्वतारोहण कला पर बहुत गर्व था। उसे विश्वास था कि उसने इस यात्रा के लिए पूरी तैयारी कर रखी है। वह यह नहीं समझ पा रहा था कि गुदड़ी बाबा इतनी भारी गुदड़ी क्यों ढो रहे हैं। उसने कहा कि यदि एक बार भी यह गुदड़ी भीग गयी तो फिर इसको सूखने में हफ्तों लग जायेंगे। जब गुदड़ी बाबा भोले को यह गुदड़ी ढोने के लिए दे देते तो इस जापानी साधु की जान निकल जाती। वह साधु साफ-साफ देख सकता था कि भोले उस गुदड़ी के भार से दबे जा रहे हैं। उसके अनुसार गुदड़ी बाबा एक निष्ठुर व्यक्ति थे। उनके अन्दर भोले के प्रति कुछ दया न थी। एक दिन

दबे स्वरों में वह कह ही बैठा कि इस गुदड़ी को ढोने के लिए बाबा ने किसी गढ़वाली कुली को क्यों नहीं कर लिया। लेकिन वह जापानी साधु यह नहीं देख पाता था कि कुछ ही मिनट तक उस गुदड़ी को अपने कंधों पर ढोने के पश्चात भोले के शरीर में कितनी स्फूर्ति आ जाती थी और उसके बाद गुदड़ी बाबा भोले के कंधों से वह गुदड़ी हटा लिया करते थे।

अभी फूलों की घाटी तक पहुँचने में कुछ समय बाकी था। इधर इस जापानी साधु को जूड़ी देकर बुखार आने लगा। उसमें मलेरिया के सब लक्षण थे। उसने बताया कि भारत आने के पहले वह कुछ दिनों बर्मा में रहा था। वहाँ उसे मलेरिया हुआ था। किन्तु वहाँ वह दवा कराकर ठीक हो गया था। उसने कहा कि हो सकता है भारत के मैदानी भागों में उसे फिर से मलेरिया वाले मच्छरों ने काटा हो। उसके पास जितनी दवाइयाँ थी वह सब खा डालीं किन्तु उसका कुछ भी प्रभाव न पड़ा। वह मृत्यु से डरा हुआ था। वह यह नहीं चाहता था कि वह हिमालय के इस जंगली क्षेत्र में मृत्यु को प्राप्त हो जाय। वह अपने स्लीपिंग बैग में घुस गया और उसके ऊपर बहुत सारे कम्बल भी डाल लिये। उसके उपरान्त भी जब उसकी ठण्ड नहीं गयी तो उसने गुदड़ी बाबा से उनकी गुदड़ी माँगी। गुदड़ी बाबा ने उससे कहा कि माता प्रकृति ने अपने हाथों से उस गुदड़ी को सिला है। अतः उनकी गुदड़ी में दैवी शक्तियों का निवास है। उस जापानी साधु से बात करते हुए गुदड़ी बाबा ने कहा–यदि तुम अपने स्लीपिंग बैग और कम्बल को हटा दो तो यह गुदड़ी तुम्हारी बिमारी को हर लेगी। बात वैसी ही हुई। ठण्ड से काँपते-काँपते सब कम्बल हटा दिये गये। वह स्लीपिंग बैग से निकल कर बाहर आ गया। बाबाजी ने उसे अपनी गुदड़ी से ढक दिया। दो चार मिनट में ही उसका बुखार उतर गया। उसके शरीर में एक नयी चेतना और स्फूर्ति का संचार हो गया।

दूसरे दिन सुबह सब लोग फूलों की घाटी की ओर चल पड़े किन्तु एक दो घण्टे ही अभी आगे चले थे कि फूलों की सुगन्ध इतनी तीव्र हो गयी कि कुली लोगों ने आगे चलने से इंकार कर दिया। जापानी साधू ने देखा कि आगे घाटी में बहुत सारी भेड़ें और बकरियाँ चल रही हैं। उनके साथ-साथ चरवाहे लोग भी घूम रहे हैं। अतः उसने उन गढ़वाली कुली लोगों से पूछा कि जब वे चरवाहे वहाँ पर चल फिर सकते हैं तो और लोग वहाँ क्यों नहीं जा सकते। कुलियों ने बताया, "वे भेड़-बकरियाँ तथा वे चरवाहे लोग इन

पहाड़ों के अभिन्न अंग हैं किन्तु हम लोग बाहर से आये हैं। यदि हम लोग यहाँ प्रवेश करने की कोशिश करेंगे तो हम अपना दिल और दिमाग दोनों ही खो बैठेंगे। यहाँ निवास करने वाले देवताओं की कृपा से हम लोग दूर से ही यहाँ की सुन्दरता को निहार सकते हैं।" गुदड़ी बाबा ने उस जापानी साधु से कहा, "यदि तुम इसके आगे जाना चाहते हो तो पहले यहाँ थोड़ी देर बैठकर ध्यान भजन करो और उसके बाद घाटी की रक्षा करने वाली दैवी शक्तियों की आज्ञा लेकर आगे बढ़ो।"

जापानी साधु ने न तो उन कुली लोगों की बात पर ध्यान दिया और न ही गुदड़ी बाबा की बात पर। उसका लक्ष्य था कि वह फूलों की घाटी को पार करके उस पार वाले पहाड़ के पाद तल में अपना डेरा डाले। उसने पुस्तकों में पढ़ा था कि यहीं कहीं महाभारत के नायक भीम, हनुमान जी से मिले थे। वह इन पहाड़ों में भ्रमण करके उस स्थान को देखना चाहता था। अभी लगभग एक घण्टे का सफर बाकी था किन्तु कुछ ही मिनट अभी वह आगे बढ़ा था कि उसे अनुभव हुआ मानो उसकी स्मरण शक्ति नष्ट-सी हो रही है। यह अनुभव होते ही वह भय से थरथरा उठा। कुछ ही क्षणों में उसे दिशाओं का भी ज्ञान न रहा। फिर अकारण हँसी का दौड़ा आया। अब उसके भय का ठिकाना न रहा। वह भागा-भागा गुदड़ी बाबा के पास गया और नम्रता के साथ अपनी मानसिक स्थिति उनके सामने खोलकर रख दी। गुदड़ी बाबा ने उसे प्रतीक्षा करते कुलियों के पास भेज दिया। असन्तुलित भय और प्रसन्नता से पीड़ित वह जापानी साधु वहीं से लौट आया। अब गुदड़ी बाबा भोले को अपने साथ लेकर आगे बढ़े। फूलों की घाटी को पार करके थोड़ी ही देर में ये दोनों साधु गन्धमादन पर्वत के पादतल में पहुँच गये।

बातचीत के प्रसंग में स्वामी जी ने मुझे बताया कि गुदड़ी बाबा जैसे महापुरुषों की कृपा से ही मनुष्य फूलों की घाटी को पार करके इन पहाड़ों में भ्रमण कर सकता है। यहाँ पहुँचते ही पृथ्वी और स्वर्ग का अन्तर समाप्त हो जाता है। यहाँ भूत, वर्तमान और भविष्य का अलग-अलग अस्तित्व समाप्त हो जाता है। इन दिव्य तीर्थों में अनुभव प्राप्त करके हमें यह समझ में आता है कि दिव्य पुरुषों का अस्तित्व है, उनका दर्शन किया जा सकता है। उनके समीप में निवास करके आध्यात्मिक लाभ प्राप्त किया जा सकता है। यहाँ पर भोले ने अनुभव किया कि सिद्ध महापुरुष लोग सचमुच ही

भीतरी और बाहरी दोनों ही जगत के नागरिक होते हैं। ये सिद्ध सन्तजन एक ही समय में यहाँ और वहाँ दोनों लोकों में निवास करते हैं। पृथ्वी पर रहते हुए भी हम उनकी आँखों से संसार से परे का दृश्य देख सकते हैं। भौतिक स्तर पर वहाँ पर न तो आश्रम था और न वहाँ कोई निवास करने वाला था फिर भी वहाँ सब कुछ था।

गन्धमादन पर्वत के एक पाषाण खण्ड पर बैठकर गुदड़ी बाबा ने भोले को बताया, "यह वही पुरातन आश्रम है जहाँ किसी समय ऋषि आर्ष्टिषेण निवास किया करते थे। अभी भी यहाँ पर पूर्णिमा और प्रतिपदा की सन्धि पर रात्रि के समय केवल जल और वायु पीकर तपस्या करने वाले सिद्ध ऋषि और मुनिगण आया करते हैं। उस समय माता प्रकृति और यहाँ निवास करने वाले देवगण उन ऋषियों का अपने दिव्य संगीत से स्वागत करते हैं। ध्यान में स्थित होकर तुम उस दिव्य संगीत को सुन सकते हो। किन्तु उस दिव्य संगीत के स्रोत की ओर पहुँचने का प्रयास मत करना।"

बातचीत के प्रसंग में मैंने स्वामी जी से पूछा, "स्वामी जी यह स्थान वैसे है कहाँ? और गुदड़ी बाबा के निर्देशानुसार ध्यान करने पर क्या आपने उस दिव्य संगीत को सुना?" स्वामी जी ने उत्तर नहीं दिया। वह बिल्कुल मौन रहे। किन्तु मैंने देखा कि मौन की उस स्थिति में मानो वे स्मृतियों के जगत में खो से गये हों। उस समय ऐसा लगता था कि वे एकटक किसी सुदूर जगत में विद्यमान अपने उस पुराने अनुभव को निहार रहे हों।

गन्धमादन पर्वत से नीचे उतरते समय गुदड़ी बाबा और भोले को एक बार फिर से फूलों की घाटी को पार करना था। घाटी में प्रवेश करने के पहले गुदड़ी बाबा ने भोले से कहा, "बलवान नवयुवक! आशा करता हूँ कि अब की बार तुम इस गुदड़ी की सहायता के बिना ही घाटी को पार कर लोगे।" घाटी में प्रवेश करते ही भोले दंग रह गये। उन्हें अनुभव हुआ कि उनकी स्मरण शक्ति नष्ट-सी होती जा रही है। विचारों का तारतम्य समाप्त-सा होता जा रहा है। बोलने की इच्छा न रह गयी। यदि बोलते भी तो उसका कोई अर्थ न होता। गुदड़ी बाबा ने भोले का खूब मजाक उड़ाया। किन्तु दस-पाँच मिनट बाद भोले के कंधों पर अपनी गुदड़ी रख दी। और भोले अपने यथापूर्व स्थिति में आ गये।

मानसिक स्थिति ठीक हो जाने के बाद भोले ने गुदड़ी बाबा से पूछा

कि फूलों की सुगन्ध से उन्माद की स्थिति क्यों आ जाती है? गुदड़ी बाबा ने बताया कि यह इसलिए होता है कि तुम लोगों का शरीर और मन कमजोर है। "देखो एक तरफ तो तुम प्रसन्नता से फूले नहीं समा रहे हो और दूसरी तरफ भय से मरे जा रहे हो कि कहीं तुम्हारी स्मरण शक्ति न नष्ट हो जाये। तुम्हें दिशाओं का ज्ञान नहीं रह गया है। यह प्रसन्नता वस्तुतः प्रसन्नता नहीं है। यह केवल उत्तेजना है। इस उत्तेजना का स्त्रोत है–ये जंगली फूल। इस उत्तेजना का स्त्रोत है इन फूलों में बसी हुई उन्मादक सुगन्ध। इन्हें सूँघना और सूँघ कर उन्मत्त हो जाना–नशीली वस्तुओं को लेने के समान है। गांजा और हशीश का सेवन करने वाले लोग इसी प्रकार से बुत्त हो जाते हैं। और सोचा करते हैं कि वे ध्यान और समाधि की स्थिति में पहुँच गये हैं। किन्तु उनकी वह मानसिक स्थिति केवल शरीर के रासायनिक असन्तुलन के कारण होती है। उसी प्रकार इन फूलों की सुगन्ध से इन्द्रियाँ उत्तेजित हो जाती हैं। उत्तेजित इन्द्रियों के झंझावात में फँसा हुआ कमजोर मन परवश और असहाय हो जाता है। उत्तेजित इन्द्रियों की सम्वेदना में उलझ जाता है। विवेक शक्ति कमजोर होने के नाते इन्द्रियों की संवेदना से तादात्म्य कर लेता है। उन संवेदनाओं के साथ एकाकार हो जाता है। संवेदना रूपी थपेड़ों को सुख और दुख की संज्ञा देने लगता है। थोड़ी देर पहले तुम्हारी यही स्थिति थी। थोड़ी देर में तुम घाटी से बाहर हो जाओगे। उस समय तुम एक दुख और विशाद का अनुभव करोगे क्योंकि मन फिर से उस पहले वाली संवेदना की माँग करेगा। किन्तु उस समय तुम उसकी माँग पूरी नहीं कर सकोगे क्योंकि उस समय न तो वे फूल होंगे और न ही इन्द्रियों में वह उत्तेजना। किन्तु यदि तुम योग साधना के द्वारा अपने ही भीतर विद्यमान आनन्द की अनन्त सम्पत्ति को पहचान सको, प्राप्त कर सको और सुरक्षित कर सको तो इन जंगली फूलों की सहायता के बिना भी सदा सुखी और स्वस्थ रह सकोगे।"

गुदड़ी बाबा और भोले फूलों की घाटी में एक हफ्ते तक रहे। उन दिनों गुदड़ी बाबा ने भोले को जो उपदेश और शिक्षा दी वह नित्य प्रकाशित होने वाली दीप शिखा की भाँति सदैव जगमगाती रही। गुदड़ी बाबा ने भोले को योग विद्या का विधिवत उपदेश दिया। उन्होंने बताया कि शरीर और मन को स्वस्थ और सन्तुलित कैसे रखा जाता है। इस नश्वर शरीर में शाश्वत तत्व को कैसे प्राप्त किया जा सकता है। सामान्यतः यह शरीर दुखों का घर है फिर भी योग मार्ग का अवलम्बन करके इस शरीर में छिपी हुई आनन्द

की सम्पत्ति को खोजा और प्राप्त किया जा सकता है। गुदड़ी बाबा ने बताया कि यह शरीर एक आनन्द का घड़ा है। साधना के द्वारा इस घड़े को किस प्रकार से आनन्द से भरपूर किया जा सकता है। इस घड़े को योग की अग्नि पर रखकर आनन्द और अमृत तत्व को पकाया कैसे जाता है। उस परिपक्व अमृत को पिया कैसे जाता है। गुदड़ी बाबा ने बताया, "योगियों की भाषा में इसी को कहते हैं–अमृत का पान करना।"

गुदड़ी बाबा ने भोले को बताया कि मनुष्य का शरीर एक चलता-फिरता मन्दिर है। इस मन्दिर में परमात्मा का नित्य निवास है। अपनी लापरवाही और खराब आदतों से हम इस सुन्दर मन्दिर में कचड़ा भर देते हैं। फिर उस कचड़े के कारण मन्दिर के भीतर निवास करने वाले परमात्मा को हम नहीं देख पाते। अनन्त आनन्द और अनन्त ज्ञान इस शरीर में भरा हुआ है। किन्तु हम उसे प्राप्त नहीं कर पाते। और यही कारण है कि दर-दर भटका करते हैं। शरीर का भौतिक ढ़ाँचा अदृश्य प्राण शक्ति के खम्भों और बल्लियों पर टिका हुआ है। किन्तु हम अपने अशुभ कर्मों के द्वारा इन बल्लियों और खम्भों को कमजोर कर देते हैं। इन खम्भों और बल्लियों के कमजोर हो जाने से यह शरीर रूपी मन्दिर गिरने लगता है। हम अनेक प्रकार की कमजोरियों, रोगों और आलस्य आदि के शिकार बन जाते हैं। प्राण शक्ति, ऊर्जा शक्ति, मेधा शक्ति जैसी दिव्य शक्तियों के कमी होने पर छोटे-से-छोटा कारण भी हमारे शारीरिक अस्वस्थता और मानसिक चंचलता को जन्म दे देता है। पहले अपने को स्वस्थ और सबल बनाओ। स्वस्थ शरीर में ही स्वस्थ मन का निवास हो सकता है। आप चाहे कितने ही बड़े सन्त महात्मा हों किन्तु यदि शरीर ठीक नहीं तो आपके मानसिक और आध्यात्मिक शक्ति का बहुत बड़ा भाग शारीरिक दुख-दर्द से निपटने में ही नष्ट हो जाता है। जब इतनी सारी शक्ति शरीर की समस्याओं को सुलझाने में ही चली जायेगी तो आपके पास जीवन के परम लक्ष्य को जानने और प्राप्त करने के लिए समय कहाँ से रहेगा। इसलिये पहले शरीर को साधो।

गुदड़ी बाबा भोले से खूब परिश्रम करवाते थे। गुदड़ी बाबा के अनुसार आलस्य से बढ़कर कोई पाप नहीं। उनके पास आलसियों के लिए जरा भी समय न था। उनके साथ रहने का मतलब था–तेज़ चलो, तेज़ सोचो और फटाफट काम खत्म करो। उन्हें भोले पसन्द थे क्योंकि भोले के अन्दर आलस्य और प्रमाद नहीं था।

उस हफ्ते फूलों की घाटी में निवास करते समय गुदड़ी बाबा यह प्रयास करते थे कि भोले उनकी गुदड़ी का उपयोग न करें। वे चाहते थे कि गुदड़ी की सहायता के बिना ही भोले अपने शरीर और इन्द्रियों में छिपी हुई शक्तियों को जागृत करके स्वयं अपनी सहायता करें। भोले फूलों की शक्तिशाली सुगन्ध से प्रभावित न हों–इसके लिए गुदड़ी बाबा भोले से खूब व्यायाम करवाते। इतनी ऊँचाई पर होने के बावजूद भी भोले को ऊपर–नीचे चलने को कहते ताकि उन्हें खूब पसीना हो। जब खूब पसीना हो जाता तो पिघलते हुए बर्फ के जल स्त्रोतों में स्नान करने को कहते। इतनी ऊँचाई पर जब गर्मी के नाते खूब पसीना हो रहा हो तो उस समय बर्फीले जल में स्नान करना बहुत हानिकारक होता है। किन्तु गुदड़ी बाबा भोले को ऐसा ही करने को कहते। जब मैंने स्वामी जी से पूछा कि गुदड़ी बाबा ने उन्हें ऐसा करने को बाध्य क्यों किया तो स्वामी जी ने उत्तर दिया, "मुझसे ऐसा करवा कर गुदड़ी बाबा ने मुझे यह दिखाया कि मनुष्य अपने शरीर और मन की सामान्य सीमा को पार करके असीमित शक्ति के स्त्रोत तक पहुँच सकता है। साथ ही मुझे यह भी पता था कि यदि मुझे कुछ हो भी गया तो कोई बात नहीं क्योंकि बाबा की रहस्यमयी गुदड़ी तो थी ही।"

उन दिनों गुदड़ी बाबा लगभग नब्बे वर्ष के थे फिर भी उनके शरीर में एक अद्भुत शक्ति का संचार था। बीस हज़ार फीट की ऊँचाई पर पहाड़ों में ऐसे चलते थे मानो कोई बच्चा अपने आँगन में खेल रहा हो। इस उम्र में बाबा जी कोई योगासान या प्राणायाम तो नहीं करते थे किन्तु वे नियमित रूप से योग की अग्निसार नाम की क्रिया का अभ्यास अवश्य करते थे। गुदड़ी बाबा ने भोले को प्राणायाम, मुद्रा और बन्धों की उच्च क्रियाओं की शिक्षा दी। और निर्देश दिया कि भोले नित्य नियमित रूप से योगाभ्यास किया करें।

गुदड़ी बाबा एक उच्च कोटि के वैद्य और रसायन विद्या के मर्मज्ञ थे। वे औषधियों, जड़ी बूटियों को वैसे ही जानते और पहचानते थे जैसे हम लोग अपने परिवार के सदस्यों को। इस यात्रा में गुदड़ी बाबा ने भोले को हिमालय में उगने वाली सैकड़ों औषधियों के विषय में बताया। उन्हें बताया कि औषधियों के गुण धर्म क्या हैं। उनका रस विपाक क्या है। किन औषधियों से शरीर और इन्द्रियों का शुद्धिकरण होता है तथा किन औषधियों के प्रयोग से शरीर

में नयी चेतना और नयी स्फूर्ति का संचार होता है। बाबा ने भोले को इस यात्रा के दौरान हठ योग, प्राणायाम, ध्यान, धारणा और समाधि के सूक्ष्म रहस्यों का भी ज्ञान दिया। और बताया कि रसायन विद्या का लाभ उठाकर मनुष्य योग साधना में अद्भुत प्रगति कैसे कर सकता है।

गुदड़ी बाबा भोले को इस प्रकार उच्च कोटि की विद्याओं का उपदेश दे रहे थे किन्तु भोले के मन में बार-बार एक प्रश्न आ रहा था। भोले ने देखा कि बाबा के शरीर में अपार ताकत और स्फूर्ति है। वह एक महान ज्ञानी हैं, एक सिद्ध योगी हैं। इस प्रकार की ताकत, स्फूर्ति, ज्ञान और सिद्धियाँ तपस्या के द्वारा प्राप्त होती हैं। गुदड़ी बाबा ने अवश्य ही उग्र तपस्या की होगी और अवश्य ही अभी भी उग्र तपस्या करते होंगे। उनकी गुदड़ी भी उनकी तपस्या अथवा किसी देवता की देन होगी। स्पष्ट था कि बाबा भूख-प्यास, थकावट और निद्रा पर विजय प्राप्त कर चुके थे। शास्त्रों का कथन है कि तपस्या के द्वारा ही योगी ऐसी उपलब्धियाँ अर्जित करता है। अतः एक दिन भोले ने बाबा जी से पूछ ही लिया, "बाबा, ऐसा कहा जाता है कि साधना का पूरा फल तपस्वी साधक को ही मिलता है। मैं किस प्रकार की तपस्या करूँ जिससे कि मुझे आपके दिये गये उपदेशों का फल शीघ्र ही प्राप्त हो।"

गुदड़ी बाबा ने पहले तो थोड़ी देर तक मज़ाक उड़ाया फिर गम्भीर हो गये और कहने लगे, "सबसे पहले तुम अपने मन और शरीर पर ध्यान दो। यही अपने आप में बहुत बड़ी तपस्या है। तपस्या का शाब्दिक अर्थ होता है कि वह तत्त्व जिससे अग्नि तत्त्व का विकास हो। तपस्या उसको कहते हैं जिससे मन चमक जाये। लोग आलस्य और प्रमाद के नाते असंयमित जीवन बिताते हैं। उसका परिणाम यह होता है कि हमारे अन्दर छिपी हुई दिव्य अग्नि केवल धीरे-धीरे सुलगती रहती है। वह धधक कर प्रज्ज्वलित नहीं हो पाती। वह आलस्य और प्रमाद रूपी राख के नीचे दबी रहती है। जिसके नाते उसका प्रकाश हमारे मन और शरीर को प्रकाशित नहीं कर पाता। इस राख को हटाकर अपने भीतरी अग्नि को प्रज्ज्वलित करने का नाम है- तपस्या। शरीर को पवित्र और स्वस्थ रखना, मन को शुभ विचारों से भरपूर रखना ही तपस्या कहा जाता है। जो कुछ भी मैंने तुम्हें सिखाया है, यदि तुम उसका नियमित रूप से अभ्यास करो तो इसका मतलब हुआ कि तुम तपस्या ही कर रहे हो।"

भोले गुदड़ी बाबा के साथ लगभग एक महीने तक रहे और उसके बाद बाबा जी के पास लौट आये। उन दिनों बाबाजी तुंगनाथ में रह रहे थे। तुंगनाथ लगभग १२ हज़ार फीट की ऊँचाई पर हैं। यहाँ एक प्राचीन मन्दिर है जिसमें लगभग दस लोग निवास कर सकते हैं। इस मन्दिर के पास ही दस-बारह छोटे-छोटे मन्दिर हैं जिसमें अनेक देवी-देवताओं की मूर्तियाँ हैं। ये मन्दिर इतने छोटे हैं कि उनमें किसी के रहने की जगह नहीं है। मुख्य मन्दिर के विषय में ऐसी मान्यता है कि इस मन्दिर का निर्माण एक दिव्य गुफा के द्वार पर हुआ है। कलियुग में इस दिव्य गुफा का द्वार बन्द हो जाता है। तथा सामान्य मनुष्यों के लिए यह गुफा अदृश्य हो जाती है। इस मन्दिर का निर्माण पहाड़ से बिल्कुल सट कर हुआ है। मन्दिर के भीतर एक प्राकृतिक चट्टान है जिसे भगवान शिव का ही रूप माना जाता है। यहाँ पर इसी चट्टान के एक भाग की पूजा होती है। कुछ लोगों का कहना है कि इसी चट्टान से गुफा का प्रवेश द्वार ढका हुआ है। गर्मियों में ही कुछ इने गिने तीर्थ यात्री तुंगनाथ का दर्शन करने आते हैं। कुछ बिरले योगियों और सन्तों के अतिरिक्त ६-७ महीने तक इस स्थान पर कोई नहीं आता जाता। गर्मियों में जब तीर्थ यात्री लोग आना-जाना शुरू कर देते हैं तो इस भीड़भाड़ से बचने के लिए योगी लोग तुंगनाथ छोड़कर चले जाते हैं। आजकल चोपता नामक एक स्थान तक कार से जाया जा सकता है। फिर वहाँ से लगभग पाँच किलोमीटर तुंगनाथ के लिए पैदल चलना पड़ता है। जाड़ों में चोपता भी वीरान हो जाता हैं तुंगनाथ से थोड़ी ही दूर पर चन्द्रशिला नाम का शिखर है जहाँ पर भगवान श्री राम ने तपस्या की थी। दूसरी तरफ रावण शिला है जहाँ पर रावण ने तपस्या की थी। इन सीमा रहित दिव्य शिखरों के बीच में स्थित तुंगनाथ की शोभा अवर्णनीय है। यहाँ पहुँचकर आत्मा की आँखें खुल जाती हैं। चाहे आपने किसी प्रकार की योग साधना की हो या नहीं। किन्तु माता प्रकृति के द्वारा गाया जाने वाला दिव्य संगीत आपको आनन्दमग्न कर देता है।

हिमालय के कुछ इने-गिने सिद्ध सन्तों को ही पता था कि तुंगनाथ बाबा जी का प्रिय स्थान है। फूलों की घाटी में गुदड़ी बाबा को प्रणाम करके भोले इसी तुंगनाथ में आकर बाबाजी से मिले। अभी भी भोले के मन मन्दिर में गुदड़ी बाबा के साथ हुए अनुभव बिल्कुल ताजे थे। गुदड़ी बाबा के सान्निध्य में तपस्या करने की जो भावना जगी थी वह नित्य प्रदीप्त होती जा

रही थी। फूलों की घाटी में जाने के पहले भोले सोचा करते थे कि तपस्या करने का मतलब है—उपवास करना, धूनी के सामने बैठना और लोगों से दूर रहना। लेकिन गुदड़ी बाबा ने भोले की इस भावना को झकझोर दिया था। अब भोले इस ताक में थे कि कब मौका मिले और वे बाबाजी से तपस्या के सिद्धान्त और अभ्यास पर विचार-विमर्श कर सकें। एक दिन मौका मिलते ही भोले ने बाबाजी से गुदड़ी बाबा की अपार शक्ति और स्फूर्ति के रहस्य के विषय में पूछा। जैसा कि बाबाजी का स्वभाव था बाबाजी ने संक्षेप में उत्तर दिया, "यह सब तपस्या का फल है।" यही कहकर बाबाजी ने आँखें बन्द कर लीं।

यह उत्तर पाकर भोले अभी वहीं के वहीं लटके रह गये। संयोग से भोले के बड़े गुरु भाई स्वामी शिवानन्द जी वहीं पर थे। उनसे भोले ने पूछा, "शिवा भाई! यदि आप लगातार उपवास करें और धूनी के सामने बैठे रहें तो इससे शरीर सूखकर निर्बल हो जायेगा या वह स्वस्थ और सबल हो जायेगा?"

स्वामी शिवानन्द जी ने उत्तर दिया, "इस प्रकार की तपस्या से शरीर सूखता है और इन्द्रियाँ निर्बल हो जाती हैं। फिर इस प्रकार के उद्‌दण्ड मन की माँगों को पूरा करने में सफल नहीं हो पाता। किन्तु इस प्रकार का जर्जर शरीर और दुर्बल इन्द्रियाँ पवित्र मन की शुभ विचारों और संकल्पों का अनुसरण भी नहीं कर पाती हैं। ऐसे साधक जो इच्छा शक्ति, संकल्प शक्ति, ज्ञान, वैराग्य, श्रद्धा और समर्पण भाव से युक्त हैं उनके लिए ऐसी तपस्या का कोई विशेष महत्व नहीं। कम अथवा अधिक खाने से, कम अथवा अधिक सोने से, कम अथवा अधिक व्यायाम करने से हमारी प्राणशक्ति विक्षिप्त और असन्तुलित हो जाती है। ऐसी परिस्थिति में हमारे शरीर और मन की स्थिति बिगड़ जाती है। बुरी आदतों और प्रमाद के कारण मनुष्य खाने-पीने, सोने-जागने और व्यायाम करने का सन्तुलन खो बैठता है और इस प्रकार से अपने मन और शरीर पर आघात किया करता है। इस प्रकार की आदतों और प्रमाद पर विजय प्राप्त करने के लिए उसे आत्म संयम और आत्मानुशासन का अभ्यास करना पड़ता है। इसी आत्म संयम और आत्म अनुशासन को तपस्या कहते हैं।"

"यदि तुम्हें अनुशासन के महत्व का ज्ञान नहीं है तो तपस्या एक

प्रताड़ना जैसी लगेगी। प्रताड़ना जैसी तपस्या के प्रति तुम्हारा रुझान स्वाभाविक नहीं होगा। यदि स्वाभाविक रुझान नहीं, तो तुम्हारी उसमें लगन नहीं होगी, तन्मयता नहीं होगी। तपस्या बोझ बन जायेगी। तुम्हारे अन्दर एक युद्ध शुरू हो जायेगा। लेकिन यदि तुम अनुशासन के महत्व को समझते हो तो तुम्हें अनुशासित जीवन बिताने में एक आनन्द का अनुभव होगा। इस प्रकार का अनुशासन ही तपस्या कहा जाता है।"

तब भोले ने अपने गुरु भाई स्वामी शिवानन्द जी महाराज से पूछा, "अनुशासन वस्तुतः है क्या? अनुशासन का अभ्यास कैसे किया जाता है? अनुशासन का पालन करने से साधना में लगन और तन्मयता कैसे आती है। मान लीजिये यदि आसन और प्राणायाम करने का मन न कर रहा हो तो फिर आसन और प्राणायाम को हम प्रेम और लगन के साथ कैसे कर सकते हैं? दूसरी तरफ यदि आपको स्वादिष्ट भोजन करने में रुचि हो और भोजन सामने रखा हो तो ऐसी परिस्थिति में आप उपवास अथवा अल्पाहार करके सुख का अनुभव कैसे कर सकते हैं?"

स्वामी शिवानन्द जी ने उत्तर दिया, "यह तभी सम्भव है जब तुम जीवन के परम लक्ष्य के विषय में निरन्तर चिन्तन और मनन करो। जिस दिन तुम्हें यह पता चल जायेगा कि जीवन बहुमूल्य है और इसे यों ही नहीं गँवाना चाहिए उस दिन तुम्हें भीतर से अनुशासित जीवन जीने की प्रेरणा मिलेगी। उस दिन से तुम तुच्छ चीजों को प्राप्त करने और तुच्छ सुखों को भोगने में अपना समय नष्ट नहीं करोगे। मृत्यु जीवन का परम सत्य है। अभी तुम स्वस्थ और बलवान हो। जरा सोचो कि इस समय तुम्हारी मृत्यु तुम्हारे सामने खड़ी है। न तो तुम, न तो तुम्हारे हितैषी लोग मृत्यु को पीछे ढकेल पा रहे हैं। ऐसी परिस्थिति में ध्यान से देखो–तुम अपने साथ क्या ले जा पाओगे और क्या नहीं। मृत्यु के इन क्षणों में क्या तुम किसी प्रसन्नता का अनुभव करोगे? यदि नहीं तो दुख, दर्द और वेदना के अलावा तुम अपने साथ और क्या ले जाओगे? क्या जीवन का यही परम लक्ष्य है कि पैदा हो, जीवन भर खट खट कर काम करो और यहाँ से जाते समय दुख की गठरी बाँध कर ले जाओ। जीवन में ऐसे वातावरण का निर्माण करो जिसमें तुम ऐसे विषयों पर चिन्तन–मनन कर सको और जीवन में व्यर्थ की बातों के लिए तुम्हारे पास समय न हो। इसी को कहते हैं आध्यात्मिक जीवन बिताना। इस प्रकार

के वातावरण में रहकर अपने मन वाणी और शरीर को साधते हुए जीवन के मौलिक प्रश्नों के उत्तर पाने का प्रयत्न करना ही साधना कहा जाता है। साधना के समय यह स्वाभाविक है कि सांसारिक प्रलोभनों में फँसे मन को साधना कठिन काम है। इसीलिए साधना को तपस्या कहा जाता है। तपस्या इसलिए कि मन साधना करना चाहता नहीं और फिर भी तुम उसे साधना के लिए प्रवृत्त करने की कोशिश करते हो।"

अनुशासन की ऐसी व्याख्या सुनकर फिर भोले ने प्रश्न किया कि सबसे पहले हम किसे अनुशासित करें–शरीर को कि मन को। हम साधना की शुरुआत कैसे करें कि जीवन के मौलिक प्रश्नों का उत्तर हमें सुगमता से मिल सके।

देखने में यह प्रश्न बहुत सीधा और सरल लगता है किन्तु इस सीधे और सरल प्रश्न में महान तथ्य भरा हुआ है। बाबाजी और स्वामी शिवानन्द जी दोनों ही लोग यह जानते थे कि गुदड़ी बाबा और अन्य सन्तों ने भोले के हृदय में जिज्ञासा की आग जला दी है और भोले इस समय साधना के रहस्यों को समझने और साधनामय जीवन बिताने के लिए तैयार हो गये हैं। यह वही समय था जब इन दोनों महापुरुषों ने भोले को क्रमबद्ध ज्ञान दिया। साधना की पद्धति बतायी। साधना की इसी पद्धति को पूज्य स्वामी जी ने अपने "हिमालय के सन्तों के संग निवास" नामक ग्रन्थ में अत्यन्त सरल रूप से प्रस्तुत किया है। इसी साधना पद्धति को बार–बार अपने प्रवचनों के माध्यम से बताया है। स्वामी जी की कृपा से मैंने साधना की इस पद्धति का संग्रह किया। उस साधना पद्धति का सारांश इस प्रकार से है :

सच्ची साधना वही है जिससे हमारे व्यक्तित्व में परिवर्तन आये, हमारे व्यक्तित्व का विकास हो और हमारे अन्दर छिपी हुई वासनाओं का परिष्कार हो। इस प्रकार की साधना तभी सम्भव है जब हम अपने को अनुशासित करें। साधना करने से होती है गप्पें मारने से नहीं। साधना सम्बन्धी बौद्धिक ज्ञान समय आने पर काम नहीं आता। इसलिए साधना के द्वारा अनुभव प्राप्त करना चाहिए। अनुभवात्मक ज्ञान ही एक मित्र की भाँति हमारी रक्षा और पथ प्रदर्शन करता है।"

"जिज्ञासा की शान्ति के लिए पढ़ना, लिखना और दार्शनिक सिद्धान्तों पर विचार–विमर्श करना ठीक है किन्तु ये सिद्धान्त तभी काम करते हैं जब

तुम उन्हें अपने जीवन में उतार सको। ज्ञान को अपने दैनिक जीवन में उतारने को ही अभ्यास कहा जाता है।"

प्रायः लोग दूसरों के ऊपर निर्भर रहने की आदत डाले रहते हैं। लोग दूसरों की सहायता से जीना चाहते हैं। वह ये आशा करते हैं कि उन्हें दूसरे लोग बतायें कि उन्हें क्या करना चाहिए और क्या नहीं करना चाहिए। ध्यान रहे कि तुम मनुष्य हो। ईश्वर ने तुम्हें विवेक शक्ति दी है। इसलिए तुम सोचो, समझो और आत्म निर्भर बनो। दूसरों के ऊपर निभर होने से तुम्हारी आत्मशक्ति क्षीण होगी। आत्मशक्ति के बिना कुछ नहीं कर पाओगे। इसलिए तुम संकल्प शक्ति का आह्वान करो। अपने संकल्प के बल से आगे बढ़ो। यहाँ तक कि असफलता के भय को भी दूर फेंक कर कार्यरत हो जाओ। ऐसा करने से तुम देखोगे कि सफलता तुम्हारा चरण चूम रही है।"

"जहाँ तक विधिवत साधना का प्रश्न है–सबसे पहले बैठना सीखो। महात्मा लोग कहते हैं कि पहले आसन में बैठो। आसन में बैठने का मतलब है कि तुम्हारा सिर, गर्दन और रीढ़ रज्जु सीधी हो। इस प्रकार से बैठने पर तुम्हारे मूलाधार में प्राण शक्ति जागृत होकर ऊपर उठेगी। रीढ़ रज्जु सीधी होने के नाते मूलाधार से उठती हुई प्राण-शक्ति सरलता के साथ तुम्हारे नाड़ी मण्डल में प्रवाहित हो सकेगी। अगर तुम ठीक-ठीक से आसन में बैठो तो कभी भी आलस्य, निन्द्रा, भय, प्रमाद और दीर्घसूत्रता तुम्हें प्रभावित नहीं कर सकेंगे। बिना आसन के तुम्हें अनेक विघ्न-बाधाओं का सामना करना पड़ेगा।"

"चाहे किसी भी प्रकार की साधना करो उसके लिए तुम्हें स्वस्थ शरीर की जरूरत है। इसीलिए कहा गया है–'शरीरमाद्यं खलु धर्मसाधनम्'। नित्य नियमित रूप से एक ही आसन में बैठ कर साधना करने से शरीर में स्थिरता आ जायेगी। श्वास प्रश्वास की गति सूक्ष्म हो जायेगी। मन में सुख और शान्ति का प्रसार होगा। तब तुम यह देख सकोगे कि यह शरीर तुम्हारा है किन्तु तुम शरीर नहीं हो। तुम देखोगे कि ईश्वर ने तुम्हें कितना सुन्दर शरीर दिया है और तुम्हें चाहिए कि उनके दिए हुए इस उपहार का सदुपयोग होना चाहिए।"

"अस्वस्थ शरीर मन को व्यग्र और अशान्त किया करता है। ऐसी परिस्थिति में तुम्हें उस अशान्ति से जूझने के अलावा तुम्हारे पास और किसी बात के लिए समय नहीं रहता। यही कारण है कि शरीर की देखभाल करना,

उसको स्वस्थ और सबल बनाये रखना, अध्यात्म साधना का एक अंग माना गया है। साधना के लिए लगन और तत्परता होनी चाहिये। इसी को कहते हैं साधना के प्रति प्रबल इच्छा। यह प्रबल इच्छा ही तुम्हारे संकल्प शक्ति को दृढ़ करती है। यदि संकल्प शक्ति बलवती है तो तुम्हारे मार्ग में किसी भी प्रकार की बाधा नहीं आ सकती।''

''साधना के प्रारम्भिक क्षणों में बहुत ज्यादा आशा लगाकर मत बैठो। ऐसी कोई भी साधना पद्धति नहीं है जो तुम्हें तत्क्षण फल दे दे। यह मत सोचो कि इधर ध्यान किया और उधर समाधि लगी। ईश्वर के दर्शन हुए और तुम्हारे सब दुखों का अन्त हो गया। यदि इस प्रकार की आशा करोगे तो ध्यान के समय तुम कल्पना के प्रवाह में बह जाओगे। यह आशा तुम्हारे अन्दर व्यग्रता को जन्म देगी और तुम ध्यान भजन नहीं कर पाओगे। परिणाम यह होगा कि तुम आतुरतावश ध्यान भजन करना छोड़ दोगे और साधना वहीं पर रुक जायेगी।''

''साधना में सफल होने की कुंजी है कि सबसे पहले तुम अपने आप में विश्वास करो, विश्वास करो अपनी साधना में, गुरुदेव में और ईश्वर की कृपा में। यह विश्वास तुम्हारा मार्गदर्शन करेगा। तुम्हारी रक्षा करेगा। तुम्हें किसी प्रकार की त्रुटि करने से बचायेगा।''

स्वामी जी के जीवन में एक और महापुरुष का बहुत महत्वपूर्ण स्थान है। इन महापुरुष का नाम था–अघोरी बाबा। ये अघोरी बाबा श्रीनगर के पास धारीदेवी के नजदीक एक गुफा में रहा करते थे। अघोरी बाबा के विषय में यह अफवाह थी कि वे मुर्दा खाते थे। अपनी ही विष्ठा को खाते और मूत्र पीते थे–वैसे किसी ने भी उन्हें यह सब करते नहीं देखा था। साथ ही लोग यह भी कहा करते थे कि उन्हें अनेक सिद्धियाँ प्राप्त थीं। वे किसी को भी स्वस्थ कर सकते थे। मरे को जिला सकते थे। प्रकृति की शक्तियाँ उनके इच्छानुसार काम किया करती थीं।

भोले बचपन से ही अघोरी बाबा से परिचित थे। अपने गुरुदेव के साथ कई बार अघोरी बाबा की गुफा पर रह चुके थे। अघोरी बाबा भोले को मन चाहा धन दिया करते थे। उस समय भोले छोटे थे। भोले अघोरी बाबा के व्यवहार से इतना ही समझते थे कि अघोरी बाबा एक दयालु और उदार सन्त हैं। बड़ा होने पर भोले अघोरी बाबा के विषय में इस प्रकार की ऊटपटांग

बाते सुनकर थोड़ा आश्चर्यचकित हुए। स्थानीय लोगों के अनुसार अघोरी बाबा भूत-प्रेत की पूजा करने वाले एक शक्तिशाली किन्तु गन्दे व्यक्ति थे। जबकि भोले ने सदा ही अघोरी बाबा के अन्दर दया, करुणा, ज्ञान वैराग्य, प्रेम और उदारता देखी थी। भोले को यह विश्वास था कि अघोरी बाबा बाबाजी के ही समान एक रहस्यमय सन्त हैं।

थोड़े दिनों तक अपने गुरुदेव और अपने गुरुभाई के साथ रह कर भोले अघोरी बाबा के पास गये। भोले के अन्दर अभी भी अनेक प्रश्नों का ताँता लगा था। अभी तक भोले ने बाबाजी, गुदड़ी बाबा, स्वामी शिवानन्द और अन्य महात्माओं से जो कुछ सीखा था उससे निश्चय ही शान्ति मिली थी किन्तु भीतर-ही-भीतर उनकी यह धारणा पक्की हो गयी थी कि अभी बहुत कुछ जानना है, समझना है और अपने जीवन में उतारना है। भोले के अन्दर अभी भी बार-बार यह प्रश्न उठता था कि गुदड़ी बाबा के अन्दर जो इतनी महान शक्ति, ऊर्जा, और स्फूर्ति है—भला उसका स्रोत क्या हो सकता है। जब कभी उन्होंने यह प्रश्न बाबाजी से पूछा तो उन्होंने केवल इतना कह दिया कि तपस्या ही इसका स्रोत है। तपस्या शब्द की व्याख्या करते हुए स्वामी शिवानन्द जी ने कहा कि शरीर की देखभाल करना और अनुशासित जीवन बिताना ही तपस्या है। इन उत्तरों में यथार्थ अवश्य था किन्तु भोले को इस यथार्थ से सन्तोष नहीं हुआ। अन्य महात्माओं के चरणों में बैठकर किये गये सत्संग से भोले को यह विश्वास हो गया था कि बिना कष्ट उठाये कुछ भी नहीं मिलता है। इसलिए कष्ट को सहना और कष्टमय जीवन बिताना—तपस्या का अविभाज्य अंग है। भोले के मन में बार-बार यह भाव आता कि सन्त लोग कष्ट को तपस्या का अंग क्यों मानते हैं।

भोले बचपन से ही अघोरी बाबा से घुले-मिले थे। उनके साथ बाल सुलभ प्रश्न करने में हिचकते नहीं थे। अतः उनसे कुछ भी प्रश्न पूँछ सकते थे। एक दिन भोले ने अघोरी बाबा से पूछ ही लिया। बाबा! आजकल मुझे ऐसा लगता है जैसे मैं आप जैसे महापुरुषों का समय नष्ट किया करता हूँ किन्तु मैं अब ऐसा नहीं करना चाहता। मुझे पता है कि अभ्यास ही साधना की कुंजी है। किन्तु मुझे यह नहीं पता है कि उस साधना की शुरुआत कहाँ और कैसे करूँ। मुझे यह भी पता है कि आशा सब दुखों की जड़ है। आशा से मन में व्यग्रता आती है। फिर अभ्यास ठीक से नहीं चल पाता। किन्तु

अभ्यास से कुछ-न-कुछ तो अपेक्षा रखनी होगी। हमें कम-से-कम यह तो पता होना चाहिए कि हम अभ्यास क्यों कर रहे हैं। साधना में क्यों तत्पर हो रहे हैं और हमें साधना के द्वारा क्या प्राप्त करना है। यदि हमें इन सब बातों का कुछ भी ज्ञान नहीं है तो हमारे अन्दर लगन के साथ साधना करने की प्रेरणा कहाँ से आयेगी?

अघोरी बाबा ने उत्तर दिया, "अभ्यास वही है जिससे तुम्हारा शरीर स्वस्थ हो। इन्द्रियों को बल मिले। मन में एकाग्रता और शान्ति बढ़े। इस प्रकार के अभ्यास को ही योग साधना कहते हैं। इस योग साधना के द्वारा तुम सबसे पहले प्रमाद से मुक्त हो पाओगे। प्रमाद रहित होकर तुम जीवन के परम लक्ष्य को खोजने की कोशिश करोगे। ऐसी साधना ही तुमको अपने मन, वाणी और शरीर पर विजय प्राप्त करा सकती है। इस प्रकार की साधना के द्वारा एक दिन तुम अपने अन्दर प्रवेश कर सकोगे। उस अन्तर्जगत में जाकर ईश्वरी प्रकाश का दर्शन कर सकोगे। तुम्हारे कर्मों का क्षय होगा। किन्तु योग साधना को बल मिलता है तपस्या से। तपहीन योगी की योग साधना सिद्ध नहीं होती।"

भोले बोल पड़े, "मेरे गुरुदेव ने भी यही बात कही। जब मेरे गुरुभाई ने तप की व्याख्या की, तो केवल इतना कहा कि तप वही है जिससे तुम्हारा शरीर स्वस्थ हो, शरीर में शक्ति का संचार हो, तुम्हारे अन्दर ऊर्जा और स्फूर्ति बढ़े। ऐसी तपस्या के अभ्यास से आलस्य और प्रमाद से मुक्ति मिलेगी। संकल्प शक्ति, धैर्य और साहस आदि वृत्तियों का उदय होगा। किन्तु बाबाजी! मैं यह जानना चाहता हूँ कि तपस्या वस्तुतः है क्या? हम तपस्या में वस्तुतः प्रवृत्त कैसे हों? हम तपस्या के द्वारा अपनी योग साधना को कैसे विकसित करें?"

अघोरी बाबा ने उत्तर दिया, "ब्रह्मचर्य की साधना ही तपस्या है। नासमझ लोग ब्रह्मचर्य के विषय में मनमानी बातें किया करते हैं। लोग सोचते हैं कि मैथुन न करना ही ब्रह्मचर्य का पालन करना है। यह केवल अधूरा सत्य है ब्रह्मचर्य का सच्चा अर्थ है-ब्रह्मानुभूति करना और ब्रह्मभाव में मस्त हो जाना। प्रायः लोगों का मन, वाणी और कर्म उनके आहार, निन्द्रा, भय और मैथुन की वृत्ति से प्रभावित रहा करता है। इन वृत्तियों से प्रभावित होने के कारण मनुष्य को अपने दिव्य स्वरूप का बोध नहीं हो पाता। किन्तु

भीतर–ही–भीतर अपने दिव्य स्वरूप का अनुभव करने की इच्छा बनी रहती है। आनन्द के अनुभूति की इच्छा सभी के अन्दर है। यही इच्छा इन्द्रिय सुख के रूप में प्रगट होती है। इन्द्रियों के माध्यम से सुखानुभूति के चक्कर में अपनी बहुत सारी शक्ति गवाँ देता है। इन्द्रिय सुख के प्रपंच में पड़ कर मनुष्य शक्तिहीन हो जाता है। उसका शरीर जर्जर और मन निर्बल हो जाता है। एक समय ऐसा आता है कि मनुष्य भीतर से बिल्कुल खोखला हो जाता है। उसका खोखला शरीर और मन फिर रोग, वृद्धावस्था और मृत्यु के तूफान का सामना करने में असमर्थ हो जाता है। ब्रह्मचर्य का तात्पर्य है कि इन्द्रियों की दासता से स्वयं को मुक्त करो। शरीर और मन के भीतर विद्यमान शक्ति का संचय करो। फलस्वरूप शरीर और मन को स्वस्थ और सबल बनाओ। तब तुम देख सकोगे कि यह शरीर और मन आत्म साक्षात् करने में कितना सुन्दर साधन है।''

भोले ने पूछा, ''आपका कहना है कि ब्रह्मचर्य ही तपस्या का सार है। किन्तु ब्रह्मचर्य की साधना के रूप में कुछ–न–कुछ तो करना होता होगा। मुझे कोई यह नहीं बता रहा है कि यह किया कैसे जाता है। मुझे पता है कि इन्द्रिय सुखों में नहीं फँसना चाहिए। तो क्या मतलब है कि मैं अपने को सबसे अलग कर लूँ। संसार की सभी चीजों को दूर फेंक मैं अपने को किसी गुफा में बन्द करके बैठ जाऊँ। कम–से–कम खाना खाऊँ और कम–से–कम पानी पिऊँ। लगातार धूनी के आग को देखता रहूँ। या मन में कोई विचार न आये इसी बात पर डटा रहूँ। क्या यही करने से हमारी शक्ति का संचय होगा, हमें दिव्य ज्ञान और शान्ति का अनुभव होगा।''

अघोरी बाबा बोले, ''हाँ! तुम ठीक कह रहे हो। इसमें अभी बहुत सारी बातें रह गई हैं।'' इस प्रकार से उस दिन का वार्तालाप समाप्त हुआ।

कुछ दिन बाद अघोरी बाबा ने भोले को कुछ रुपये दिये और बोले कि वे बाजार जाकर कुछ खाने का सामान और कुछ हवन–सामग्री लायें। भोले रुपये लेकर बाजार के लिए चल पड़े। रास्ते में भोले को एक स्थानीय पण्डित जी मिल गये। उस पण्डित का यह विश्वास था कि अघोरी बाबा मनुष्य का मांस खाते हैं और उनके पास आसुरी शक्तियाँ हैं। यह पण्डित अघोरी बाबा की गुफा समीप ही विद्यमान धारा देवी के मन्दिर का पुजारी था। गुफा के इतने नजदीक रहते हुए भी वह डर के नाते कभी भी गुफा तक

नहीं आया था। यहाँ तक कि जब कभी अघोरी बाबा धारा देवी के मन्दिर पर आते तो वह पण्डित भाग कर देवी की मूर्ति के पीछे छिप जाता।

वह पण्डित भोले अर्थात् स्वामी जी के पिता को अच्छी तरह जानता था। अतः उसे यह चिन्ता थी कि अघोरी बाबा के चक्कर में फँसकर पता नहीं भोले क्या कर रहे होंगे। उसने भोले को समझाया कि भोले अघोरी बाबा को छोड़कर भाग जाये। भोले ने उस पण्डित को बताया कि अघोरी बाबा गुरुदेव के मित्र हैं। एक उच्च कोटि के सन्त हैं। बड़े दयालु हैं। उनके विषय में लोगों को बेकार में इतनी भ्रान्तियाँ हैं। अघोरी बाबा किसी प्रकार का नशा नहीं करते और केवल शाकाहारी खाना खाते हैं। इस प्रकार से बातचीत करते हुए दोनों लोग बाजार पहुँचे वहाँ पर जब भोले पूजा का सामान और खाने-पीने की वस्तु खरीदने लगे तो पण्डित दंग रह गया। अभी तक वह यहीं सोचता था कि अघोरी बाबा के लिए भोले नशीली वस्तु खरीदेंगे। वह यह भी सोचता था कि अघोरी बाबा अपनी आसुरी शक्तियों के माध्यम से यों ही अपनी मनचाही वस्तु प्रगट कर लेते हैं। किन्तु उसे अब कुछ-कुछ विश्वास होने लगा कि अघोरी बाबा उतने बुरे आदमी नहीं हो सकते जितना कि वह सोचता है। अब वह भोले के साथ अघोरी बाबा के नजदीक आने के लिए तैयार हो गया।

जब ये लोग अघोरी बाबा के पास आये तो उस समय बाबा गुफा में थे। गुफा में प्रवेश करने के पहले भोले ने कहा, "देर हो रही थी इसलिए मैंने इन पण्डित जी को सहायता के लिए कहा। ये वही पण्डित जी हैं जो मन्दिर पर पूजा किया करते हैं।"

पण्डित ने अघोरी बाबा को साष्टांग प्रणाम किया। उसको प्रणाम करते देख बाबा गुस्से में गरज पड़े, "क्यों रे पण्डित गुफा पर आकर मेरा पैर छू रहा है लेकिन पीठ पीछे मेरे बारे में गन्दी बातें कहता है। उठ, जाकर वह कुल्हाड़ी ला!"

भय से काँपता हुआ वह पण्डित उठा और अघोरी बाबा की आज्ञानुसार कुल्हाड़ी लाया। फिर बाबा बोले, "जा देख! नदी में कोई मुर्दा पड़ा है। उसके जंघे से कुछ मांस काटकर ला।"

गुफा के नीचे ही नदी थी। भोले ने इसके पहले वहाँ कोई मुर्दा नहीं देखा था। गुफा के मुँहाने पर अघोरी बाबा के साथ खड़े होकर भोले ने देखा

कि वह पण्डित नदी से मुर्दा बाहर खींच रहा है। पण्डित इतना डरा हुआ था कि एक बार तो वह खुद ही मुर्दे के ऊपर गिर पड़ा। काँपते हुए हाथों से वह मुर्दे के जंघे से कुछ मांस काटकर लाया। फिर बाबा ने उससे कहा कि वह मांस को हाड़ी में रख और उसमें कुछ पानी डाल कर उबाले।

भोले ने इससे पहले कभी भी अघोरी बाबा को किसी के साथ ऐसा कड़ा बर्ताव करते नहीं देखा था। पण्डित की हालत बिल्कुल खराब थी। मुर्दे का मांस काटते समय उसने अपनी भी उँगली काट डाली थी। उसकी उँगली से खून की धारा बह रही थी। उसके बहते हुए खून को देखकर बाबा एक बार फिर से चिल्ला पड़े, "यह खून कैसा? उँगली दिखा।" पण्डित डर के नाते बोल नहीं पा रहा था। अपनी थर-थराती हुई उँगली को दिखाते हुए वह जमीन पर गिर गया। अघोरी बाबा उसकी तरफ देख कर बोले, "हम लोग अपवित्र ब्राह्मण के माँस को नहीं खाते हैं। क्यों भोलिया?" फिर एकाएक अघोरी बाबा के चेहरे का भाव बिल्कुल बदल गया। उनके मुख मण्डल पर एक परम शान्ति और करुणा की आभा छा गयी। उन्होंने प्यार से पण्डित का हाथ अपने हाथों में लिया और देखते-ही-देखते उसकी उँगली का घाव भर गया। उस पण्डित के शरीर में एक विचित्र शक्ति और मन में शान्ति का संचार हुआ। बाबा ने बड़े प्यार से कहा, "आज से मेरे विषय में गन्दी बातें मत सोचना। तुम सोचते हो कि मैं मांस खाता हूँ? और लोगों की भाँति तुम सोचते हो कि मैं गन्दा आदमी हूँ? मैं भी शुद्ध शाकाहारी हूँ।"

पण्डित अभी भी नहीं समझ पा रहा था कि अघोरी बाबा शाकाहारी कैसे हो सकते हैं। लेकिन दस मिनट बाद जब बाबा ने उसे हाड़ी से पके हुए भोजन को लाने को कहा तो पण्डित के आश्चर्य का ठिकाना न रहा। पण्डित ने जब बर्तन का ढक्कन खोला तो उसमें मांस की जगह रसगुल्ले निकले। बाबा हँसते हुए बोले, "देखो! इस मिठाई में मांस नहीं है।"

सब लोगों ने खूब जमकर रसगुल्ले खाये। अघोरी बाबा ने बचे हुए रसगुल्ले पण्डित को दे दिये और बोले कि इसे और लोगों में बाँट दें। जब पण्डित चलने लगा तो बाबा बोले, "तुम मेरे विषय में अब गन्दी बातें मत सोचना। लेकिन और लोगों से यह मत कहना कि मैं अच्छा आदमी हूँ। तुम कभी-कभार आ जाया करो। किन्तु अपने साथ मित्रों को मत लाना।"

पण्डित के जाने के बाद भोले ने बाबा से पूछा, "आप ऐसा क्यों करते

हैं? क्या वह मुर्दा सच्चा था? अगर हाँ तो मांस मिठाई में कैसे बदल गया? आप इस प्रकार का जीवन क्यों बिताते हैं?"

बाबा ने उत्तर दिया, "तुम इसे मृत शरीर क्यों कहते हो? मरने के बाद यह मनुष्य नहीं है। यह केवल वस्तु है जिसका कोई उपयोग नहीं करता। अगर मैं इसका उपयोग करता हूँ तो इसमें हानि क्या? मैं एक वैज्ञानिक हूँ। वैज्ञानिक अनुसंधानों के द्वारा मैं यह जानने का प्रयत्न करता हूँ कि पदार्थ और ऊर्जा दोनों का स्रोत क्या है? मैं पदार्थ और ऊर्जा को एक-दूसरे में बदला करता हूँ। और उस समय यह जानने का प्रयत्न करता हूँ कि इन दोनों के मूल में विद्यमान चैतन्य तत्व में अनुभूति के स्तर पर क्या होता है। माता प्रकृति मेरी गुरु हैं। प्रकृति अनेक रूपों को धारण करती है। मैं उसी के नियमों का पालन करते हुए तत्वों का रूपान्तरण किया करता हूँ। इस बार मैंने यह सब इस पण्डित के लिए किया था। अब उसके अन्दर परिवर्तन आयेगा। साथ ही वह और लोगों को मेरे पास आने से रोकेगा। इस गुफा में मुझे रहते हुए तेरह साल हो गये किन्तु मेरे पास कभी कोई नहीं आया। मैं लोगों को डराने के लिए इस प्रकार का व्यवहार करता हूँ। वह सोचते हैं—मैं अपवित्र जीवन बिताता हूँ। मैं उनके ऊपर पत्थर फेंकता हूँ किन्तु उससे कभी भी किसी को चोट नहीं आती। मैं शान्ति के साथ अपना काम किया करता हूँ।"

स्वामी जी ने अपने इस अनुभव का वर्णन "हिमालय के सन्तों के संग निवास" नामक ग्रन्थ में काफी विस्तार से किया है। उस ग्रन्थ में स्वामी जी बताते हैं कि अघोरी बाबा तन्त्र विद्या के मर्मज्ञ, शास्त्रों के पूर्ण ज्ञाता और उच्च कोटि के सन्त थे। एक वैज्ञानिक की भाँति वे तत्व, ऊर्जा शक्ति और चैतन्य शक्ति के बीच अनुसन्धान किया करते थे। तन्त्र की अघोर परम्परा में इसका विस्तृत विवरण मिलता है। अघोर परम्परा के अनुसार अचिन्त्य महिमा से भरपूर चैतन्य शक्ति अनन्त नाम रूपों में प्रकट हुआ करती है। विश्व का विकास चैतन्य शक्ति से ही होता है। इस परम्परा के अनुसार चैतन्य शक्ति और उससे विकसित होने वाले संसार को पूर्ण रूप से जानना ही जीवन का परम लक्ष्य है।

स्वामी जी के हृदय में अघोरी बाबा के प्रति अपार श्रद्धा और भक्ति थी। अघोरी बाबा के शरीर छोड़ देने के बाद भी अघोरी बाबा की गुफा पर जाया करते थे। कभी-कभी स्वामी जी अपने साथ अपने शिष्यों को भी ले

जाया करते थे। १९८३ में जब मैं "हिमालय के सन्तों के संग निवास" ग्रन्थ का हिन्दी अनुवाद कर रहा था–उस समय पूज्य स्वामी जी ने सूर्य विज्ञान के सन्दर्भ में इन महापुरुष के विषय में मुझे विशेष रूप से बताया था। उन दिनों मुझे यह अनुभव हुआ कि स्वामी जी और अघोरी बाबा के बीच में कितना घनिष्ठ सम्बन्ध था।

स्वामी जी ने बताया कि अघोरी बाबा के ज्ञान और शक्ति का मूल स्त्रोत सूर्य विज्ञान था। स्वामी जी से मिलने के पहले मैंने स्वच्छन्द तन्त्र जैसे प्राचीन ग्रन्थों और पं. गोपीनाथ कविराज जैसे आधुनिक लेखकों के ग्रन्थों को पढ़ा था। इन सब ग्रन्थों के अध्ययन से मुझे यह ज्ञान हो चला था कि सूर्य विज्ञान की साधना से मनुष्य अनेक प्रकार की शक्तियों और सिद्धियों को प्राप्त कर सकता है। पूज्य स्वामी जी स्वयं एक सिद्ध सन्त थे। उन्हें अनेक प्रकार की सिद्धियाँ प्राप्त थीं। भारत और अमेरिका में मैंने उन्हें शिवलिंग, अनेक प्रकार के यन्त्र तथा सुगन्धित पुष्प प्रकट करते देखा था। अतः वह निश्चित ही सूर्य विज्ञान के ज्ञाता थे ऐसा मेरा विश्वास था।

एक बार की बात है कानपुर के टण्डन परिवार का एक सदस्य बीमार पड़ गया। उन्हीं दिनों उनके घर में शादी की तैयारियाँ चल रही थीं। डॉक्टरों की हर कोशिश करने के बाद भी ऐसा लग रहा था कि वह बच्चा अब बचेगा नहीं। इसी बीच स्वामी जी उनके घर पर पधारे। स्वामी जी ने बच्चे को देखा। फिर अपने हाथ में एक गिलास पानी लेकर बच्चे की परिक्रमा करके पूरा पानी पी गये। इधर स्वामी जी ने पानी पिया, और उधर बच्चे का बुखार उतरा और बच्चा स्वस्थ होकर उठ बैठा। इसी प्रकार की अनेक घटनाएँ, अनेक चमत्कार मैंने अमेरिका में भी देखे।

स्वामी जी के इन चमत्कारों के विषय में मुझे किसी भी प्रकार की शंका न थी। फिर भी मुझे यह नहीं पता था कि योग द्वारा सिद्ध महापुरुषों को इस प्रकार की शक्तियाँ कैसे प्राप्त होती हैं। १९८३ में "हिमालय के सन्तों के संग निवास" ग्रन्थ के अनुवाद के दौरान एक दिन रात्रि में काफी देर तक मैं स्वामी जी के साथ रहा। जब मैं चलने लगा तब स्वामी जी ने कहा कि सुबह जल्दी आ जाना। मैं साढ़े छः बजे प्रातः स्वामी जी के पास आया। प्रायः स्वामी जी अपने रसोईघर के बगल वाले छोटे–से कमरे में सोया करते थे किन्तु उस दिन उस कमरे के बगल में एक बड़े कान्फ्रेंस रूम में यों ही

जमीन पर कम्बल बिछा कर सो गये थे। जब मैं उनके कमरे में घुसा तो पाया कि स्वामी जी अभी भी उसी बिस्तरे पर बैठे हैं। साथ ही मैंने देखा कि उनके बगल के गमले में उगने वाला रबर का पेड़ कुछ छोटा लग रहा है। मैंने सोचा कि अभी रात को तो यह पेड़ काफी लम्बा था यहाँ तक कि इसकी फुनगी छत छू रही थी और हम लोग उसे वहाँ से हटा कर इंस्टीट्यूट के पौधघर में ले जाने की बात कर रहे थे। रात भर में यह पेड़ इतना छोटा कैसे हो गया। मैंने उस पौधे को ऊपर से लेकर नीचे तक देखा। सोचा कि हो सकता है कि रात में उसे किसी ने छोटे गमले में रख दिया हो। किन्तु ऐसा नहीं लग रहा था। फिर सोचा कि हो सकता है इसको किसी ने कलम कर दिया हो या गमले सहित पौधे को ही बदल दिया हो। किन्तु मेरी वह भी धारणा गलत निकली। अन्त में मैंने स्वामी जी से पूछ ही लिया, "स्वामी जी! इस पौधे को क्या हो गया? यह इतना छोटा कैसे हो गया?" स्वामी जी ने उत्तर दिया, "मैं यह अनुसन्धान कर रहा था कि बड़े को छोटा कैसे किया जाता है।"

मैंने पूछा, "तो फिर आपने कैसे किया?"

स्वामी जी ने उत्तर दिया, "मैंने इस पौधे के पृथ्वी और जल तत्व के कुछ अंश को ऊर्जा में बदल कर दूसरी जगह कर दिया।"

फिर मैंने पूछा, "स्वामी जी! आपने स्थूल तत्व को ऊर्जा में कैसे बदला? और उसे यहाँ से हटाकर कहाँ रख दिया?"

स्वामी जी ने कहा, "क्या देखना चाहते हो? ऐसा करो अपने गदेली को इस पौधे और मेरी उँगली के बीच में रखो।" यह कहकर स्वामी जी ने अपनी तर्जनी को उस पौधे की ओर किया। उनके ऐसा करते ही मुझे लगा कि जैसे कोई अत्यन्त शक्तिशाली विद्युत की धारा स्वामी जी की उँगली से निकलकर पौधे की ओर जा रही है। मैं स्वामी जी की तर्जनी और पौधे के बीच में अपनी गदेली को नहीं रख पा रहा था क्योंकि मुझे ऐसा लग रहा था जैसे उनकी उँगली से निकलने वाली ऊर्जा की वह धारा मेरी गदेली को फाड़कर उस पार चली जायेगी। कुछ ही मिनट में मैंने देखा कि पौधे के तले पर छोटे-छोटे धब्बे उभरने शुरू हो रहे हैं और दस मिनट के भीतर वे धब्बे बड़े-बड़े फोड़े के रूप में उभरने लगे। स्वामी जी ने बताया कि "वैसे रबर का पौधा बड़ी तेजी से बढ़ता है फिर भी इतने कम समय में इतना सारा स्थूल

तत्व यह अपने आप में आत्मसात् नहीं कर पा रहा है इसलिए ये गुल्थियाँ उभर रही हैं।" यह कह कर स्वामी जी ने अपनी उँगली हटा ली। फिर बोले, "इस समय इस पौधे का वजन लगभग एक आध किलो ज्यादा और मेरे शरीर का एक-आध किलो कम होगा।" फिर स्वामी जी ने अपनी तर्जनी की उँगली उस पौधे की ओर की। जब मैंने इस बार अपनी गदेली स्वामी जी की उँगली और पौधे के बीच में करने की कोशिश की तो ऐसा लगा जैसे एक शक्तिशाली ऊर्जा की धारा, पौधे से निकल कर स्वामी जी की उँगली की तरफ जा रही है। मेरे देखते ही देखते उस पौधे के तने पर उभरी हुई गुल्थियाँ खत्म हो गयीं।

मेरे मन में इस समय अनेक प्रश्न उठ रहे थे। मैं सोच रहा था कि इतने सारे स्थूल तत्व को भला मनुष्य का शरीर इतने कम समय में कैसे आत्मसात् कर सकता है। मैंने स्वामी जी से पूछ ही लिया। "स्वामी जी! क्या इस समय आपके शरीर में कही गुल्थियाँ हैं?"

स्वामी जी बोले, "नहीं!"

तो मैंने पूछा, "तो फिर इतनी अधिक मात्रा में आपने इस पृथ्वी और जल तत्व को कहाँ इकट्ठा किया, कैसे आत्मसात किया।"

स्वामी जी बोले, "नाभि चक्र के नीचे आँतों के पास। वहाँ पर वैश्वानर अग्नि का निवास है। मैंने उस समस्त स्थूल तत्व को अग्नि देव को दे दिया। समयानुसार वे उसे पचाकर पूरे शरीर में वितरित कर देंगे।"

इसी बीच स्वामी जी की सेक्रेटरी कमल स्वामी जी के कमरे में आयी। उसे देखकर स्वामी जी बच्चों की तरह खिलखिला कर हँस पड़े और बोले, "हे लम्बी लड़की! बोल, मैं तुझे छोटा कर दूँ।"

अपने अनुशासित मुस्कान के साथ कमल बोली, "नहीं स्वामी जी। मैं जैसे हूँ वैसे ही ठीक हूँ।" यह कह कर अपने कामकाज में लग गयी।

अभी पिछली ही रात स्वामी जी से वार्तालाप करते समय इस निष्कर्ष पर पहुँचा था कि सभी परिवर्तनों के मूल में अग्नि देव का हाथ है। अतः जैसे ही स्वामी जी ने कहा, "मैंने उस समस्त स्थूल तत्त्व को अग्निदेव को दे दिया और समयानुसार वे उसे पचाकर पूरे शरीर में वितरित कर देंगे"– मैं उचित समय जानकर पूछ बैठा। उस समय स्वामी जी अत्यन्त उदार मुद्रा

में थे। मैंने पूछा, "स्वामी जी! यह वैश्वानर अग्नि क्या है? इसका निवास कहाँ है? इसका कार्य क्या है? क्या इसी अग्नि की सहायता से योगी लोग एक तत्त्व का दूसरे तत्त्व में अथवा तत्त्व का ऊर्जा के रूप में परिवर्तन करते हैं वह कौन-सी योग साधना है जिसको करने से हम अग्निदेव की कृपा प्राप्त कर सकते हैं? इस अग्निविद्या का क्या रहस्य है?"

स्वामी जी बोले, "अघोरी बाबा इस विद्या के पूर्ण ज्ञाता थे। वे कहा करते थे कि अग्नि ही योग साधना की केन्द्र बिन्दु है। इसी अग्नि की सहायता से योगीजन स्वस्थ और बलवान शरीर तथा तेजस्वी मन का विकास किया करते हैं। अधिकतर योगीजन मणिपूर चक्र में अग्नि का ध्यान करते हैं। किन्तु हमारी परम्परा में स्वाधिष्ठान चक्र पर अग्निदेव का ध्यान किया जाता है। वहाँ पर अग्नि देव को सम्वर्त-अग्नि कहते हैं। सम्वर्त अग्नि से स्थूल तत्त्व में विस्फोट होता है। वह स्थूल तत्त्व ऊर्जा में बदल जाता है जहाँ सम्वर्त के रूप में अग्नि होती है। वहाँ नित्य ही उनके साथ समया के नाम से शक्ति का निवास होता है। सम्वर्त और समया में कोई अन्तर नहीं। दोनों एक-दूसरे में वैसे ही समाये हुए हैं। जैसे आग में ऊष्मा। सम्वर्त स्थूल को ऊर्जा में बदलते हैं और माता समया ऊर्जा को स्थूल तत्त्व में बदलती है। शास्त्रों में सम्वर्त को रुद्र तथा समया को रुद्राणी कहते हैं। तन्त्र ग्रन्थों में इन्हीं सम्वर्त और समया को अघोरेश्वर और अघोरेश्वरी कहते हैं। श्रीविद्या सम्प्रदाय में यही कामेश्वर और कामेश्वरी अथवा आनन्देश्वर और आनन्देश्वरी कहे जाते हैं। शारीरिक, मानसिक और आध्यात्मिक स्तरों पर जो कुछ भी परिवर्तन हो रहा है यह इन्हीं अचिन्त्य शक्तिमान और शक्ति की ही कृपा से हो रहा है। कुछ साधक योग मार्ग का सहारा लेकर इस अग्नि का ध्यान किया करते हैं और कुछ साधक कर्मकाण्ड की विधि का पालन करते हुए मन्त्रों के द्वारा इन्हीं अग्निदेव को आहुतियाँ अर्पित करते हैं।"

मैंने स्वामी जी से प्रार्थना की, "स्वामी जी! क्या मैं अग्नि विद्या का अध्ययन और अभ्यास कर सकता हूँ?"

स्वामी जी बोले, "क्यों नहीं। हम लोगों को चाहिए कि इस विषय पर पूरा कोर्स ही शुरू करें। इससे लोगों का कल्याण होगा। उस कोर्स का नाम होगा-'पाथ ऑफ फायर एण्ड लाइट'।" इस प्रकार से स्वामीजी ने आगे चलकर इसी शीर्षक पर अपना वार्षिक ध्यान शिविर शुरू किया। बाद में

उनके द्वारा दिये गये कुछ प्रवचनों को संकलित करके 'पाथ ऑफ फायर एण्ड लाइट' ग्रन्थ का प्रकाशन हुआ।

एक दूसरे सन्त जिनका नाम स्वामी जी बड़ी श्रद्धा और भक्ति के साथ लिया करते थे—उनका नाम था 'सोमबारी बाबा'। सोमबारी बाबा अल्मोड़ा से लगभग १५ मील दूर निवास किया करते थे। ये अपनी उदारता और तपस्या के नाते बहुत प्रसिद्ध थे। ये महात्मा हर सोमवार को भण्डारा करते थे। इसलिये स्थानीय लोग उन्हें सोमबारी बाबा कहते थे। साधना के प्रारम्भिक दिनों में सोमबारी बाबा पंचाग्नि का सेवन करते थे। गर्मी के दिनों में अपने चारों तरफ आग जलाकर बैठ जाते थे। और ऊपर तपता हुआ सूरज होता। इस प्रकार से तपस्या करते हुए भीतरी अग्नि अर्थात् कुण्डलिनी शक्ति का ध्यान किया करते थे।

सोमबारी बाबा का नित्य का नियम था—बहुत प्रातःकाल उठना, नदी में स्नान करना, घण्टों तक ध्यान और जप करना फिर अग्नि में आहुतियाँ डालना। यज्ञ हवन करते-करते प्रायः दोपहर हो जाया करती थी। इसके बाद गुदड़ी बाबा की समाधि (सोमबारी बाबा के अन्तिम दिनों के पहले ही गुदड़ी बाबा शरीर छोड़ चुके थे) को प्रणाम करने जाते थे। सोमबारी बाबा कहा करते थे कि गुदड़ी बाबा एक अमर सन्त हैं। वे इस स्थान पर शरीर भावना से मुक्त होकर एक हज़ार वर्ष के लिए तपस्या में लीन हैं। इस प्रकार गुदड़ी बाबा को प्रणाम करने के बाद सोमबारी बाबा अपनी सांसारिक दिनचर्या शुरू करते थे।

सोमबारी बाबा का आहार अपने आप में निराला था—विशेष करके वृद्धावस्था में। ध्यान पूजा के उपरान्त दोपहर को वे चाय पिया करते थे। इसके बाद वे अपना भोजन बनाते थे। भोजन भी उतना ही बनाते जितना एक व्यक्ति के लिए पर्याप्त होता। फिर उस भोजन को तीन भागों में बाँटते। एक भाग मछली को देते, दूसरा किसी अज्ञात व्यक्ति या शक्ति के लिए रख देते और तीसरा भाग स्वयं खाते। पूरी रात प्रायः एकान्त में बिताते थे। उनका सबसे पहला दर्शन तब होता जब वे हवन के लिए आग ठीक कर रहे होते।

सोमवारी बाबा अपनी आरोग्यदायिनी शक्ति के लिए प्रसिद्ध थे। दोपहर के बाद उनके आश्रम में दीन-दुखियों की भीड़ लगी रहती थी। वे लोगों को मुफ्त में दवा दिया करते थे। ये औषधियाँ प्रायः स्थानीय जड़ी-बूटियों से

बनी होती थीं। कभी-कभी ये अपनी धूनी की भस्म भी दवा के रूप में दे दिया करते थे। प्रसाद के रूप में भोजन, दवा एवं भस्म पाकर लोग रोगों से मुक्त हो जाया करते थे। किन्तु अल्मोड़ा और नैनीताल के कुछ डॉक्टर सोमवारी बाबा को अपना शत्रु समझते थे। उन डॉक्टरों का यह कहना था कि सोमवारी बाबा के पास डॉक्टर या वैद्य होने का कोई प्रमाण नहीं है। अतः उनका सेवा कार्य अवैधानिक है। इन डॉक्टरों ने सोमवारी बाबा को बहुत तंग किया। अतः उनसे तंग आकर बाबा ने औषधियों के माध्यम से लोगों की सेवा करना बन्द कर दिया। किन्तु वे रोगियों की सेवा करते ही रहे। हाँ सेवा का माध्यम बदल दिया। अब हर सोमवार को बाबा धूमधाम से भण्डारा करने लगे। उनके भण्डारे से मिलने वाला प्रसाद दवा के ही समान काम करता था।

स्वामी जी अपने बाल्य काल में सोमबारी बाबा के पास अपने गुरुदेव के साथ जाया करते थे। उन दिनों स्वामी जी बच्चे ही थे। इतना ज्ञान नहीं था कि वे सोमवारी बाबा को समझ सकें ओर उनके ज्ञान का लाभ उठा सकें। किन्तु अब अघोरी बाबा के साथ समय बिताने के बाद उन्हें यह ज्ञान हो गया था कि अग्नि ही योग साधना का केन्द्र बिन्दु है। उन्हें यह भी ज्ञान हो गया था कि बाबा जी, गुदड़ी बाबा और अघोरी बाबा अपने भीतर विद्यमान अग्निदेव का ध्यान किया करते हैं। ये महापुरुष बाह्य कर्मकाण्ड की विधि से अग्निदेव का पूजन नहीं करते। किन्तु निश्चय ही बाह्य कर्मकाण्ड का भी साधना में अपना स्थान है। भोले (स्वामी जी) यह भी जानते थे कि अघोरी बाबा ने अभी जो कुछ भी अग्नि विद्या या सूर्य विज्ञान के विषय में बताया है–वह अभी आधा ज्ञान है। अघोरी बाबा और सोमवारी बाबा एक-दूसरे का बहुत सम्मान करते थे। अतः भोले को यह विश्वास हो चला था कि अघोरी बाबा ने जो अग्नि का उपदेश शुरू किया है उसकी पूर्णता सोमवारी बाबा करेंगे। इस विश्वास से प्रेरित होकर अघोरी बाबा की गुफा छोड़ने के बाद भोले सोमवारी बाबा के यहाँ गये।

हिमालय के कुमायूँ क्षेत्र में सोमवारी बाबा के विषय में सैंकड़ों कहानियाँ प्रसिद्ध हैं। कई बार ऐसा देख गया था कि आश्रम की ओर आने वाले व्यक्ति के विषय में सोमवारी बाबा पहले ही जान जाते थे। भोले के पहुँचने के कई दिन पहले से ही किसी कारणवश सोमवारी बाबा ने विशाल

हवन करना शुरू कर दिया था। बाबा उन दिनों प्रातः के चार पाँच घण्टे हवन में बिताते थे। जैसे ही भोले आश्रम पर पहुँचे सोमवारी बाबा ने उन्हें लकड़ी इकट्ठा करने, सामग्री तैयार करने और कुण्ड की देखभाल करने का काम सौंप दिया। बाबा की आज्ञा के अनुसार भोले को हवन कुण्ड के पास ही रहना पड़ता था। बाबा के इतने नजदीक रह कर भोले को अनेक विस्मयकारी अनुभव हुए। भोले ने देखा कि कभी-कभी आग की लपटें इतनी बड़ी हो जाती कि बाबा चारों ओर से लपटों में घिर जाते फिर भी उन्हें किसी प्रकार की क्षति न पहुँचती। कभी-कभी जलते हुए अँगारे से धमाके की आवाज आती। जलता हुआ अँगारा बाबा की गोद में आ गिरता और वहीं पड़ा रहता। बाबा आहुति डालते रहते और जब हाथ खाली होता तो अँगारे को हाथ से उठाकर कुण्ड में ऐसे डाल देते मानो वह अँगारा बिल्कुल ठण्डा हो। भोले ने यह भी देखा कि कभी-कभी आग की लपटों का रंग भी बदल जाता है और कभी-कभी वे लपटें अग्निकुण्ड के अलग-अलग भागों से प्रकट होती हैं।

एक दिन मध्याह्न काल में भोले ने सोमवारी बाबा को अपने आश्चर्य की बात बतायी और पूछा, आग उन्हें जलाती क्यों नहीं? सोमवारी बाबा झटके से बोल पड़े, "आग मुझे क्यों जलायेगी। मुझमें और आग में अन्तर ही क्या है। पूरे संसार को अग्निदेव ने ही व्याप्त कर रखा है तो क्या इससे अग्नि संसार को नष्ट किये जा रही है? अग्नि देव ही तो पूरे संसार का भरण-पोषण करते हैं। जिन्हें उसका ज्ञान नहीं है वही लोग अग्नि से डरते हैं।"

वैसे भोले को सोमवारी बाबा की बात ठीक-ठीक से समझ नहीं आयी किन्तु इतना ज्ञान उनको अवश्य था कि अग्नि दिव्य है। चैतन्य स्वरूप है। ऊष्मा और प्रकाश के रूप में पूरे विश्व को व्याप्त कर रखा है। अब भोले ने दूसरा प्रश्न पूछा, "बाबा! बीच-बीच में अग्नि की लपटों का रंग क्यों बदल रहा था?"

सोमवारी बाबा बोले, "लपटें अग्निदेव की जीभें हैं-इनकी संख्या सात है। उन अलग-अलग जीभों के अलग-अलग नाम और अलग-अलग रंग हैं इन जीभों के अलग-अलग काम भी हैं। यज्ञ शुरू करने के पहले अग्निदेव के साथ उनकी जीभों का भी आवाहन, स्थापन, प्राणप्रतिष्ठा,

सन्निधापन, अवगुंठन और अमृतीकरण किया जाता है। उसके बाद ही और सारे विधि-विधान काम में लाये जाते हैं। तुम्हारे यज्ञ का लक्ष्य क्या है? तुम्हारे हवन सामग्री का स्वरूप क्या है उसी के आधार पर अग्नि देव यह निर्णय करते हैं कि अपने किस जीभ के द्वारा तुम्हारी आहुतियों को स्वीकार करें। वैसे मेरी पूरी की पूरी हवन सामग्री एक ही है। किन्तु फिर भी मैं समय-समय पर प्रकृति के विभिन्न शक्तियों को लक्ष्य बनाकर आहुतियाँ डालता हूँ इसलिए अग्निदेव की जीभों अर्थात् अग्नि की ज्वालाओं का रंग बीच-बीच में बदल जाता है।"

प्रसंग को आगे बढ़ाने के उद्देश्य से स्वामी जी ने पूछा, "मैं तो यह सोचता था कि कर्मकाण्ड से हमारी आध्यात्मिक साधना को बल मिलता है। आहुतियाँ हमारे कर्मों की तरफ इशारा करती हैं। सांकेतिक रूप से हम आहुतियों के द्वारा अज्ञान की अग्नि में अपने कर्मों को भस्म करते हैं। मैंने तो यह कभी भी नहीं सोचा था कि आहुतियों के द्वारा हम प्रकृति की शक्तियों का भरण और पोषण भी कर सकते हैं यह बात बिल्कुल भी मेरी समझ में नहीं आ रही है। प्रकृति की ये शक्तियाँ सर्वव्यापी हैं और हम लोगों की तुलना में अधिक शक्तिशाली हैं। क्या अपने भरण-पोषण के लिए ये शक्तियाँ हम लोगों के ऊपर निर्भर हैं?"

सोमवारी बाबा ने उत्तर दिया, "जीवन के इस ताने-बाने में हर व्यक्ति और हर वस्तु एक-दूसरे से जुड़ा हुआ है। हमारा सुख और स्वास्थ्य दूसरों के सुख और स्वास्थ्य से अलग नहीं है। हमारी आन्तरिक शक्ति और आध्यात्मिक ज्ञान हमारे बाहरी जगत को प्रभावित करता है। उसी प्रकार से बाहरी वातावरण हमारे भीतरी जगत को प्रभावित करता है। व्यवहारिक स्तर पर हम लोग पूरी तरह से प्रकृति की शक्तियों पर निर्भर हैं। प्रकृति की ये शक्तियाँ—वायु, जल और प्रकाश आदि लगातार हमारा भरण और पोषण कर रही हैं। यदि ये शक्तियाँ कमजोर हो गयीं तो हम भी स्वस्थ नहीं रह सकते। इसी प्रकार से एक समष्टि चेतना भी है। पूरे विश्व की मिली-जुली जो चेतना है उसे समष्टि चेतना कहते हैं। यदि यह समष्टि चेतना निर्बल हो गयी हो तो निश्चित ही हमारा मन और बुद्धि भ्रमित हुए बिना नहीं बचेगी। हम स्वस्थ और सुखी हों, हमारा मन एकाग्र हो, हृदय पवित्र हो तथा बुद्धि कुशाग्र और शुभ संकल्प से युक्त हो, उसके लिए यह जरूरी है कि हम प्रकृति की सेवा

करें, उसे स्वस्थ बनायें और प्रकृति के प्रति प्रेम और सम्मान का भाव रखें।

"तुम जैसे आजकल के बच्चे अपनी बुद्धि के दास हो गये हो। अरे! सत्य को सीधे देखो। तुम सत्य में सांकेतिक अर्थ देखने की कोशिश क्यों करते हो? अग्नि जीता जागता सत्य है; यह पृथ्वी और स्वर्ग के बीच की कड़ी है; यह दिव्य है, कण-कण में व्याप्त है। हमारे हृदय की गुफा में बैठा हुआ हमारे कर्मों का साक्षी है। यही अग्नि हमको परिवर्तन के लिए प्रेरित करती है। परिवर्तन के लिए शक्ति देती है। बिना इसके संसार की सभी वस्तुएँ; सभी शक्तियाँ निष्क्रिय हैं। अपने मानसिक कचड़े को तुम ज्ञान की अग्नि में जला दो किन्तु वह कचड़ा सांसारिक है। तुम्हारे शरीर से लगा हुआ है उसे तो तुम्हें जीते जागते सच्ची आग में ही जलाना होगा। अग्नि अपने से किसी अन्य वस्तु का सांकेतिक अर्थ नहीं देती। बल्कि यह तो अपने आप में स्वतः प्रमाण सत्य है। इसी प्रकार से तुम ईश्वर को अपना प्रेम अर्पित करके अपनी आत्मा को ईश्वरीय जल से सींच सकते हो। ईश्वर नाम, रूप से रहित है और आत्मा भी नाम रूप से रहित है। नाम, रूप रहित आत्मा का भरण-पोषण ईश्वर कर सकता है। निर्गुण आत्मा की भूख, निर्गुण ईश्वर भले ही मिटा दे। किन्तु तुम्हारा मन, शरीर और इन्द्रियाँ तो निर्गुण नहीं हैं। वे तो सगुण हैं। निर्गुण की मधुर बोली से उनकी भूख नहीं शान्त हो सकती। यदि उनका भरण-पोषण करना चाहते हो; यदि उन्हें स्वस्थ और सबल देखना चाहते हो तो अग्नि देव की आराधना करो क्योंकि वे ही पृथ्वी पर साक्षात् देव हैं।"

"अग्नि देव के दिव्य स्वरूप का साक्षात् अनुभव करना और अनुभूति के स्तर पर यह जानना कि अग्नि देव ही जगत में परिवर्तन की डोरी अपने हाथों से सम्भालते हैं–इसी को कहते है ईश्वर की अनुभूति करना। इस बात का अनुभव करना कि वही अग्निदेव हमारे अन्दर कुण्डलिनी शक्ति के रूप में विद्यमान हैं–आत्म साक्षात्कार कहा जाता है। भीतरी अग्नि का सेवन करना और उनके दिव्य प्रकाश का आनन्द लेना ही योग-साधना कही जाती है। बाहरी जगत में अग्नि देव की आराधना करना और उन्हें आहुतियाँ अर्पित करके प्रकृति की शक्तियों का भरण-पोषण करना यज्ञ कहा जाता है। अपने व्यक्तिगत तृप्ति और आध्यात्मिक विकास के लिए योग-साधना करो। किन्तु समस्त जगत के स्वामी, सभी प्राणियों के आत्मा अग्निदव जो पूरे विश्व को

व्याप्त किये हुए हैं–उनकी प्रसन्नता के लिए यज्ञ का अनुष्ठान करो। यही तो साक्षात परमेश्वर भी कर रहे हैं। योगी शिव के रूप में वे नित्य ही कैलाश पर्वत पर ध्यान मग्न हैं। इन्द्र के रूप में वे पृथ्वी, स्वर्ग और अन्तरिक्ष में सदा यज्ञ का अनुष्ठान कर रहे हैं। मुझे महान प्रसन्नता होगी कि तुम ध्यान और यज्ञ के अनुष्ठान के द्वारा ईश्वरी काम में हाथ बटाओ।''

आज सत्संग की गम्भीरता से भोले का सिर चकरा रहा था आने वाले कई दिनों तक भोले सोमवारी बाबा के उपदेश का बार–बार मनन और चिन्तन करते रहे। इसके पहले भोले ने पढ़ा और सुना था कि भगवान शिव कैलाश पर्वत पर रहते हैं किन्तु आज तक यही सोचा करते थे कि वे कहानियाँ देवतावादपरक हैं। इन कहानियों के माध्यम से लेखकों ने योगिक अनुभवों को व्यक्त करने की कोशिश की होगी। भोले अभी तक यही सोचा करते थे कि वैदिक देवतावाद में इन्द्र देवताओं के राजा हैं। इन्द्र वर्षा के अधिष्ठाता देव हैं। बादलों के रथ पर चढ़कर हाथ में विद्युत का वज्र लिये स्वर्ग से उतर अन्तरिक्ष में स्थित होकर पृथ्वी पर जल बरसाया करते हैं। तुलनात्मक अध्ययन के द्वारा इन्द्र का ग्रीक देवता, जूस से तारतम्य बैठाया जा सकता है। अभी तक भोले अपने इन्द्र सम्बन्धी ज्ञान से बहुत सन्तुष्ट थे और यह सोच–सोच कर खुश हुआ करते थे कि इन्द्र देव सृष्टि के सम्पूर्ण चित्त–तत्व का प्रतिनिधित्व करते हैं। अभी तक भोले ने यह सोचा भी नहीं था कि कैलाशवासी रुद्र देव और अमरावती के इन्द्र देव एक भी हो सकते हैं। और इन दोनों रूपों में एक ही दिव्य पुरुष ध्यान और यज्ञ दोनों कर रहा है।

अवसर मिलते ही भोले ने सोमवारी बाबा से पूछा, ''बाबा! यज्ञ क्या है? इन्द्र देव कौन हैं? इन्द्र देव कैसे और कौन–सा यज्ञ कर रहे हैं? और यह यज्ञ इस सृष्टि को कैसे प्रभावित कर रहा है?''

बाबा ने उत्तर दिया, ''किसी को कुछ निःस्वार्थ भाव से देना यज्ञ कहा जाता है। दूसरों के कल्याण के लिए किया जाने वाला कर्म यज्ञ होता है। निःस्वार्थ कर्मों के द्वारा सेवा करने के अनेक मार्ग हैं लेकिन सबसे अच्छा मार्ग वह है जिससे संसार का अधिक से अधिक कल्याण हो और उसका प्रभाव अधिक से अधिक दिनों तक बना रहे। ऐसा कर्म जिसके करने से प्रकृति का सन्तुलन बना रहे सबसे उत्तम यज्ञ है क्योंकि प्रकृति का सन्तुलन बिगड़ते ही समस्त प्राणियों के जीवन में दुख और दर्द की स्थिति आ जाती

है। शास्त्रों का कहना है कि जो अपने कर्मों से प्रकृति का सन्तुलन बिगाड़ करके लोगों के जीवन में दुःख दर्द पैदा किया करते हैं, वे राक्षस हैं। और जो अपने कर्मों के द्वारा प्रकृति का सन्तुलन ठीक करते हैं; प्रकृति की सेवा करते हैं और इस प्रकार से जीवों के दुख-दर्द दूर करते हैं वे देव लोग हैं।"

सोमवारी बाबा अपने उपदेश का क्रम जारी रखते हुए बोले, "संसार के सभी प्राणियों का जीवन भोजन पर निर्भर करता है। भोजन की उपज बरसात पर निर्भर करती हे। बरसात का जल स्वस्थ रहे तो उस जल के माध्यम से बढ़ने वाले पेड़-पौधे और उन्हें खाकर अपना जीवन निर्वाह करने वाले सब स्वस्थ रहते हैं। जल का स्वास्थ्य बादलों के स्वास्थ्य पर निर्भर करता है। बादलों का स्वास्थ्य निर्भर करता है कि अन्तरिक्ष में पोषक तत्व विद्यमान हैं या नहीं। अन्तरिक्ष में विद्यमान पोषक तत्व पूरी तरह से अग्नि पर निर्भर है। अग्नि में जलकर जो भी आकाश में जाता है वह बादलों में समा जाता है। इस प्रकार सभी जीव जन्तु और वनस्पतियों का जीवन अग्नि पर निर्भर है। यही कारण है कि अग्नि ही यज्ञ का केन्द्र बिन्दु है।"

इसके पहले भोले ने गीता और उपनिषदों में यज्ञ के विषय में पढ़ा था। किन्तु उन ग्रन्थों में वे यज्ञ का संकेतार्थ ही खोजा करते थे। भोले हमेशा यह जानने का प्रयास करते थे कि यज्ञ की योगपरक व्याख्या क्या हो सकती है। सच्चाई तो यह थी कि भोले के मन में कर्मकाण्ड के प्रति कुछ भी श्रद्धा न थी।

सोमवारी बाबा के साथ हुए इन वार्तालापों ने भोले के इन पूर्वाग्रहों को झकझोर कर गिरा दिया। भोले के अन्दर सोमवारी बाबा के प्रति विश्वास था तथापि भोले की बुद्धि यह माँग कर रही थी कि उन्हें यज्ञ अग्नि की और गहरी व्याख्या मिल सके। भोले यह जानना चाहते थे कि वह कौन-सा विशिष्ट यज्ञ है जिससे अन्तरिक्ष का शुद्धीकरण हो। बादल स्वस्थ, पवित्र और सबल हों तथा उन बादलों के जल से सिंचित होने पर पैदा होने वाले समस्त जड़ एवं जंगम स्वस्थ, पवित्र और सबल हो सकें। समय मिलने पर भोले ने पूछा, "अभी भी मेरी समझ में यह बात नहीं आ रही है कि यज्ञ के द्वारा सृष्टि की सेवा कैसे हो सकती है? अग्नि में अन्न और औषधियों की आहुति डालने के बजाय हम वहीं अन्न और औषधियाँ गरीबों में क्यों न बाँट दें? घण्टों तक हवन करने के बजाय हम वृक्षारोपण क्यों न करें;

अस्पतालों में जाकर रोगियों की सेवा क्यों न करें। क्या इससे अच्छा यह न होगा कि हम लोगों को जाकर यह शिक्षा दें कि प्रकृति को नष्ट मत करो। प्रकृति के सन्तुलन को मत बिगाड़ो क्योंकि इससे तुम्हारा ही नुकसान होगा। क्या हवन की अपेक्षा इस प्रकार की शिक्षा देना ज्यादा लाभप्रद नहीं है?"

भोले के तर्क को सुनकर सोमवारी बाबा बोले, "मनुष्य बुद्धिमान तो खूब है किन्तु वह अपने ही पैर में कुल्हाड़ी मारने से बाज नहीं आता। अन्य जानवरों की भाँति पुरस्कार के लोभ और दण्ड के भय से काम किया करता है। साथ ही मनुष्य स्वार्थी भी हुआ करता है। क्षणिक सुख की इच्छा मनुष्य को अन्धा बना देती है, यही कारण है कि उसको अच्छी बात न सुनायी पड़ती है और न दिखायी पड़ती है।"

"सुनने में आता है कि कुछ शहरों में हवा इतनी खराब हो चुकी है; वातावरण इतना प्रदूषित हो चुका है कि वहाँ साँस लेना भी मुश्किल हो गया है। शहरों से दूर रहने वाले लोग सोचते हैं कि उनको शहर के प्रदूषण से क्या लेना देना क्योंकि उनका जीवन तो उस प्रदूषण से प्रभावित नही हो रहा है। उन्हें यह नहीं समझ में आता कि पूरी पृथ्वी एक जीती-जागती प्राणी की भाँति है। पृथ्वी के एक कोने में यदि कुछ समस्या होती है तो उसका प्रभाव पृथ्वी के दूसरे कोनों में भी पड़ता है। यदि वातावरण में कहीं भी प्रदूषण है तो सबसे पहले उससे हवा और बादल दूषित हो जाते हैं। हवा और बादल का दम घुटने लगता है। परिणाम यह होता है कि उससे पेड़-पौधों, खनिज पदार्थों और पशुओं का भी किसी-न-किसी रूप में दम घुटने लगता है; उनका स्वास्थ्य गिर जाता है; उनकी शक्ति क्षीण होने लगती है। वायु और बादल सम्पूर्ण पृथ्वी की परिक्रमा करते हैं। उनमें संचित प्रदूषण पूरी पृथ्वी को प्रभावित करता है। यहाँ तक कि हिमालय में भी जहाँ प्रकृति के असन्तुलन का कोई प्रत्यक्ष कारण नहीं दिखायी पड़ता वहाँ पर भी औषधियों तथा साग सब्जियों और अन्न में प्राण शक्ति नष्ट-सी होती जा रही है। भारत के मैदानी भागों और हिमालय में वर्षा की बूँदें बंगाल की खाड़ी से आती हैं। बंगाल की खाड़ी से उठकर चलने वाले ये बादल कलकत्ता जैसे शहरों से होकर गुजरते हैं। वहाँ ये बादल शहरों के प्रदूषण को ही नहीं बल्कि वहाँ के निवासियों की आन्तरिक दरिद्रता, राग, द्वेष, वैमनस्य, चोरी आदि वृत्तियों को अपने में आत्मसात् करके हिमालय में पहुँचते हैं। जब ऐसे बादल हिमालय

में जल बरसाते हैं तो उससे हिमालय की मिट्टी से उगने वाले पेड़ पौधे और उन पेड़-पौधों को खाकर जीवन बिताने वाले पशु-पक्षी सब इस बाह्य और आन्तरिक प्रदूषण से प्रभावित हो जाते हैं।"

"तुम संसार में किस-किसको कहोगे कि आप लोग इन बादलों को भौतिक, रासायनिक और मानसिक प्रदूषणों के द्वारा गन्दा न करें। कौन तुम्हारी बात सुनेगा। इस प्रकार की बात कह कर तुम कैसे प्रमाणित कर सकते हो कि तुम मूर्ख नहीं हो। इसलिए इस परिस्थिति में प्रकृति को सन्तुलित करने का एक ही तरीका है कि सबसे पहले प्रकृति में विद्यमान गन्दगी को दूर किया जाये और फिर प्रकृति की शक्तियों का पोषण किया जाये। देखो कि हमारी मिट्टी, जल, अग्नि, वायु और आकाश कैसे स्वस्थ हो सकते हैं। उनकी ऊर्जा शक्ति फिर से प्रफुल्लित कैसे हो सकती है। प्रकृति की शक्तियों को शुद्ध और स्वस्थ करने की पद्धति का आविष्कार प्राचीन ऋषियों ने किया और उसी पद्धति का नाम है—यज्ञ।"

यज्ञ में उपयोग की जाने वाली हवन सामग्री औषधियों की बनी होती हैं। इनमें से कुछ औषधियाँ शोधन-परक तो कुछ पुष्टिकारक होती हैं। जब हम अग्नि में आहुति डालते हैं तो औषधियों में सोयी हुई सूक्ष्म शक्तियाँ जागृत हो जाती हैं। अग्नि की क्रिया से पदार्थ ऊर्जा में बदलता है। मन्त्र की शक्ति उस ऊर्जा को अपने गन्तव्य तक ले जाती है। अग्नि की क्रिया, ऋषियों की संकल्प शक्ति, मन्त्र की चेतना शक्ति और यज्ञ करने वाले साधक का भाव सब मिलकर प्रकृति में नयी शक्ति, स्फूर्ति और ऊर्जा का संचार करते हैं। यज्ञ से उत्पन्न होने वाली ऊर्जा शक्ति बादलों के लिए टानिक के समान है। इस ऊर्जा को ही योगीजन सोमरस कहते हैं। इसी सोमरस को पीने के लिए यज्ञ में देवगण पधारते हैं। वेदों में कहा गया है कि सोमरस को ही पीकर देवगण हृष्टपुष्ट होते हैं। प्रकृति की शक्तियाँ जो हमें नित्य जीवन प्रदान करती हैं—देवगण कहे जाते हैं। मेघरूपी रथ पर बैठकर ये देवगण हमारे यज्ञ में पधारते हैं। बादल भी देव हैं। यज्ञ से उत्पन्न ऊर्जा रूपी सोम रस को पीकर बादल रूपी देव प्रसन्न होते हैं; हृष्ट-पुष्ट होते हैं, ये स्वस्थ और सुखी बादल स्वस्थ और सुखी जल बरसाते हैं। स्वस्थ बरसात से स्वस्थ फसल पैदा होती है। स्वस्थ अन्न-जल को खा पीकर हम स्वस्थ और सुखी होते हैं। स्वस्थ और सुखी व्यक्तियों से स्वस्थ और सुखी

समाज का निर्माण होता है। स्वस्थ और सुखी समाज में निवास करते हुए हम कम से कम विघ्न-बाधाओं का सामना करते हुए अपने परम लक्ष्य को प्राप्त कर सकते हैं। इसीलिए गीता में कहा गया है, "जिसके कर्म यज्ञ के अनुकूल नहीं है उसका जीवन व्यर्थ है। यज्ञ की भावना से न किया जाने वाला कर्म अन्धा है और उस कर्म से उत्पन्न होने वाला फल भी अन्धा है।"

भोले सोमवारी बाबा के साथ लगभग एक महीने तक रहे। उनके साथ निवास करते हुए भोले बाबा को यह ज्ञान हुआ कि इन्द्र देव देवताओं के राजा क्यों कहे जाते हैं : इन्द्र वर्षा के अधिष्ठाता देव हैं। पूरी वसुन्धरा और उस पर निवास करने वाले जड़ जंगम का जीवन बरसात पर निर्भर करता है। इन्द्र देव उन सभी शक्तियों के प्रतिनिधि हैं जिसके सम्मिलित प्रयास और कृपा से पृथ्वी पर जल बरसता है। इन्द्र देव उन सभी शक्तियों के प्रतिनिधि हैं जिनकी कृपा से हमारे बाहरी और भीतरी जगत में हरियाली आती हैं। इन्द्र देव का दूसरा नाम है—रुद्र। रुद्र का शाब्दिक अर्थ है जो हमारी आँखों में सुख और दुख दोनों के ही आँसू लाये। हमारे यज्ञ से प्रसन्न होकर रुद्र नाम से प्रसिद्ध होने वाले इन्द्र देव हमारी आँखों में प्रसन्नता के आँसू लाते हैं। जब मनुष्य अपने आलस्य, प्रमाद और स्वार्थ के नाते प्रकृति का अपमान करता है, और प्राकृतिक शक्तियों को क्षति पहुँचाता है—यही इन्द्र देव मनुष्य को दुख के आँसू से नहलाते हैं। यही कारण है कि कुछ लोग इन्द्र देव को परम दयालु और उदार कहा करते हैं और कुछ लोग समझते हैं कि इन्द्र देव अत्यन्त भयंकर हैं। हाथ में वज्र लिये असुरों अर्थात् देव विरोधियों का संहार किया करते हैं।

सोमवारी बाबा के साथ निवास करते हुए भोले ने अनुभव किया कि किस प्रकार से हमारी आध्यात्मिक परम्परा में रूढ़ियों, अंधविश्वासों और कुरीतियों का कचड़ा जम गया है। यज्ञ की मर्यादा में स्थित रहकर अग्निदेव की पूजा और आराधना कितनी वैज्ञानिक है। विधिपूर्वक किया जाने वाला अग्निहोत्र और उच्च कोटि के यज्ञों से सृष्टि का कितना कल्याण हो सकता है। किन्तु दुर्भाग्य से वैदिक ऋषियों के द्वारा खोजा गया यह विज्ञान प्रायः लुप्त-सा हो गया है। यहाँ तक की जाने-माने साधु महात्मा भी विधि-विधान से रहित यज्ञों का अनुष्ठान करवाते हैं। बहुत सारी हवन सामग्री जलकर भस्म हो जाती है। परिणाम कुछ नहीं निकलता। इससे जनता के हृदय में न

केवल साधु महात्माओं के प्रति अपितु यज्ञ अनुष्ठान के प्रति भी अश्रद्धा और अविश्वास का भाव पैदा होता है। आज के अधिकांश ब्राह्मणों को वेदों और उपनिषदों से कुछ लेना-देना नहीं है। ऐसे वेद ज्ञान से रहित ब्राह्मण पुरोहिती करते हैं। हवन करवाते हैं किन्तु स्वयं हवनादि नहीं करते हैं। क्योंकि वहाँ पर उनको स्वयं कुछ खर्च करना पड़ेगा। ऐसे ब्राह्मणों के द्वारा कराये गये यज्ञ हवन से हम क्या आशा कर सकते हैं। सच्चाई तो यह है कि आज का हिन्दू समाज अपनी सड़ती हुई लाश को अपने ही टूटते हुए कन्धों पर ढो रहा है। नहीं तो भला यह कैसे हो सकता है कि वैदिक ऋषियों की सन्तानें आज भीतरी और बाहरी, आध्यात्मिक और सांसारिक दरिद्रता के समुद्र में इस प्रकार डूब रहे होते।

सोमवारी बाबा साक्षात् वेदमूर्ति थे। किन्तु वे प्रवचन नहीं देते थे। केवल सेवा किया करते थे। उनके पास आने वाले लोग प्रायः किसान और मजदूर थे। कभी-कभी कवि, लेखक और अध्यापक लोग भी आया करते थे। उनके पास सचमुच का अध्ययन और साधना करने वाला शायद ही कभी आया होगा। जब चलने का समय आया तो सोमवारी बाबा ने भोले को आशीर्वाद दिया, "ईश्वर करे तुम भीतरी अग्नि का संचय करो और बाहरी अग्नि की सेवा करो।"

भोले ने नम्रता से सिर झुकाकर उनसे पूछा, "बाबा! क्या मैं स्वयं यज्ञों का अनुष्ठान करूँ और दूसरों को यज्ञ करने के लिए प्रेरित करूँ।"

सोमवारी बाबा ने उत्तर दिया, "पहले अपने भीतर की अग्नि को जगाओ। अपने को अनुशासित करो। उपनिषदों का अध्ययन करो। देखो कि साधु लोग अपने सिर पर अग्नि को कैसे धारण करते हैं। बंगाली बाबा की कृपा तो तुम्हारे ऊपर है ही, वे तुम्हें बतायेंगे कि प्रज्ज्वलित अग्नि को एक गुफा से दूसरी गुफा तक कैसे ले जाया जाता है। मनुष्य का हृदय ही गुफा है। लाखों करोड़ों गुफाएँ अँधकार में डूबी हैं। ईश्वर करे तुम उन अँधेरी गुफाओं में अग्नि प्रज्ज्वलित कर उन्हें प्रकाशित कर सको।" सोमवारी बाबा से यह दिव्य आशीर्वाद प्राप्त करके भोले अपने गुरुदेव के पास लौट आये। उस समय गुरुदेव हिमालय के पवित्र शक्ति पीठ चन्द्रबदनी पर निवास कर रहे थे।

यथोचित समय पर भोले ने बाबाजी को अपने सोमवारी बाबा के

साथ हुए अनुभव को बताया। बाबाजी ने अपनी मधुर मुस्कान के द्वारा भोले की सफलता पर अपना सन्तोष प्रकट किया। बाबाजी ने भोले को आज्ञा दिया कि अब वे जो कुछ सीखे हैं उसका जाकर अभ्यास करें। किन्तु भोले की अपनी समस्या थी : उन्हें यह नहीं पता था कि शुरू कहाँ से करें। बचपन से लेकर अब तक बाबाजी और अन्य महात्माओं से बहुत सारी चीजें सीखी थीं। गुदड़ी बाबा से हठ योग और प्राणायाम की क्रियाएँ तथा अपने गुरुभाई स्वामी शिवानन्द जी से वेदान्त का अध्ययन किया था। अघोरी बाबा ने मणिपूर चक्र पर अग्नि देव का ध्यान करना सिखाया था जबकि सोमवारी बाबा ने कर्मकाण्ड की विधि से अग्निदेव का पूजन करना। इन सबका एक साथ अभ्यास भला कैसे सम्भव था।

एक दिन जब भोले ने बाबा जी को अपनी समस्या बताई तो बाबा जी ने कहा कि मणिपूर चक्र पर ध्यान किया करो। बाबाजी ने भोले को निर्देश दिया कि वे हिमालय स्थित सीताबनी नामक स्थान के पास एक गुफा में जाकर साधना शुरू करें। बाबाजी ने साफ शब्दों में कहा, "अपने साथ बहुत सारी चीजें न ले जाना। दो कपड़े, एक कम्बल, कमण्डल, भिक्षापात्र और एक कुल्हाड़ी इतनी चींजें पर्याप्त हैं। गुफा में धूनी रमा लेना। आगन्तुकों के चक्कर में न पड़ना। प्रातःकाल उठकर नाभि चक्र पर ध्यान करना। नाभि चक्र को ही मणिपूर चक्र कहते हैं। यहीं पर अग्निदेव का निवास है। ध्यान करते-करते जब अग्नि की छवि मन से गायब होने लगे तो आँख खोलकर धूनी में स्थित अग्निदेव की तरफ देखना। फिर आँख बन्द करके उस छवि को नाभि चक्र में देखने की कोशिश करना। इस विशिष्ट साधना के समय 'अमुख...' मन्त्र का जप करना। दिन में एक बार दोपहर के समय गाँव जाकर भिक्षा माँग लेना। भिक्षा में जो कुछ मिल जाय उसी से सन्तुष्ट रहना। ध्यान रहे साधना के समय किसी पर निर्भर मत होना।" इस उपदेश के साथ बाबाजी ने भोले को सीताबनी की गुफा में भेज दिया।

वहाँ पहुँचने पर भोले को गुफा खाली मिली। गुफा की स्थिति से साफ-साफ पता चल रहा था कि वर्षों से उस गुफा में किसी ने निवास नहीं किया था। भोले ने गुफा की साफ-सफाई करके धूनी जलायी। गुफा आरामदायक नहीं थी-कई दिनों तक आग जलते रहने के बाद तब कहीं जाकर गुफा के अन्दर की सीलन खतम हुई। साथ-ही-साथ रोजाना लकड़ी इकट्ठा करने में ही घण्टों लग जाते थे। लकड़ियाँ भी इतनी गीली हुआ करती थीं कि गुफा

धुएँ से भर जाया करती थी। सूखी लकड़ी प्राप्त करने का सीधा और सरल तरीका था कि भोले गाँव वालों से लकड़ी माँग लाया करे किन्तु बाबा जी ने उन्हें ऐसा करने से रोक रखा था।

अन्ततः हफ्ते दो हफ्ते में भोले की दिनचर्या स्थिर हो गयी। पहले तो भोले अधिक–से–अधिक लकडी जंगल से इकट्ठा किया करते थे। किन्तु गाँव वालों से जैसे–जैसे परिचय बढ़ता गया वैसे–वैसे भोले उनसे लकड़ी ज्यादा लेने लगे और जंगल से कम। गाँव वालों की कृपा से अब गुफा से थोड़ी ही दूर पर लकड़ी का ढेर लग गया था। अब भोले के पास एक ही काम था कि दिन में एक बार गाँव जाकर भिक्षा माँग लायें। इस प्रकार से अब उनकी साधना ठीक–ठीक चलने लगी।

एक दिन एक विचित्र घटना घटी। दोपहर का समय था। भोले भिक्षा के लिए गुफा से निकल ही रहे थे कि गुफा के भीतर से आवाज आयी, "हम लोग तुम्हारी साधना से प्रसन्न हैं। तुम्हें भिक्षा माँगने की आवश्यकता नहीं है। जो कुछ भी चाहो वह तुम्हें यहीं मिल जायेगा।" इस आवाज के साथ एक भोजन से सजी हुई थाली प्रकट हुई। इस दैवी दृश्य को देखकर भोले को अति प्रसन्नता हुई। उन्हें अपने ऊपर यह गर्व भी हुआ कि वे इतने उच्च कोटि के साधक हैं कि इस गुफा में अदृश्य रूप से निवास करने वाले सिद्ध पुरुष उन पर प्रसन्न हैं। साथ ही भोले का हृदय अपने गुरुदेव के प्रति कृतज्ञता के भाव से उमड़ रहा था क्योंकि उन्होंने ही कृपा करके यह साधना बतायी और इस गुफा में भेजा। भोले ने प्रसन्नता के साथ भोजन स्वीकार किया। अब गाँव जाकर भिक्षा माँगने की आवश्यकता नहीं रह गयी। भोले उस गुफा में छः महीने तक रहे। किसी भौतिक साधन का अभाव नहीं था। गाँव वाले लकड़ी दे जाते थे और बिना कुछ किये गुफा में ही भोजन मिल जाया करता था।

साधना पूरी होने पर भोले अपने गुरुदेव के पास लौटे। लौटते समय कल्पना कर रहे थे कि गुरुदेव उनसे बहुत प्रसन्न होंगे किन्तु पहुँचकर भोले ने जैसे ही बाबाजी को प्रणाम किया वे जोर से डाँटते हुए बोले, "तुम आलसी बच्चे! जाओ, उसी गुफा में रहो। तुम्हें मेरे पास रहने की जरूरत नहीं है। मैंने सोचा था कि तुम मनुष्य बनोगे किन्तु वहाँ जाकर तुम परजीवी बन बैठे।"

बाद में इस घटना के विषय में गम्भीरता से सोचने पर भोले को यह समझ में आया कि महापुरुष लोग यह क्यों कहते हैं कि अध्यात्म का मार्ग मन्द-बुद्धि वालों के लिए नहीं है। साधक को चाहिए कि वह सद्‌गुरु के कथन पर विचार करे और हमेशा सावधान रहे कि उनके कथन को वह अपनी सुख-सुविधा के लिए तोड़-मरोड़ नहीं रहा है। गुफा में हुए अनुभव से भोले को यह भी पता चला कि इन्द्रियों से परे सत्य की सत्ता है। अजर और अमर ऋषि-मुनि अभी भी हमारे बीच में निवास करते हैं। जीवन जन्म और मृत्यु की चहारदिवारी के भीतर भी है और बाहर भी। जीवन का लक्ष्य है कि हम अपने अविनाशी पहलू को जानें और जीवन भर शरीर और इन्द्रियों के प्यास को ही बुझाने में न लगे रहें।

इस अनुभव से भोले को अपने जीवन को फिर से मूल्यांकन करने की प्रेरणा मिली। उनकी बचपन की स्मृतियाँ जागृत हो गयीं। उन्हें याद आया कि उनके पिताजी की मृत्यु कैसे हुई? माता अन्धी हो गयी, बड़ी भाभी के अलावा घर में उनकी देखभाल करने वाला कोई न था और एक समय ऐसा आया कि उनके सब पारिवारिक सम्बन्ध टूट गये। इन सब बातों को याद करके भोले का हृदय संसार की निःसारता से भर गया। दूसरी तरफ उन्हें बाबाजी और अन्य महात्माओं से सम्बन्धित यादें ताजी हो गयीं। इस गम्भीर चिन्तन के दौरान एक बार फिर से खजुराहो में हुए जगदम्बा की दिव्य झाँकी उनकी आँखों के सामने आ गयी। सभी दयालु सन्तों और माहात्माओं के आशीर्वाद मूर्तिमान होकर सामने खड़े हो गये। भीतर से आवाजें आने लगीं; भोले! सांसारिक सुख स्वादहीन है। उन्हें पीछे छोड़ आज हृदय की गहराई से फूट पड़ने वाले अदम्य साहस ने मानो उन्हें उस मार्ग पर लाकर खड़ा कर दिया जिस पर ऋषिगण चला करते हैं।

फिर भी भोले ने बार-बार सोचा कि गुफा में जो भविष्यवाणी सुनायी पड़ी थी और अदृष्य शक्ति के हाथों से जो भोजन मिलता था-भला उसका रहस्य क्या था। उस परिस्थिति में उन्हें दिव्य कृपा को नतमस्तक होकर स्वीकार करना चाहिए था या उसकी अवहेलना करनी चाहिये थी। मैंने भोजन के लिए याचना नहीं की थी फिर भी भोजन मेरे सामने था। साथ ही उस दिव्य घटना को स्थगित करने की मेरे अन्दर शक्ति भी नहीं थी। निश्चय ही मैं उस भोजन पर आश्रित हो गया। गुरुदेव की आज्ञा का उल्लंघन भी किया।

भविष्य में यदि ऐसी परिस्थितियाँ फिर से आयें तो मैं गुरुदेव की आज्ञा का पालन किस ढंग से करूँ कि उससे ईश्वरी कृपा की अवहेलना भी न हो।

एक दिन बाबा जी ने बताया कि ऐसी परिस्थिति में विवेक से काम लेना चाहिए। बीती हुई बातों को लेकर समय नष्ट नहीं करना चाहिए। बाबाजी ने कहा, "उस गुफा में सूक्ष्म रूप से निवास करने वाले सन्तों के सम्मान हेतु तुम्हें पहले दिन तो उनके द्वारा दिये गये भोजन को स्वीकार कर लेना चाहिए था लेकिन दूसरे दिन तुम्हें उन लोगों से कहना चाहिए था–मेरी आज्ञानुसार उनकी कृपा को प्रतिदिन स्वीकार करना उचित नहीं है। साथ ही तुम्हें नम्रता के साथ उनसे निवेदन करना चाहिए था कि हे दिव्य पुरुषों! जब मुझे आपका आशीर्वाद प्राप्त है तो जीवन में मेरी आवश्यकता की हर चीज मुझे मिल ही जायेगी इसलिए मैं आपसे प्रार्थना करता हूँ कि मुझे भोजन नहीं बल्कि आप लोग ऐसा आशीर्वाद दें कि मैं अपनी साधना में सफल हो सकूँ।"

तब भोले ने बाबाजी से पूछा कि मैं संकल्प शक्ति का विकास कैसे करूँ ताकि आगे चलकर मुझसे ऐसी गलतियाँ न हों। बाबाजी ने बताया कि गायत्री मन्त्र की साधना से चित्त शुद्ध होता है; बुद्धि कुशाग्र होती है इसलिए वैदिक परम्परा में गायत्री मन्त्र की साधना पर इतना बल दिया गया है। गायत्री मन्त्र की साधना करने से सब दरवाजे अपने–आप से खुल जायेंगे।" इस पर भोले ने कहा कि मैं संन्यास क्यों न ले लूँ। ताकि सांसारिक प्रलोभनों से मुझे सदा के लिए मुक्ति मिल जाये फिर बिना विघ्न बाधा के साधना कर सकूँ।

बाबाजी हँसते हुए बोले, "इस संसार में हज़ारों संन्यासी हैं। क्या वे लोग अन्य लोगों की तुलना में कम दुखी और दीन–हीन है? किसी पण्डित पुरोहित के द्वारा किया गया पूजा–पाठ, कर्मकाण्ड क्या तुम्हें अपनी सभी समस्याओं से मुक्त करके तुम्हें अपने आप का स्वामी बना सकता है? केवल संन्यास ले लेने से क्या तुम्हारा सब काम हो जायेगा और फिर किसी प्रकार की साधना करने की जरूरत नहीं रह जायेगी? संसार में कितने लोग इस स्वामी और संन्यासी बनने के गोरखधन्धे में लटके हुए हैं। अपनी आत्मा की मागों को पूरा न कर सकने पर और आत्मा की पुकार से डर कर भाग खड़े होने वाले कितने ही अज्ञानी भगोड़े पण्डितों, पुरोहितों और गुरुओं के पास भागते हैं। वे उन्हें अपने कर्मकाण्ड और पूजा पाठ के माध्यम से मोक्ष लाभ

करने का वचन देते हैं। इसी प्रकार से कितने ही लोग अपने मन में निवास करने वाले भूतकाल रूपी प्रेत से बचने के लिए गुरुओं के पास दौड़कर जाते हैं और कितने सारे गुरु लोग यह आश्वासन दे दिया करते हैं कि संन्यास लेते ही उनकी सब समस्याएँ खत्म हो जायेंगी। केवल सिर मुड़ाने और रंगीन कपड़ा पहनने से ही सब काम सिद्ध हो जाता तब तो अब तक हमारे समाज में दुख दरिद्रता और अज्ञान का अन्त हो गया होता।''

''अपनी समस्याओं से भागने की कोशिश मत करो। उन्हें नकारने की भी कोशिश मत करो बल्कि उनका डटकर सामना करो। समस्याओं को सुलझाने और उन पर विजय प्राप्त करने के लिए तुम्हें आत्मचिन्तन करना होगा, साधना करनी होगी। जैसे-जैसे तुम्हारा आध्यात्मिक विकास होगा वैसे ही वैसे तुम्हें अपने आप पर अधिकार प्राप्त होगा। तुम अपने आपके स्वामी बन जाओगे। स्वामी अपने आपके लिए बना जाता है दूसरों के लिए नहीं। स्वामीपन अनुभूति की वस्तु है दिखावे की नहीं। इस भ्रम में मत रहो कि कोई तुम्हें स्वामी बना देगा और उसी से तुम स्वामी बन गये। चलो मैं तुम्हें बताऊँगा कि गायत्री मन्त्र की साधना कैसे की जाती है। इस साधना के द्वारा तुम अपने आप को देख सकोगे अपने चित्त की वृत्तियों का मूल्यांकन कर सकोगे। उसके बाद तुम यह निर्णय कर सकोगे कि तुम्हारे भीतर छिपे हुए कौन-से संस्कार और कौन-सी वृत्तियाँ तुम्हारे उत्थान में उपयोगी हैं और कौन बाधक हैं। उसके बाद तुम यह जान पाओगे कि किन संस्कारों और वृत्तियों को त्याग देना चाहिए और किन संस्कारों और वृत्तियों का विकास करना चाहिए। इस प्रकार के ज्ञान को प्राप्त करना और उस ज्ञान के प्रकाश में जीवन जीना ही संन्यास की साधना कही जाती है।''

बाबाजी के साथ भोले बनारस पहुँचे। बाबा विश्वनाथ को प्रणाम करने के बाद बाबा जी भोले को गंगा जी के उस पार ले गये। वहाँ गंगाजी के किनारे एक छोटी कुटिया का निर्माण किये। फिर धूनी बनाकर उसमें अग्निदेव की स्थापना और प्राणप्रतिष्ठा किये। बाबा जी ने कुटिया में चारों ओर लक्ष्मण रेखा अर्थात् रक्षा रेखा खींच कर भोले को कहा कि केवल टट्टी-पेशाब आदि के अलावा वे हमेशा इस लक्ष्मण रेखा के अन्दर रहें। और अपनी साधना करें। बाबाजी ने भोले के खाने-पीने की जिम्मेदारी एक पण्डित के ऊपर सौंपी। वे पण्डित जी दिन में एक बार भोले को भोजन पहुँचाते और

वही पण्डित बीच-बीच में आवश्यकता की अन्य वस्तु, तेल और लकड़ी भी लाते थे। वहाँ से बिदा होने के पहले बाबाजी ने भोले को निर्देश दिया कि अग्नि देव और गंगा जी अब उनके संरक्षक हैं। उनकी देख-रेख में चौबीस लाख गायत्री मन्त्र का जप करना। चलते समय बाबाजी ने कहा, "अपना मानसिक सन्तुलन ठीक रखना। इस लक्ष्मण रेखा के बाहर चाहे जो कुछ हो जाये उस पर ध्यान न देना।"

बाबाजी के चले जाने पर भोले ने अपनी साधना शुरू की। कुछ ही दिनों में शहर में लोग भोले के विषय में बातचीत करने लगे। गंगाजी के उस पार तपस्या करने वाला ब्रह्मचारी कितना तेजस्वी है; इतनी छोटी उम्र में कैसी उग्र तपस्या कर रहा है। हो न हो वह कोई अवतारी पुरुष है, आदि आदि। धीरे-धीरे भोले की कुटिया के आसपास भीड़ लगनी शुरू हो गयी। भोले उन लोगों के साथ कोई सम्पर्क नहीं करना चाहते थे लेकिन फिर भी इतनी भीड-भाड़ में एकाग्र-चित्त होकर साधना करना सरल न था। भोले जितना ही कम बोलते लोग उनकी उतनी ही प्रशंसा करते। किन्तु कुछ महीनों में ही गन्दी अफवाहें उड़नी शुरू हो गयीं, "यह कोई नकली आदमी है; इसको कुछ नहीं आता जाता है; यह बगुलाभगत है इसलिए कुछ बोलता नहीं है; इसकी इतनी ही खासियत है कि यह नौजवान है और बहुत सुन्दर है, बस; यह कोई चालाक धूर्त है लोगों को अपनी तरफ आकृष्ट करना चाहता है। कुछ पैसा कौड़ी इकट्ठा करके चम्पत हो जायेगा।"

एक दिन कुछ पण्डित भोले के पास आये और उन्हें शास्त्रार्थ के लिए ललकारने लगे। कुछ देर तक भोले शान्त रहे और मुस्काते हुए उनके प्रश्नों को सुनते रहे। अपने मन को मन्त्र और अग्निदेव पर स्थिर रखकर स्वयं को सन्तुलित बनाये रखे। भोले के इस व्यवहार से पण्डित लोग उत्पात मचाने लगे। पण्डितों ने चिल्ला-चिल्ला कर कहा, "यह ब्रह्मचारी ढोंगी है। अगर इसे कुछ आता-जाता होता तो अवश्य ही यह हम लोगों से बातचीत करता।" सहसा भोले को पता नहीं क्या हो गया। उनके धैर्य का बाँध टूट गया और वे लक्ष्मण रेखा को पार करके बाहर आ गये। क्रोध में आकर एक पण्डित की गर्दन पकड़ उसे गंगा जी की तरफ धकेल दिया। अब कुछ आगन्तुक अन्य पण्डितों की तरफ देख कर चिल्लाने लगे-अगर ये महात्मा आप लोगों से शास्त्रार्थ नहीं करना चाहते तो आप उनसे जबरदस्ती कैसे कर सकते हैं।

इसके बाद बिना बोले-चाले भोले अपनी कुटिया में चले गये और भीड़ भी एक-एक करके छट गयी। कुछ घण्टों बाद वे पण्डित जी जो प्रतिदिन भोले के लिए भोजन आदि लाया करते थे-आये। आज उनके साथ बाबाजी का एक टेलीग्राम भी था-जिसमें लिखा था, "भोले! तुमने अपनी साधना चौपट कर दी। फिर से शुरू करो।"

भोले ने इस बात पर गहन चिन्तन किया कि उनके क्रोध का स्रोत कहाँ है और पाया कि वह है उनकी अतृप्त अभिलाषाओं में। और उन्हें अनुभव हुआ कि उनके मन के भीतर कहीं-न-कहीं मान-सम्मान की इच्छा भरी है। जिसके नाते उन्हें अपमान सहन नहीं हो पाया। भोले ने बार-बार गुरुदेव से प्रार्थना की कि वे उन्हें इन सूक्ष्म वृत्तियों से मुक्त होने का आशीर्वाद दें और इस प्रकार से भोले ने फिर से अपनी साधना प्रारम्भ की।

कई महीने बीत गये। साधना अच्छे ढंग से चल रही थी। पिछली बार भोले ने यह सिद्ध कर दिखाया था कि वे उतने शान्त ऋषिमुनि नहीं हैं- जितना कि लोग सोचा करते हैं। अतः उस घटना के बाद भक्तों और आगन्तुकों का आना-जाना काफी कम हो गया था। अब ज्ञानी-मानी लोग नहीं आते थे। हाँ एक बौने ने आना-जाना शुरू कर दिया। पहले तो एक-दो बार यह बौना ठीक दोपहर के समय आया। भोले ने उसकी तरफ कुछ ध्यान न दिया। फिर वह बौना आधी रात को आया और आकर उस अदृश्य लक्ष्मण रेखा के बाहर बड़ी श्रद्धा और भक्ति के साथ बैठ गया। वह चुपचाप बैठता और एक-दो घण्टे बाद भोले को प्रणाम करके चला जाता। अब यह रोज की दिनचर्या हो गयी। वह बौना धूनी से दूर लक्ष्मण रेखा के बाहर बैठा करता था। कई दिन बीत गये। एक दिन भोले ने उसका नाम और पता पूछा और पूछा कि वह क्या काम करता है। उस बौने ने भोले के प्रश्नों का संक्षेप में उत्तर दिया और फिर थोड़ी देर बाद उठकर चला गया। दूसरे दिन ठीक आधी रात को वह फिर से आया। उस रात बातचीत के प्रसंग में उस बौने से भोले ने बताया कि उन्हें दूध और जलेबी बहुत पसन्द है और कहा कि दूसरे दिन आते समय यदि वह दूध ओर जलेबी लाये तो बहुत अच्छा होगा। भोले की बात सुन कर वह बौना खुशी से उछल पड़ा और बोला वह अभी जाकर लाता है। भोले ने मना करते हुए कहा कि इतनी रात गये सब दूकानें बन्द हो गयी होंगी। साथ ही गंगा जी को पार करने के लिए नाव भी नहीं मिलेगी। बौना

बोला कि वह पूरी जिन्दगी यहीं रह रहा है। उसे शहर का चप्पा-चप्पा पता है नाव वाले भी उसे जानते हैं और उसे अच्छी तरह पता है कि दूध और जलेबी कहाँ मिलेगी। यह कहते हुए वह उठ खड़ा हुआ और भोले की आज्ञा की बिना प्रतीक्षा किये वह चल पड़ा और एक घण्टे में दूध और जलेबी लेकर लौट आया। अब हर रात वह बौना भोले के लिए जलेबी और दूध लाता और एक-दो घण्टे भोले के साथ समय बिताकर चला जाता। उधर वह पण्डित जो भोले के लिए प्रतिदिन भोजन लाया करता था सोचने लगा कि भोले की खुराक बहुत कम हो गयी है। उसे कुछ शंका हुई। उसने भोले से पूछा कि क्या बात है; आजकल वे खाना कम क्यों खा रहे हैं?" भोले ने पण्डित को बौने की बात बतायी। पण्डित को भोले पर विश्वास न हुआ। उसने भोले से उस बौने का नाम और पता पूछा। अब रात के समय जब बौना फिर से आया तो भोले ने उसका नाम और पता पूछा ताकि उस पण्डित को बोलकर बौने को कुछ पैसा दिला दें। बौने ने पहले तो अपना नाम और पता बताने से इन्कार कर दिया किन्तु बाद में जब भोले ने बहुत आग्रह किया तो बता दिया। दूसरे दिन भोले से पता पाकर पण्डित उस बौने को खोजता हुआ उस पते पर गया। वहाँ बौने का कुछ पता न था। बहुत खोज-बीन के बाद मालूम हुआ कि लगभग नब्बे वर्ष पहले उसी पते पर एक बौना रहा करता था और वह बौना संस्कृत का विद्वान था।

पण्डित को भोले पर बहुत गुस्सा आया। दूसरे दिन भोले को देखकर पण्डित ने व्यंग कसते हुए कहा, "ब्रहमचारी जी महाराज! आपकी क्या समस्या है? आपको भूख क्यों नहीं लग रही है?" जब भोले ने पण्डित से कहा कि मैंने तो आपको सब बातें बता दी हैं तो पण्डित ने हँसकर उस नब्बे वर्ष पहले मृत्यु लोक को त्यागे हुए बौने के विषय में बताया। फिर पण्डित बोला, "आप अपने लिए समस्या खड़ी कर रहे हैं। सही-सही बताइये कि क्या बात है। बौने को खोजने के चक्कर में मेरा पूरा दिन नष्ट हो गया।"

भोले की कुछ समझ में नहीं आया कि क्या हो रहा है। रात को जब बौना फिर से जलेबी और दूध लेकर आया, भोले ने डाँटकर पूछा, "वह कौन है और वह हर रात क्यों आता है?"

बौने ने कहा, मैंने तो आपको बता दिया, फिर भी आप क्यों पूछ रहे हैं? जहाँ तक मेरे आने का प्रश्न है तो सुनिये-आप अपना काम कर रहे हैं

और मैं अपना। मैं आपको परेशान नहीं करता; आपके ध्यान भजन में बाधा नहीं डालता; आपकी सेवा करके मैं वही कर रहा हूँ जो मुझे करने को कहा गया है।''

भोले ने विचार किया, ''भला यह कौन हो सकता है? यह हर रोज बिल्कुल आधी रात के समय आता है क्या यह मेरी सचमुच सहायता कर रहा है या मेरी साधना में बाधा डाल रहा है? क्या यह सचमुच कोई मनुष्य है या मेरे मन की कल्पना है? क्या मैं इतने दिनों से सचमुच का दूध और जलेबी खा रहा हूँ या वह इसे अपने किसी सिद्धी के बल पर प्रकट करके दिया करता है।'' एकाएक भोले के मन में यह विचार आया कि इतनी रात को कोई जलेबी नहीं बनाता केवल बनारस में ही नहीं बल्कि पूरे उत्तर भारत में सुबह जलेबी बनती है। लेकिन यह बौना ताजी और गरम-गरम जलेबी लाता है। अगर कोई आधी रात के समय शहर में जलेबी बनाये भी तो यहाँ आते-आते ठण्डी हो जायेगी। यह बौना सच्चा नहीं है।

भोले को एकाएक महान क्रोध आया फिर क्या था—दाहिनें हाथ में पानी लिया और बौने को डाँट कर कहा, ''तुम अभी बताओ कि तुम कौन हो और हर रात यहाँ क्यों आते हो? अन्यथा मैं तुम्हें नष्ट कर दूँगा।''

बौना अपनी जगह से टस-से-मस न हुआ। भोले का मानसिक सन्तुलन बिगड़ गया। मन-ही-मन गायत्री मन्त्र पढ़कर उस बौने के ऊपर अपनी अंजली का जल फेंक दिया। उनके ऐसा करते ही वह बौना लुप्त हो गया और उसकी जगह पर हड्डी का एक टुकड़ा रह गया। भोले को तुरन्त आभास हुआ कि उन्होंने फिर से गलती कर दी। उनका अनुमान सही निकला। दूसरे दिन भोजन आदि की व्यवस्था करने वाला पण्डित अपने साथ एक टेलीग्राम लाया। यह बाबाजी का भेजा हुआ टेलीग्राम था। जिस पर लिखा हुआ था, ''भोले! तुमने फिर से चौपट कर दिया। मजबूत बनो। मेरे निर्देशों का सावधानी से पालन करो।''

भोले की कुटिया के बाहर जलेबी और दूध को देखकर पण्डित भौंचक्का रह गया। धूनी के थोड़ी दूर पर हड्डी के टुकड़े को देखकर पण्डित हैरान रह गया। जब उसने पूछा, यह हड्डी कहाँ से आयी तो भोले ने केवल इतना कहा, ''कोई बात नहीं। मुझे मणिकर्णिका घाट ले चलो।''

पण्डित की सहायता से भोले ने मणिकर्णिका घाट पर उस हड्डी का

दाह संस्कार किया। पण्डित कुछ भी न समझ पाया कि यह सब क्या हो रहा है? दोपहर के बाद स्नान आदि करके भोले ने फिर से अपनी साधना शुरू की। गुरुदेव के आशीर्वाद और ईश्वर की कृपा से अब की बार साधना पूरी हुई।

साधना पूरी होने के बाद भोले बाबाजी से मिले। बाबाजी बोले, "तुम्हें संसार त्यागने की जरूरत नहीं है बल्कि जरूरत है अपने अशुभ और अवांछनीय संस्कारों और वृत्तियों को त्यागने की। मुझे खुशी हुई कि तुमने अपनी साधना पूरी की। आशा है इस साधना में हुए अनुभवों से तुम शिक्षा प्राप्त करोगे और साधना के दौरान होने वाली घटनाओं के विषय में सोच-सोचकर अपना समय नष्ट नहीं करोगे। यदि असफलता से तुम कुछ सीख सको तो ऐसी असफलता सफलता से भी कहीं मूल्यवान और शुभ होती है। ध्यान से देखो तो पता चलेगा कि भावों, उद्‌गारों और आवेशों का कारण कितना सूक्ष्म होता है। ये सबके-सब भाव और वृत्तियाँ अहंकार से प्रकट होती हैं। अहंकार तुम्हारे अन्दर संजोया हुआ ऐसा मुखौटा है जो यह नहीं चाहता कि उस पर लगे हुए धब्बे को कोई देख सके। इसी अहंकार से आसक्ति, इच्छा, द्वेष, क्रोध और फिर मोह उत्पन्न होता है। मोह से स्मरण शक्ति नष्ट होती जाती है। स्मरण शक्ति के नष्ट होते ही विवेक भी नष्ट हो जाता है। आसक्ति, काम, राग-द्वेष, क्रोध, मोह, स्मरण और विवेकशक्ति का नाश-ये सब अहंकार के बच्चे हैं। अहंकार और उसके परिवार के सदस्य राहु और केतु की भाँति आत्मा के प्रकाश को ढक लेते हैं। अब में चाहूँगा कि तुम संन्यास के मार्ग पर निर्भय होकर चलो।"

इस घटना के बाद बाबाजी ने भोले को संन्यास की दीक्षा दी। भोले का नामकरण हुआ। आध्यात्मिक नाम मिला-सदाशिव। किन्तु उसके बाद भी लोग भोले को सदाशिव न कहकर भोले बाबा के नाम से ही पुकारते थे। संन्यास दीक्षा के बाद भोले परम्परानुसार दण्ड धारण करते थे अतः इन्हें लोगों ने राम दण्डी भी कहना प्रारम्भ कर दिया-विशेष कर के उत्तर भारत के शहरों में। यही महापुरुष आगे चलकर श्री स्वामी राम के नाम से विख्यात हुए। १९६९ में जब हिमालय के प्रसिद्ध योगी जापान, यूरोप, अमेरिका आदि देशों में अपना अधिक समय बिताने लगे तो लोग धीरे-धीरे भोले बाबा, राम दण्डी आदि नामों को भूल गये। विश्वविख्यात हिमालयन इंस्टीट्यूट की

स्थापना करने वाले, पच्चीसों ग्रन्थों की रचना करने वाले, ऋषियों के सन्देश को विश्व के कोने-कोने तक पहुँचाने वाले, भारतवर्ष के ये दिव्य सन्त आज सर्वत्र श्री स्वामी राम के नाम से जाने जाते हैं। इन महापुरुष की संन्यास दीक्षा के पश्चात् इनकी साधना और सिद्धियों की चर्चा, शंकराचार्य पद पर आसीन होना, देश-विदेश में योग विद्या का प्रचार करना, योग को वैज्ञानिक रूप देना, अपनी अलौकिक शक्ति से संसार को अचम्भित कर देना, श्री विद्या, सूर्य विज्ञान, प्राण-विद्या, शक्तिपात आदि जैसी विद्याओं के उपदेश से भाग्यवान् साधकों को जागृत करना, आदि आदि विषयों का विस्तारपूर्वक वर्णन इस ग्रन्थ के दूसरे और तीसरे भागों में प्रस्तुत किया जा रहा है।

श्री स्वामी राम

पूज्य स्वामी राम भारत के उच्च कोटि के सन्त हैं। अध्यात्म विद्या और आधुनिक विज्ञान के बीच सेतु का निर्माण करने वालों में अग्रगण्य हैं। इनका जन्म हिमालय के गढ़वाल प्रान्त में हुआ था। बाल्यकाल में ही अपने गुरुदेव श्री बंगाली बाबा के साथ हिमालय की गुफाओं में रहने, आध्यात्मिक ग्रन्थों का अध्ययन और साधना में लग गये। गुरुदेव की प्रेरणा और आशीर्वाद से प्रयाग विश्वविद्यालय और ऑक्सफोर्ड में उच्च शिक्षा प्राप्त की। रहस्यमयी विद्याओं की खोज में गढ़वाल, कुमायूँ, कश्मीर और तिब्बत की गिरि कन्दराओं में छिपे हुए उच्च कोटि के योगियों तक पहुँचे। तीन वर्षों तक करबीर पीठ के शंकराचार्य के पद पर प्रतिष्ठित रहे। फिर अपने गुरुदेव बंगाली बाबा की आज्ञा से जापान होते हुए अमेरिका पहुँचे। अमेरिका में हिमालयन इंस्टीट्यूट की स्थापना की, जिसकी शाखायें आज विश्व के अनेक देशों में हैं।

श्री स्वामी राम की मुख्य देन है – प्राचीन योग और अध्यात्म विद्या का आधुनिक विज्ञान से समन्वय करवाना। १९६९ से लेकर १९७३ तक स्वामीजी ने मिनिंजर फाउण्डेशन, टोपेका (यू०एस०ए०) में मन और शरीर सम्बन्धी जो अनुसन्धान किये वह अभी भी योगियों और वैज्ञानिकों को अचम्भे में डाल देते हैं। सत्रह सेकेण्ड तक हृदय की गति को रोक देना,

त्राटक की शक्ति से लोहे की शलाका को मरोड़ देना, जागृत अवस्था में स्वेच्छा से अल्फा, बीटा, थीटा और डेल्टा जैसी मस्तिष्क की तरंगों को प्रकट कर देना – आदि आदि वैज्ञानिक अनुसन्धान की देन है कि आज योग और अध्यात्म विद्या पूरे विश्व में फैल रही है। पूज्य स्वामी जी का अनेक भाषाओं पर पूर्णाधिकार था। उन्होंने पच्चीसों ग्रन्थों का लेखन किया। "हिमालय के सन्तों के संग निवास" उनकी अनुपम कृति है। स्वामी जी के ग्रन्थों का अनुवाद विश्व की प्रायः सभी मुख्य भाषाओं में हो चुका है। एक सिद्ध योगी होने के साथ ही साथ स्वामीजी एक महान समाजसेवी भी रहे हैं। इनके द्वारा संस्थापित हिमालयन इंस्टीट्यूट और हॉस्पिटल ट्रस्ट, मेडिकल कालेज और नर्सिंग स्कूल (देहरादून) भारत के उच्चतम संस्थाओं में से एक है।

स्वामीजी द्वारा संस्थापित अन्तर्राष्ट्रीय संस्था "हिमालयन इंस्टीट्यूट" का मुख्य प्रांगण अमेरिका के पेन्सेलवेनिया नामक प्रान्त में है। चार सौ एकड़ में स्थित यह संस्था आधुनिक सुविधाओं और उपकरणों से सुसज्जित प्राचीन ऋषियों के ज्ञान-विज्ञान को विश्व में फैला रही है। भारतवर्ष में इस संस्था का मुख्य प्रांगण इलाहाबाद में गंगाजी के तट पर है। अभी हाल ही में इस संस्था का दूसरा प्रांगण खजुराहो (मध्य प्रदेश) की दिव्य भूमि पर विकसित हो रहा है। पूज्य स्वामी राम के इतने महान् ज्ञान-विज्ञान, अध्यात्मिक अनुभव और अन्तर्राष्ट्रीय स्तर पर शैक्षणिक, अध्यात्मिक और सामाजिक सेवा-विस्तार को देखकर यह कहना पड़ता है कि पूज्य स्वामीजी एक युग पुरुष हैं। ऋषि परम्परा की एक कड़ी हैं जो हमारे बीच मनुष्य के रुप में प्रकट हुए।

पं० राजमणि तिगुनाइत, पी–एच०डी०

पण्डित राजमणि तिगुनाइत पूज्य श्री स्वामी राम के कृपा पात्र शिष्य और उत्तराधिकारी हैं। साथ ही पण्डित जी स्वामी राम द्वारा स्थापित अन्तर्राष्ट्रीय संस्था हिमालयन इंस्टीट्यूट के चेयरमैन हैं। पण्डित जी का जन्म उत्तर प्रदेश के प्रतापगढ़ जनपद में हुआ। प्रयाग विश्वविद्यालय से डाक्टर ऑफ़ फिलॉसफी (संस्कृत) की उपाधि प्राप्त की। विद्यार्थी अवस्था में ही पण्डित जी की आध्यात्मिक दिशा में प्रवृत्ति रही। फलस्वरुप अनेक महापुरुषों से अध्ययन करने का अवसर प्राप्त हुआ। तेईस वर्ष की आयु में पूज्य स्वामी राम के दर्शन हुए। उसके पश्चात् बीस वर्षों तक पूज्य गुरुदेव स्वामी राम के चरणों में अध्ययन और साधनारत रहे। इसी बीच अमेरिका के विशिष्ट विश्वविद्यालय यूनिवर्सिटी ऑफ पेन्सेल्वेनिया से दूसरी पी–एच०डी० की उपाधि अर्जित की।

अपने गुरुदेव के बताये हुए साधना के पथ पर चलते हुए दर्जनों ग्रन्थों का निर्माण तथा विश्व के हर कोने–कोने में योग और आध्यात्मिक विषयों पर प्रवचन करते हुए भ्रमण करते रहे। ब्रह्मलीन होने के तीन वर्ष पूर्व ही १९९३ में पूज्य स्वामी जी ने पण्डित जी को अपनी गद्‌दी पर अभिषिक्त किया। गुरुदेव के आशीर्वाद और जगदम्बा की कृपा से हिमालयन इंस्टीट्यूट

की सेवा में तत्पर होकर ऋषियों मुनियों के सन्देश को हर दिशाओं में प्रचारित कर रहे हैं।

१९९६ में पण्डित जी के पूज्य गुरुदेव श्री स्वामी राम ने महासमाधि ली। उसके पश्चात् पण्डित जी ने अपने गुरुदेव के जीवन चरित्र से सम्बन्धित "ऐट दि अलेवेन्थ आवर" नामक ग्रन्थ लिखा जो इस समय विश्व की अद्वितीय कृतियों में से एक है। इस ग्रन्थ को पढ़ने से पता चलता है कि ऋषि परम्परा क्या है, पूज्य स्वामी राम कौन हैं और पण्डित जी को इन ऋषियों तथा अपने गुरुदेव की कृपा कैसे मिली। संक्षेप में – पण्डित जी अपने गुरुदेव और ऋषियों की कृपा और आशीर्वाद के जीते–जागते स्वरुप हैं।

हिमालयन इंस्टीट्यूट

हिमालयन इंस्टीट्यूट एक आध्यात्मिक संस्था है। शिक्षा और प्रकाशन कार्यों के द्वारा प्राचीन ऋषियों, उनकी परम्पराओं तथा उनके ज्ञान-विज्ञान का प्रचार-प्रसार करना इस संस्था का लक्ष्य है। ऋषि परम्परा की सेवा में रत यह संस्था इस समय योग विद्या, ध्यान और अध्यात्म विद्या तथा शारीरिक और मानसिक स्वास्थ्य के क्षेत्र में एक अनुपम स्थान रखती है। हिमालयन इंस्टीट्यूट की शाखायें आज विश्व के अनेक देशों में विद्यमान हैं।

हिमालयन इंस्टीट्यूट की स्थापना परम पूज्य श्री स्वामी राम ने १९७१ में की। इंस्टीट्यूट का मुख्य केन्द्र इस समय यूनाइटेड स्टेट्स ऑफ अमेरिका के पेन्सेलवेनिया प्रान्त में है। पोकोनो पर्वत माला में स्थित चार सौ एकड़ वाले परिसर में स्वास्थ्य सम्बन्धी प्रशिक्षण और सेवाओं से लेकर ध्यान योग,

हिमालयन इण्टरनेशनल इंस्टीट्यूट का प्रधान कार्यालय, होन्सडेल, पेन्सलवेनिया, यू०एस०ए०

स्ट्रेस मैनेजमेंट, वेदों और उपनिषदों के अध्ययन, आध्यात्मिक ग्रन्थों के अध्ययन और साधनाओं तक की सुविधाएँ उपलब्ध हैं, इसके साथ ही यह संस्था संसार के अनेक देशों में मानव समाज के सर्वांगीण विकास से सम्बन्धित अनेक परियोजनाओं में भी संलग्न है।

भारत में हिमालयन इंस्टीट्यूट की मुख्य संस्था इलाहाबाद में गंगाजी के तट पर तीस एकड़ भूमिखण्ड में स्थित है। आध्यात्मिक सेवाओं के साथ ही इंस्टीट्यूट की यह भारतीय शाखा अनेक समाजसेवा के कार्यों में संलग्न है।

उत्तर प्रदेश के ग्रामीण क्षेत्रों में बच्चों के स्कूल तथा संस्कृत पाठशालाओं को आर्थिक अनुदान एवं कनार्टक प्रान्त में आर्गेनिक फार्मिंग की ट्रेनिंग तथा तिब्बती शरणार्थी केन्द्रों में वृक्षारोपण जैसी योजनाओं का सम्पादन इस संस्था के द्वारा हो रहा है। हिमालयन इंस्टीट्यूट के नये प्रांगण का विकास कार्य मध्य प्रदेश के परम पवित्र तीर्थ स्थान खजुराहो में प्रारम्भ हो चुका है।

हिमालयन इण्टरनेशनल इंस्टीट्यूट इडियन सेण्टर की प्रमुख शाखा, इलाहाबाद